UNION GÉNÉRALE D'ÉDITIONS
8, rue Garancière - PARIS VIe

Du même auteur

La Démarche poétique (première version, éd. Rencontre, 1969).

La Question et le sens. Esthétique de Nietzsche (Aubier Montaigne, coll. « Bibliothèque philosophique », 1972),

Le Professeur de philosophie (illustration de Paul Delvaux. Fata Morgana, coll. « le grand pal », 1976).

Itinerrer (Orange Export Ltd, 1976).

Pascal, Nietzsche et l'oubli. De la fable métaphysique à la fiction poétique (en préparation).

LA DÉMARCHE POÉTIQUE

Lieux et *sens* de la poésie contemporaine

PAR

JACQUES SOJCHER

10|18

INÉDIT

Série « S » dirigée par Bernard LAMARCHE-VADEL

ISBN 2-264-00104-6

A Jean Paumen,
mon maître libérateur, à la mémoire de Pierre Bourgeois, à Ernest Gorbitz, le vrai poète inconnu.

OUT

Voici presque dix ans, c'était la première version de ce livre publié en 1969 aux éditions Rencontre. Aujourd'hui il m'était devenu insupportable à cause de son idéalisme, de son imprégnation de salut poétique et j'aurais dû tout réécrire ou tout biffer d'une main rageuse. Mais je croyais — naïvement — qu'il suffirait de barrer des mots (transcendance, inspiration) ou de les remplacer (dépassement, respiration) pour que le sens quitte son piédestal métaphysique et névrotiquement optimiste, comme s'il y avait des corrections possibles, des amendements.

L'entreprise fut plus difficile. Repassant dans mes mots, je devais faire sauter ce qui était devenu leur gangue (la protection de leur sens), désignifier tout, dévier au fil du livre du sillon précédent, raturer, ajouter, inverser, prolonger, apocoper, rejouer la langue, devenir dans ce moule (ce corset insupportable) ma langue d'aujourd'hui — me retrouver au-dehors. Mais je ne pouvais y réussir que négativement, comme s'il n'y avait plus de lieu désormais que sur le mode de la caricature de ce qui fut (je vois en ce parcours comme le modèle de la dérision poétique d'aujourd'hui, comme la pratique même du nihilisme rieur). En ce sens l'exercice ne fut peut-être pas inutile : réécrire, mécrire comme dirait Denis Roche, un livre.

La partie intitulée démarches *n'a pas subi le même traitement. Quelques textes furent conservés presque tels quels et datés, d'autres furent ajoutés avec leur signe temporel — l'écart se lit entre les chiffres. Une dernière partie fait ses adieux au livre premier (et au second), au sot projet de parler de poésie, au commentaire poétique et zézaye hypothèses, thèses, indéfinitions.*

La Démarche poétique, *commencée comme une critique de la poésie, ne pouvait que se terminer ainsi, dans une sorte de poème de l'illisibilité, de dehors où le lecteur ne cherche plus à signifier, à comprendre, mais mâche les mots de la visibilité, comme un chanvre sans nom, sans paradis, gagné par la contagion des lèvres, de la voix. OUT.*

DÉ-POSITION

La poésie est une désorganisation de la réalité pratique qui atteint, par une autre démarche que celle de la pensée possédante, à un accord de l'homme et du monde, de la parole et du silence. Ce désordre demande la dépossession et dispose à une démarche de retrait, à une transcendance à vide.

La poésie s'accomplit dans une subversion de l'imaginaire. Une connaissance, qui est surtout un non-savoir, est ainsi réinvestie, un langage, qui est d'abord une absence de voix, habité, une vie dont l'impossibilité est le cœur, assumée. Mais à certains moments seulement : aux temps forts de la respiration poétique. Entre ces instants est la pensée conceptuelle, le langage-instrument, la vie quotidienne des moyens et des fins. De la coexistence et de la guerre de ces deux temps dépend l'activité poétique, la vie *normale* étant toujours son organe-obstacle, son interdit et ses possibilités de transgression. A la fois insérée et souveraine, la vie, la parole, la pensée poétique dispose figures, rythmes, images dans un espace-temps qui est celui de l'écart et de la proximité.

L'unité rêvée par le poète, déjà perdue par lui

au moment où il écrit est l'impossibilité vécue de la poésie, son histoire et sa page blanche. Cette impossibilité s'assume comme une « jubilation tragique » (Bataille), comme un vide décevant et heureux.

La création poétique et la recréation de la lecture sont les démarches d'un retour et d'une dépossession qui nous approchent de la *vérité* singulière et duplice de la poésie : la métaphore de l'absence, l'opacité de la présence.

A la fin le lieu d'où l'on parle n'a plus (de) lieu. Le corps de la parole est redistribué. L'illisible est la trame du poème et du monde. Il n'y a pas plus de terme que de commencement, de Cité de Dieu que d'origine. Seulement ce qui soulève et effondre, dissimule et révèle, évide et recharge.

La poésie est/n'est pas (échoue ici le principe d'identité, le tiers-exclu, la césure du vrai et du faux, la *position* logique, et plus secrètement éthique). Déposition. Désordre. Faille quelque part, de toutes parts et rire, oui, par étages, jusqu'au pleinvide.

Déroute donc pour l'é*vide*nce.

É*VIDE*NCES

« *Au cœur de* l'évidence, *il y a le vide.* »

(EDMOND JABÈS)

I

UNE QUESTION OUVERTE

QUESTIONNEMENT ET MISE EN QUESTION

Ecrire, c'est d'abord questionner. Le poète, mû par un besoin impérieux de *vérité*, par une sourde exigence de réforme, par la confuse mais irrécusable intuition d'un secret, s'ouvre à l'aire du questionnement. Qui suis-je? demande-t-il. C'est la question inaugurale d'*Ecce Homo*, de *Nadja*, de *Ci-gît* ou de cet autre texte d'Artaud :

« *Je me souviens depuis l'âge de huit ans, et même avant, m'être toujours demandé qui j'étais, ce que j'étais et pourquoi vivre, je me souviens à l'âge de six ans... m'être demandé à l'heure du goûter... ce que c'était, que d'être et vivre, ce que c'était que de se voir respirer et avoir voulu me respirer afin d'éprouver le fait de vivre et de voir s'il me convenait et en quoi il me convenait.*

Je me demandais pourquoi j'étais là et ce que [c'était que] d'être là. — Et en quoi la question se pose et pourquoi se poser la question, oui, pourquoi se poser la question d'être, ou de n'être pas lorsque l'on vit et qu'on est là... en quoi peut consister ce moi qui se sent ce qu'on appelle être, être un être parce que j'ai un corps[1]*?* »

La question exorbitante du *Lieu des signes* de Bernard Noël :

« *J'avais huit ans, tout au plus. L'école du village (Alpuech). Je me voyais assis là, sur mon banc. Je me voyais MOI assis là au milieu des autres, avec ma place, mon banc. MOI échoué là. Présent là. Enorme ahurissement d'être là, MOI! Et bizarre lumière tout à coup sur les choses.* »

Le questionnement renvoie à l'enfance comme au temps du surgissement en nous d'une interrogation qui, pour certains, se déploiera toute une vie, suscitant l'angoisse (la lucidité stérile) ou l'espoir inespérant (le non-savoir poétique). La question a d'abord le visage de l'étonnement, qui semble inscrit au plus profond de notre histoire, à l'heure où nous découvrons le monde et nous-dans-le-monde. L'étonnement est une symbiose d'effroi et d'émerveillement, une sorte de balancier entre l'inquiétude et l'enchantement. Enfant, je m'inquiète de l'inconnu qui, de toutes parts, m'entoure, qui me traverse, qui est MOI, mais je transforme aussitôt, d'une manière magique, l'hostile et l'étranger en un univers étrange, dans lequel le jour finit par triompher de la nuit, qui pourtant revient, toujours plus nuit, dans le jour même. C'est ainsi que le pouvoir de rêve de l'étonnement a régulièrement raison de son impuissance de non-savoir et que l'inquiétude rêve le rêve, irréalisant tout (effroi, merveille).

L'étonnement n'est pas la propriété de la seule enfance. Adolescent devant le monde, la politique, le désir, adulte devant l'habitude et la convention tel jour suspendues, je retrouve cette mixité d'inquiétude et d'émerveillement, de faiblesse et de puissance et, dénonçant l'opacité dans laquelle j'avais établi demeure, il me semble renaître. Mais cette « renaissance » suppose un renversement et un nouveau et difficile cheminement. Une sorte d'instinct de sécurité ou de tranquillité résorbe toujours l'étonnement, les questions se transforment vite en réponses, la pensée se fait « pratique » et tout rentre dans l'ordre. Les exigences de l'action, de l'efficacité adultes réclament la liquidation des questions « oiseuses » (les questions métaphysiques) et l'abandon des attitudes « régressives » (l'émerveillement, l'effroi, le refus). La connaissance devient un *objet* d'étude, une discipline délimitée et dont on peut, à force d'années, passer maître. L'objectivité de la « science » (non la science, mais son image normative) sera la garantie contre toutes les aventures de la poésie, de l'utopie (comme l'inconditionnalité du dogme a toujours été une défense contre les égarements du mysticisme).

Mais le questionnement peut réapparaître et remettre en question le savoir trop assuré et la morale fermée. Le doute est une rage de la vérité, un refus de s'accommoder de l'univers fermé du technocrate et du prêtre. La marche vers la *connaissance* s'accomplit comme une loi de négation et de retour. La *vérité* ne peut se découvrir que sur un vide nouveau, par un retour à la stupéfaction, la *pureté* que sur la terre brûlée, par une mémoire plus antérieure. Le doute nous fait penser la pensée, comme le dit à peu près Artaud, et, par là, il ramène au mouvement dynamique de la pensée, antérieur à toutes ses manifestations, à tous ses jugements.

Mais en même temps, il tend à réinstaller un savoir, une morale, d'autant plus dogmatiques que l'effort critique a eu lieu.

(Tout se passe comme si le doute était pris à la fascination de sa propre image et oubliait de se mettre en doute. Le caractère méthodique et puriste du doute enivre le penseur, qui se laisse prendre aux pièges de la méthode et de la pureté. Toute l'entreprise cartésienne se perd dans l'ordre trop parfait des raisons qui assurent finalement la cohérence et la paix intérieure. Le réel est en fin de compte bien le réel : le philosophe ayant triomphé du sens commun peut accueillir rationnellement les croyances du sens commun. L'homme cesse même d'être problématique, une fois récusés le malin génie et le doute hyperbolique, une fois établis Dieu et la distinction entre l'âme et le corps. Ainsi furent confisqués les produits du doute, par une sorte de confiance inhérente à la démarche elle-même, à la rigueur de la raison critique qui, pour ne pas pouvoir douter toujours d'elle-même, arrive à transformer la question en réponse et l'heuristique en certitude.)

Comment sauvegarder à nouveau le questionnement? Le hasard [2] s'avise souvent de nous remettre sur le chemin de l'interrogation. Encore faut-il vouloir lui prêter oreille et regard, consentir à entendre et à voir, renoncer à s'enfoncer dans les sécurités trompeuses de l'habitude. Alors point de divertissement, de bonne conscience (scientiste, religieuse ou bourgeoise), mais un chemin sans fin, une perdition. Car, à trop questionner les visages terrifiants de l'inconnu qui m'habite, qui m'encercle, je peux soudain me sentir perdu. Ce que j'ai perdu, ce que le questionnement a perdu en moi, c'est l'évidence simplificatrice de l'immédiat, c'est la sécurité que je pouvais trouver dans une théorie de la connaissance fondée sur l'objectivité. J'ai perdu l'assise d'un savoir et d'un langage qui parlaient de l'être comme d'une réalité en dehors de moi et qui par là me sauvegardaient, me plaçaient dans la situation confortable du spectateur. Et me voici devant le monde et moi qui ne se laissent plus réduire à une théorie, devant un ordre qui laisse apparaître un intervalle entre ses termes, devant le chaos, le blanc, la mort.

C'est l'abandon de la relation dualiste sujet-objet, moi-autrui, qui réengendre et relance le questionnement métaphysique, l'interrogation poétique. Le sens de la question est donc, à ce point où le sens dérape, un dialogue avec le non-être (la multiplicité), avec l'absence (la trame de la mort). Dialogue difficile, réponse peut-être impossible. Et cependant il faut répondre, et répondre c'est toujours, pour qui n'accrédite pas les faux-fuyants de la réduction et du dogmatisme, susciter de nouvelles questions. Chaque mot devient le centre d'un mystère qui entraîne plus loin sur le chemin du questionnement. La plupart évitent cette route pour vivre tranquilles dans une sorte d'innocence préfabriquée. Mais pour celui qui consent à s'enfoncer dans l'étrangement de la question, un chemin s'ouvre, chemin dans lequel Jaspers voit l'activité même de philosopher (« Faire de la philosophie, c'est être en route. Les questions, en philosophie, sont plus essentielles que les réponses, et chaque réponse devient une nouvelle question »). Le poète ne dit pas autre chose, sa parole n'en finit pas de témoigner de l'obscur et son récit d'ouvrir l'espace, toujours poussé à l'avant de lui-même vers une transgression interdite.

Au cœur de la question est l'impossible. Celui qui questionne vraiment sait qu'il n'y aura jamais de réponse. Et il pressent peut-être aussi que poursuivre l'interrogation donne un pouvoir absolu et dévastateur. La profondeur de la question, c'est l'entrevision du rien, l'abîme aveuglant de la répétition. Le questionnement est répétition et la répétition est la perte (le bouleversement, dit Jaspers, l'incertitude, le danger, Nietzsche, l'ivresse, la folie, Rimbaud). Folie, en effet, que l'insatisfaction et l'opiniâtreté de celui qui ne s'arrête pas à une réponse, ne prend jamais pour son bien une certitude mais regarde avec suspicion la satisfaction, la complaisance, la tempérance, la résignation, tous les visages de l'inertie, de la stabilité, de la réduction au confort matériel et moral.

L'interrogation est le miroir d'une épreuve qui s'éprouve dans l'acte d'écrire, incertaine, inutile, impossible, mais qui, en même temps, par l'acte de création qu'a engendré la question, révèle un ailleurs, une suite qui est le recommencement, l'avenir. La question poétique est la genèse de l'avenir, le feu secret de l'inconnu, qui parfois semble surgir non pas du dehors, du lointain mais, inexplicablement, du cœur du présent, de l'impossible demeure de maintenant. Nietzsche appelle *Versuch* (essai, tentative, tentation) cette expérience poétique de la question. Le *Versucher* est un vaillant et patient navigateur qui part à la découverte de son pays, du pays « Avenir humain », de la profondeur du monde (« Le monde est profond/plus profond que le jour le pense »), du miroir de notre désir si longtemps dévoyé, enlisé, qui vit ses questions comme une poursuite et un cercle, comme un signe qui dépasse les choses désignées, comme une échappée de soi-même dans le glissement de l'interrogation et un retour à soi — un soi qui n'est plus le je de la subjectivité, mais le visage insaisissable de la déperdition.

Questionner poétiquement, c'est dépasser. Comprenons bien le sens de ce dépassement. Il n'est pas un simple déplacement vers le haut, dans un jeu de questions qui ouvre l'espace, il est la perdition même, la perte du je de la subjectivité, de la pensée-représentation, de la pensée-possession. Et, en vérité, il s'agit moins d'une privation que d'une dépense, d'une dilapidation. Ce qui se gagne ici, c'est la terre brûlée de l'excès, le vide de l'excessive ardeur. Par quoi se montre que la poésie est une consumation qui élève, dans sa destruction d'un monde, une figure sans forme et sans visage qui a la beauté d'une promesse, la violence d'un désir et la douceur d'un rêve.

Si la question poétique soulève ainsi vers cet avènement incroyable de la future vigueur, du nouveau corps amoureux, du tarissement des urnes, c'est que le dépassement conduit (comme le dit Rimbaud) à embrasser l'immense corps de l'aube toujours renaissante et toujours disparaissante. Et si la totalité est en jeu dans le dépassement du poète qui avance toujours plus avant, en allées et en retours, dans la question, il faudra tout porter à l'embrasement, tout exalter, tout mener au nouveau jour.

C'est pourquoi, une fois entrée dans l'aire du questionnement, la parole poétique diffère de la parole usuelle qui cache l'écart, recouvre la brèche, répond et referme le chemin. Elle établit une *mise en question* du monde et du langage, à partir de laquelle l'homme se sent entraîné dans un *renver-*

sement dont il ne soupçonne pas encore la profondeur sans fond. Et soudain il doit dire non à tout ce qui hier encore composait son monde. Comme le doute était la première forme de la question véritable, la négation sera le premier visage de la réponse. Une négation dans laquelle est enfermée, au plus profond d'elle-même, une affirmation qui cherche son espace.

Comprenons bien qu'elle ne vise pas à affirmer — ce serait arrêter le mouvement de la question — et qu'elle ne peut se complaire non plus dans sa négativité — ce serait dogmatiser le refus. La négation est un moment du jeu du jour et de la nuit qui amène à l'aurore nouvelle du nouveau départ. Question, négation et affirmation poétiques rythment la parole incessante du poète. Au delà des traditionnelles oppositions question-réponse, affirmation-négation, ici-ailleurs, présence-absence, conscience-inconscience, visible-invisible, réel-irréel, la parole qui porte l'interrogation remet en question, invite à repenser, à dépenser, à revivre, à vivre peut-être pour la première fois.

Entrons dans la fête de l'effondrement poétique, par où un équilibre en mouvement, comme la terre elle-même, se redécouvre, par où le flux de la vie pénètre nos corps et nos cœurs anémiés et reconnaissons en ce Janus, au double et unique visage (cruauté et douceur, carnage et beauté) la question béante, l'absence de fond, la poésie ininterrompue.

1. *Dynamique de la négation.*

« ... Il y a un mensonge de l'être contre lequel nous sommes nés pour protester », dit Artaud. Le poète proteste contre un niveau du monde (celui de la réification) et contre un niveau du langage (celui de la parole dégradée, des significations interchangeables). Le poète refuse la réduction de l'espace, la dévitalisation de la vie. D'où la situation stratégique de la poésie : elle fait éclater, de l'intérieur, les structures fallacieuses, les morales oppressives, le langage simplificateur et mensonger.

Ainsi s'explique la dynamique de la négation. La négation n'a pas partie liée avec le ressentiment, avec l'impuissance, la passivité, elle est la course d'une affirmation passionnée, d'une surabondance qui, à travers elle, s'acharne à l'innocence d'une création. Le poète rétablit, dans la destruction même, les raisons d'un espoir, les ponts d'un retour, les écluses de la liberté.

Les mouvements de la libération sont, dit Artaud, « les saccades de l'être en nous contre toute coercition ». Quelles coercitions? Toutes celles qui procèdent du dogme, de l'impérialisme de la *normalité.*

Qu'est-ce que le normal? C'est le figé, l'habituel, le conventionnel, une espèce d'en-soi qui prétend retenir le pour-soi aux rets de son rituel, style promenade du dimanche. Il offre à l'homme, dit Breton, des idées — « une somme de postulats sans rigueur » — étroitement canalisées dès la naissance et qui ne peuvent progresser que dans une voie toute tracée, bordée d'édifices (« l'église, la caserne, l'usine, le comptoir, la banque, le bordel ») et de statues « creuses, innombrables, qui tendent à consacrer les gloires usurpées ». La normalité est bien le mensonge de l'être, plus exactement, la sclérose et le pourrissement dans l'air immobile et lourd, dans la médiocrité de l'habitude, cette évidence des malades et des impuissants.

Le statisme des choses qui sont, c'est la « temporalité déchue », le contraire de la ferveur, du merveilleux, c'est l'indifférence, « l'incuriosité croissante », le confort, la stabilité, la sécurité, qui voilent la précarité, qui déguisent « le caractère de gain toujours inespéré ou de perte irrémédiable que peut prendre chaque instant gagné ou perdu ». La normalité pousse à mesurer d'une vie devenue étroite et comme vidée de l'étrange, de l'inexplicable. Par peur de l'inconnu, par haine de la profondeur, des hommes (que Rilke appelle veules) ont chassé « par une défense quotidienne » de la vie, la vie même. Ils ont ainsi « appauvri l'existence de l'individu » et ont tout rapetissé : l'amour, qui n'est plus « qu'un excitant, une distraction » au lieu d' « une concentration de leur être vers les sommets », le manger, devenu indigence ou pléthore, la mort, impersonnelle et anonyme — la vie. « Celui-là seulement, dit Rilke, qui n'exclut rien, pas même l'énigme, vivra les rapports d'homme à homme comme de la vie, et en même temps ira au bout de sa propre vie. »

Il ne s'agit évidemment pas d'opposer à la laideur de la vie aliénée les mirages des arrière-mondes et de jeter au cœur de l'homme des espérances trompeuses qui lui feront mieux accepter son lourd destin, porter sa croix, se résigner. La poésie dénonce également la sublimation et la réification

(« Avec des poings pour frapper, ils firent de pauvres mains pour travailler », dit René Char). Ni soumission, ni fuite, ni indifférence, ni compensation, elle est la négation qui soulève le réel : « la réalité sans l'énergie disloquante de la poésie, qu'est-ce? »

Le surréalisme, qui a conduit très loin la logique négative de la poésie, motive ses attaques contre la normalité par le désir qui l'habite de rétablir l'intégralité dc la vie, par-delà les aliénations et les séparations millénaires, de réintégrer « dans une vaste et profonde unité » le bien et le mal, la chair et l'âme, la perception et la représentation, la réalité et le rêve, l'objectif et le subjectif, la raison et la déraison. Mais cette unité ne se retrouve qu'une fois détruits les visages de la séparation — détruits ou plutôt ramenés à leur point unique, à l'exigence démultipliante et rassemblante. C'est la leçon d'*Héliogabale :*

« *Il y a dans toute poésie une contradiction essentielle. La poésie, c'est de la multiplicité broyée et qui rend des flammes. Et la poésie qui ramène l'ordre, ressuscite d'abord le désordre, le désordre aux aspects enflammés; elle fait s'entrechoquer des aspects qu'elle ramène à un point unique : feu, geste, sang, cri.* »

On voit la violence, l'exigence poétique : ramener l'ordre originel qu'on a perdu et pour ce ressusciter le désordre, bouleverser les assises de la vie *normale,* s'autodévorer — sortir :

« *Et, surréalistes, nous avions besoin de sortir, toujours, partout, dans un mouvement d'insatis-*

faction mortelle; d'où une violence qui ne menait à rien, mais manifestait souterrainement quelque chose... »

La sortie du monde est encore une fois inséparable du mouvement d'intégration, d'affirmation. L'anarchie de la pensée se réclame d'un ordre qui fait éclater celui qui le revendique. Elle prend, chez Artaud, dans sa phase de renversement, la forme d'une contestation de l'ordre du corps, de la structure familiale et des rapports existants entre les hommes :

« *Nous vivons sur un odieux atavisme physiologique qui fait que même dans notre corps, et seuls nous ne sommes plus libres, car cent père-mère ont pensé et vécu pour nous avant nous, et ce que nous pourrions à un moment donné, à l'âge dit de raison, trouver de nous-mêmes, la religion, le baptême, les sacrements, les rites, l'éducation, l'enseignement, la médecine, la science, s'empressent de nous l'enlever.* »

Comment faire éclater cette gangue? Comment sortir? C'est ici que commence l'itinéraire particulier de chaque poète. Pour Artaud, il s'appelle théâtre, puis Tarahumaras; pour Breton, amour fou; pour Bataille, supplice, dépense. Mais toujours avec lui commence le chemin de la perte, de l'inconnu, de la dépossession.

2. *Le refus de la séparation.*

Artaud peut comparer le théâtre à la peste, qui est « une crise complète après laquelle il ne reste rien que la mort ou qu'une extrême purification ». La magie du théâtre, c'est qu'il produit le retournement du réel en nous forçant à voir l'être aliéné et séparé de la vie que nous sommes devenus, c'est qu'il redonne à l'homme le sentiment de son intégralité. Le théâtre est la négation de la « conscience séparée » qui caractérise en Europe le monde de la normalité. Car l'Européen a désappris « à regarder la nature » et à « sentir la vie dans sa totalité ». Il faut donc refaire ce qui était défait et pour cela combattre ceux qui ont fait perdre à l'homme le sens de l'unité. Artaud met en cause le christianisme (qui a séparé le corps et l'âme pour installer entre eux une guerre de principes) ainsi qu'un certain rationalisme (qui a séparé pour mieux penser mais a finalement désaccordé et oublié l'intuition première de l'unité). Dans une conférence, donnée à Mexico, il accuse notre culture de ne décrire l'homme que de l'extérieur, comme un objet parfaitement quantifiable et réductible, de mettre la vie en musée. Dès les premières pages du *Théâtre et son double,* il proteste « contre l'idée séparée que l'on se fait de la culture, comme s'il y avait la culture d'un côté et la vie de l'autre; et comme si la vraie culture n'était pas un moyen raffiné de comprendre et d'*exercer* la vie », contre cette scission, cette « rupture entre les choses, et les paroles, les idées, les signes qui en sont la représentation », contre notre voyeurisme d'impuissants, notre idolâtrie de non participants, notre « profit artistique et statique », notre savoir de spectateur désincarné, sans force ni vertige, notre nomination, notre vide leurré par l'accumulation des systèmes à penser.

La vraie culture est autophage (« Etre cultivé,

c'est manger son destin, se l'assimiler par la connaissance »), elle est violence, elle montre l'homme dévoré par l'incessant besoin de répondre à des questions qui ne se laissent jamais tout à fait résorber par les réponses. Elle témoigne d'un « appétit de vie qui lui fait reculer les cadres toujours trop étroits de l'espace (qui selon une image rilkéenne, doit être sans cesse agrandi) et la pousse à transgresser son époque pour gagner, dans la (dis-)continuité de la destruction et de la création, le feu qui fraie l'espace et le temps :

« *La culture est un mouvement de l'esprit qui va du vide vers les formes et, des formes rentre dans le vide, dans le vide comme dans la mort. Etre cultivé, c'est brûler des formes, brûler des formes pour gagner la vie. C'est apprendre à se tenir droit dans le mouvement incessant des formes qu'on détruit successivement.* »

Comment notre éducation planifiante pourrait-elle recevoir l'idée sacrificielle d'une culture qui est tout entière embrasement, cruauté, qui habite toute la vie, étreint et transforme toute chose, ne laissant rien indifférent, appelant le quotidien à une perpétuelle transmutation, à son éclatement, à son remembrement?

Comprendre cela suppose que nous soyons déjà entrés dans l'espace de la *Culture* et du *Destin*, où son, geste, parole et souffle crachent la vie, où chacun « a sa place dans l'espace vibrant d'images ». Cette entrée — cette sortie dit Artaud — fait que la réalité n'apparaît plus selon le regard de la séparation ou de la raison abstraite, mais selon la vue, la vibration de l'art (le théâtre du visible), à partir d'où se (dés-)ordonne la vie, la « mythologie ouverte » de la vie.

La négation poétique, le refus de la séparation mène qui poursuit ce chemin sans fin à un renversement de la paupière, à une vue à l'envers (à l'endroit) du monde, de la société, de l'homme. Ce qui est restitué dans cette re-vision, c'est un rapport fondamental avec les choses et avec les hommes, dont il a fallu mesurer l'oubli pour retrouver la mémoire (je songe à cette lettre de Muzot où Rilke rappelle que si « Pour nos grands-parents *encore,* une maison, une fontaine, une tour familière, voire même leur propre habit, leur manteau, étaient infiniment plus — infiniment plus dignes de foi », si « presque chaque chose était un récipient dans lequel ils trouvaient quelque chose de l'homme, dans lequel ils épargnaient de l'humanité », « A présent, d'Amérique, proviennent et s'accumulent des choses vides et indifférentes, des pseudo-choses, des *trompe-l'œil* de la vie... »). La négation poétique n'est pas une nostalgie, mais une mémoire obstinée, le refus n'est pas lancé au nom d'un âge d'or perdu et à reconquérir, mais vers un avenir (passé ou à venir), pour une affirmation qui se cherche, qui soulève le temps comme le battement d'un cœur unique, le souffle d'une respiration sans limites.

Le combat poétique — politique — se mène contre la séparation, l'indifférence, l'insignifiance surtout de la parole eudémoniste de notre culture, de notre monde qui dérobe sa crise en falsifiant d'abord la langue qui est l'autruche de toutes nos fuites, la tête cachée de tous nos aveuglements.

3. *Une parole insignifiante.*

« L'humanité n'est pas simple, il faut en prendre son parti; et toute tentative de simplification, d'unification, de réduction par le dehors sera toujours odieuse, ruineuse et sinistrement bouffonne », répétait Gide, retour de l'U.R.S.S. stalinienne. C'est pourtant ce que s'évertue toujours de faire la pensée pragmatique et normative, qui opère une réduction radicale en atteignant le langage. Le langage banalisé, insignifiant établit une pseudo-communication, laquelle fonde une pseudo-vie et nous engage dans un monde factice, où l'illusoire et le conventionnel prennent figure de vérité, où la parole ne reflète plus que nos calculs. Or, justement, l'indifférence au langage, à un langage qui veut tout dire et qui ne veut rien dire, autorise toutes les indifférences à la vie.

La parole-moyen, la parole-distraction est un bruit parmi d'autres, dans un monde de bruits, où le silence lui-même devient bruyant [3]. Parler revient à perdre le sens de la parole, parler donne la bonne conscience nécessaire à la maîtrise et à la « consommation » du monde, à la possession, à la domination, à l'oppression. Le langage-moyen, parce qu'instrument de puissance et de servilité, ne se soucie pas de sémantique, ne pose jamais vraiment la question du sens, la question de l'espacement et du glissement du sens. Au contraire, il opère à loisir ce qu'on pourrait appeler des retournements ou des détournements de signification. On nommera par exemple « bonheur » ce qui est son contraire, « liberté » ce qui en est la négation, on substituera un mot à un autre, on cachera son identité et l'on mettra à la place une fausse enseigne (exemplaire ici le programme du juge-pénitent de *La Chute*). Ce mensonge nous laisse intacts dans le monde de nos privilèges, protégés par le langage, par sa désignification, son usure — son usufruit. Cela ne va pas sans une certaine complicité du partenaire déshérité, qui devra lui aussi se croire heureux et donner son accord au mensonge des maîtres, être la dupe semi-consciente, et bientôt tout à fait illusionnée, de la parole qui veut tout dire et qui ne veut rien dire...

(Dans *En attendant Godot,* Pozzo ne peut manger, boire, s'écouter parler devant les deux clochards, Vladimir et Estragon, que s'il les suppose heureux. Il essaiera d'obtenir leur attention, il feindra de les tenir pour ses semblables, il créera entre eux une solidarité factice pour mieux pouvoir manger, sans partager, et monologuer, sans être contredit. Estragon et Vladimir consentent à jouer ce jeu car ils espèrent avoir les restes du repas et d'autre part, et plus fondamentalement, s'oublier grâce au bavardage. On retrouve ici la dialectique du maître et de l'esclave, qui tous deux ont besoin l'un de l'autre, comme objet, « possession », sens frauduleux.)

L'insignifiance répudie le silence, et la possession la solitude, c'est-à-dire la conscience de l'oubli. On parle, on possède pour ne pas penser, pour ne pas entendre le silence éloquent de notre finitude. Le langage, la possession sont euphorie : celui qui s'écoute parler, qui se regarde posséder, inattentif au sens de ses paroles et de ses possessions, a le sentiment de sa respectabilité, de sa domination, il adhère mieux au sol, il est bien dans sa peau. Et cette euphorie toujours cache (leçon de *La Chute*) mon vrai « métier », mon « identité » (« Dupont, philosophe froussard, ou propriétaire chrétien, ou humaniste adultère ») et rend possible l'idéologie eudémoniste de la consommation, le sérieux de la vie en société.

Le langage falsifié et la possession falsifiante nous placent dans un ordre qui nous soustrait de toute dissonance et nous protège de toute insécurité. Celles-ci sont conjurées, puisque ce qui se trouve résilié, c'est le jugement, la critique, la remise en question. L'homme du bavardage et de la consommation — que permet pleinement la parole dégradée — atteint à la complaisance narcissique des dieux d'Epicure, qui sont des dieux repus et égoïstes, immunisés. La parole insignifiante nous ouvre à la « possession » d'un ordre qui est celui de l'évidence, de l'élémentaire, de la vie en surface, de l'identité. Elle est la transparence opaque du mensonge, le cela va de soi de l'invivable.

Tout semble alors ramené à une sorte de normalité tellement évidente qu'elle n'a plus l'air d'une orthodoxie. Telle est pourtant la normalité, une nouvelle orthodoxie, plus oppressive qu'un dogme. C'est contre elle que protestent aujourd'hui poètes et penseurs : contre la réduction la plus dangereuse — car la plus inapparente —, contre la menace la plus initiale, qui pervertit la langue, la perception, l'espace.

Qui dira que cette protestation n'est pas le cri profond de la vie contre ce qui l'écrase, contre la séparation, l'insignifiance, l'indifférence, ces trois hydres de la mort?

4. *L'a-normalité.*

On ne peut ramener la révolte poétique au seul refus de la réification. Elle est la négation, plus générale, de tout ce qui aliène, de tout ce qui arrête la transcendance. La signification première et souvent oubliée de la transcendance répudie toute idée d'arrière-mondes, de transcendantal pour ne donner voix qu'au mouvement, au cheminement, au devenir. C'est l'invitation à l'a-normalité, la promesse de l'irréductible.

Si la négation poétique est ce qui retourne le poète à la transcendance, elle le fait dans la destruction de la réponse, de la nomination, de l'installation. Préserver le cheminement, c'est ruiner toutes les velléités de finalisme, d'eschatologie, briser les Tables de la Loi, faire éclater l'ordonnance (divine ou rationnelle) d'un monde clos.

Le secret de l'anarchie poétique, c'est toujours l'homme, mais pas l'homme de la réification ou de la sublimation qui offrent les mêmes images déformantes et fallacieuses de ce qui est devenu une abstraction, une vérité dégradée. Car pourquoi accepter la sursignifiance quand on a refusé l'insignifiance? La défiguration n'est-elle pas finalement la même? Tantôt objet, tantôt âme, jamais simplement précarité, contingence, jamais simplement être-là, dans cet espace, qui est le seul espace, dans cette absence de sens donné, sans le secours des normes inhumaines ou surhumaines, sans mot d'ordre, dans un vide qui n'est pas irrespirable, mais est la condition même du vrai souffle, de la *vraie vie.*

La révolte contre la norme dresse contre tous les détournements de l'homme, contre l'escroquerie métaphysique (religieuse ou rationaliste) et le manichéisme idéologique. Le poète dénonce impitoyablement les simulacres apaisants, les images rassurantes. Contre l'ordre normatif, il revendique l'anarchie, propédeutique d'un ordre toujours à venir, contre la sécurité, l'aventure, l'incertitude, l'inconnu, contre la réduction de la raison ou de Dieu (la réponse) l'ouverture d'une raison éclatée, d'un dieu éventré, d'une question béante.

On connaît la parole de l'insensé : « Dieu est mort. » C'est elle qui a ouvert la poésie à son irréductible transcendance. Car ne plus croire en Dieu (ni aux divinités de remplacement), c'est opter pour l'insécurité, c'est ne pas altérer le sens du cheminement qui est proversion vers un inconnu, dont ne témoigne aucun évangile. D'où la réponse de René Char à la question « Pourquoi ne croyez-vous pas en Dieu? » : « Mieux vaut, certes, conserver son incertitude et son trouble, que d'essayer de se convaincre et de se rassurer. »

On peut songer aussi à la démarche baudelairienne, dans laquelle Yves Bonnefoy reconnaît la conversion du discours poétique, devenu « l'insinuation d'une voix qui veut la perte [4] ». La poésie moderne veut, à partir de la conscience que « le seul acte réel est de se jeter hors de soi » et « d'approcher le plus qu'il se peut un monde de notre absence », vivre la contingence, la mort de Dieu et ne pas rassasier la faim inextinguible « dans un acte de pure forme » ou une orthodoxie. C'est pourquoi elle s'affirme comme un refus du rationnel et du religieux, du concept et de Dieu.

Nul mieux que Georges Bataille n'a montré le caractère normatif de Dieu et de la raison, que refuse la souveraineté poétique. L'homme, écrit-il, se heurte à la nature « comme effort d'autonomie ». Mais en même temps qu'il se saisit comme mouvement vers l'autonomie, il aperçoit la profonde dépendance où le tient la nature. Pour y échapper, il se rapporte à Dieu et lui subordonne son autonomie, à Dieu qui est l'ordonnateur de la nature, le Bien. Seule, croit-il, cette soumission sauve sa liberté. Le mal, c'est la négation de l'ordre divin, la volonté personnelle, l'illusion d'autonomie de la nature humaine et rien qu'humaine, c'est la nature charnelle, que l'âme, la spiritualité, l'éthique disciplinent et ordonnent. Bataille refuse l'autonomie en Dieu comme un leurre. Le dualisme chrétien — comme tout dualisme — oppose toujours d'une certaine manière la norme à l'anormalité, le bien au mal, l'existence idéale, spéculative au corps. Or, dit l'auteur de *La Somme athéologique*, « Le défi à la nature demande d'être porté par un être réel, pouvant l'assumer lui-même, et non par un désir hypostasié, par une pure moralité que trahissent les comportements nécessaires des hommes ».

Le recours à la raison représente aussi une renonciation. La raison oppose à la nature des formes générales, un ordre logique. L'homme condamne son avidité d'autonomie comme contraire à la raison et, d'autre part, il s'oppose aux tendances dites « animales ». Mais ce principe rationnel est — tout comme Dieu — lui-même engagé dans la nature, puisqu'il en est l'ordonnateur; il n'est qu'un donné naturel, « tiré de l'enchevêtrement comme un négatif ». Dieu, la raison sont des mots :

« *L'homme a doublé les choses réelles, et lui-même, de mots qui les évoquent, les signifient et survivent à la disparition des choses signifiées.* »

On a substitué le langage à l'être, à l'immédiateté de la vie. Mais si l'homme abandonne ainsi son autonomie en la plaçant dans un « moyen terme » et « s'il donne à cet irréel la réalité », c'est comme s'il acceptait la nature, à laquelle pourtant il voulait s'opposer. Il y a donc bien confiscation de la révolte, détournement de la question, divertie de son exigence initiale et renoncée sous forme de réponse.

L'autonomie de l'homme, c'est qu'il est une question sans réponse :

« Si l'existence humaine à la question : ' Qu'y a-t-il? ' répond autre chose que ' Moi et la nuit, c'est-à-dire l'interrogation infinie ', elle se subordonne à la réponse, c'est-à-dire à la nature. En d'autres termes, elle s'explique à partir de la nature et renonce à l'autonomie par là. »

La poésie est une interrogation portée tout le long de l'existence, une tension vécue, jusqu'à l'extrême du possible, entre le moi et la nature, un désir de connaître, de nommer et le monde qui résiste à la pensée, à la parole, un décryptage, une lecture et l'hostilité des objets jamais assez gagnés à la transparence d'un langage assez réunifiant.

Quel est l'avenir d'une telle question persévérante dans son défaut de réponse? L'irréférence, la contingence :

« Le Perceval en nous d'une conscience à venir n'aurait pas à se demander ce que sont les choses et les êtres, mais pourquoi ils sont dans ce lieu que nous tenons pour le nôtre et quelle obscure réponse ils réservent à notre voix. Il aurait à s'étonner du hasard qui les supporte, il aurait à soudain les voir.

Et ce serait, bien sûr, dans le premier mouvement de cette science incertaine, connaître cette mort, cet anonymat, cette finitude qui les habitent, les ruinent... »

La question s'est alors déplacée, comme le suggère Yves Bonnefoy, de la nature des choses (la métaphysique) à leur être-là (la poésie). Elle s'est délivrée de son besoin de réponse (mais non de son errance), de sa tentation à en appeler à une nature normative qui défigure l'interrogation et arrête le mouvement. Elle est rendue à l'immanence et, pour la première fois peut-être [5], à la vie qu'elle regarde. Une vie sans prisme de Vérité, sans couleur sublimante ou dégradante, une vie d'homme, guéri de Dieu et des normes, de la double crucifixion du Sauveur et de l'esclave, de la foi et de l'indifférence.

Ainsi la récompense d'une question portée jusqu'au bout est le savoir incertain que la précarité, le hasard, la finitude sont la possibilité même de la poésie. La récompense est que du monde consumé, de la norme dé-réalisée, « toute vie usurpée dehors », comme dit Artaud, pourra surgir une réponse qui est le vide (« formuler ce vide est en même temps *réaliser* la puissance autonome de l'interrogation infinie », formuler ce vide, c'est devenir le mouvement ininterrompu de la transcendance, son jaillissement).

Mais entrer dans le devenir étourdissant d'une réponse qui ne répond pas, d'un déplacement de la réponse, c'est renoncer au geste assuré et réinventer « les quelques gestes élémentaires qui nous unissent aux choses, dans l'incessante aube froide d'une vie anxieuse d'absolu », c'est accomplir les gestes de l'anormalité. Appelons création poétique cette réinvention, cette redécouverte, cette relation décevante et heureuse entre l'homme et le monde.

La création poétique, à l'aurore de son surgissement, c'est l'être ajourné. Puis vient midi qui aveugle et minuit qui retourne l'œil :

« *Que saisir sinon qui s'échappe,*
Que voir sinon qui s'obscurcit,
Que désirer sinon qui meurt,
Sinon qui parle et se déchire?
...
Parole jetée matérielle
Sur l'origine et la nuit? »

Poésie-dessaisie, cœur de la *vérité,* trou de la *vérité.* « L'être est insaisissable », disait déjà Artaud, avant Bonnefoy. La vérité est in(sous)tenable, la poésie est ce *sous,* ce sens dessus dessous. Il n'y a plus que le comparaître, l'inconnu, la parole qui ouvre et fend l'opaque, le visage perdu dans un miroir sans tain et sans (cent) mensonge(s).

NOTES

1. *Je n'ai jamais rien étudié...,* in 84, n° 16, décembre 1950.

2. Hasard, dire oui au hasard, nécessité rythment peut-être le chemin de la *ressaisie* de la question. Souvenir ici du récit de Zarathoustra, de la petite oreille de Nietzsche, de son regard-suspicion et passion. Survenir ici d'un livre, d'un nom qui rouvrent l'espace aux livres et à l'espace, qui portent la voix du doute et l'outre-voix évidant, affirmant la réponse blanche, récitant le delà.

3. Sur le danger du bruit de la langue, assourdissant mémoire et perception, aseptisant parole et création, indifférenciant la parole et la vie, raréfiant l'espace et l'avenir

(aussi bien appauvrissant le passé et illusionnant le présent de la « plénitude » bavarde des slogans), sur l'irrespirable de la langue qui a perdu goût et saveur, sens des lèvres, folie du souffle, désir des rythmes, du ton, accent de la différence, sur la misère de notre siècle de publicitaires qui codifient l'intime qui connotent notre soif, notre désir, nos rêves, notre amour, sur le bricolage linguistique de notre espace où les signes, apparemment multiples, nous interpellent, sur l'identité de l'insignifiance, sur le tournis du sens affolé vers les ersatz des possessions où conduit la langue uniforme, que dire, sinon — poème de la déception — remonter la pente du malheur jusqu'à la prose d'I.T.T., de Pepsi et des technocrates du bonheur-marketing, dénoncer, à contre-voix, l'immense et universelle escroquerie de la parole? Face à l'idéologie-tautologie de la langue, tirer la langue est peut-être le premier geste poétique, parler non orthodoxe le second signe de santé, retrouver corps de mots et différence de l'espace la troisième flèche du courage de vivre sans idoles et sans ornières, dans un paysage affranchi d'enseignes (Coca-Cola ou Enver Hoxha), où regarder, parler, aimer, bander hors cadre et hors langue donnée est le possible toujours loisible de la liberté.

4. Même reconnaissance en Baudelaire de la disposition à la perte chez André Du Bouchet *(Baudelaire Irrémédiable)* et chez Georges Bataille *(La littérature et le mal)*. Reste à lire les différences de cette figure de la perdition dans la démarche d'impossibilité de chacun d'eux.

5. La poésie serait la répétition de cette première fois, la répétition (comme on dit au théâtre) de son apparaître, qui n'a peut-être pas encore eut *lieu*.

II

AUTOUR, A CÔTÉ

LA VIDANGE POÉTIQUE

Peut-on vivre sans visage, sans contenu, sans norme — sans lourdeur? Peut-on vivre sans référence à un ordre religieux, moral, scientifique ou même mythique, mais existant comme ordonnance, consolation, voile? Peut-on vivre sans comparaison, qui détourne le comparé de son absence de mesure, de justification pour le conduire au comparant, à la mesure faussée de l'innocence a priori? Peut-être que non. Mais telle est l'exigence de la poésie, qui consume les contenus, qui est une dessaisie, une dépense de langage qui ne permet pas la déduction, la conformité, la sagesse-sérénité, l'oubli. Telle est la poésie, un vide, et un mouvement y tournoie, qui néantise les nouveaux contenus qui s'y déposent, les nouvelles normes qui s'y sédimentent, ramenant les signes des langues à l'épure de la parole, privilégiant la pauvreté.

Mais de cette pureté, de cette lucidité qui est capable? Seuls les très grands poètes, et encore aux moment privilégiés des *vrais* poèmes, dans l'effacement de l'espace des quelques vers qui émeuvent, arrachent et projettent dans une sorte de douleur extatique.

Il faudrait vivre l'invivable, réaliser l'impossible, incarner l'image de l'inimaginable [1]. Mais l'illusion ici même se recompose, le mensonge se refait un corps, un espace-temps est reconstruit, comme le veau d'or. L'immédiat n'a pas de durée, l'utopie n'a pas de lieu, il n'y a pas plus de moments que d'états ou de mots poétiques, « parce que le poétique en soi n'existe pas », dit Octavio Paz. Invoquer un espace-temps de la poésie, c'est retourner l'anormalité, la question à la réponse. C'est encore et toujours sublimer, sursignifier. Après avoir inlassablement questionné et proclamé la mort de Dieu, la vigilance peut se laisser surprendre et la lucidité défaillante peut donner au désir, à l'espoir une réalité, prêter aux rêves une existence, une durée qui ont un goût d'arrière-monde.

Le poète substitue alors un ordre à un autre, il conduit sa révolte, sa re-vision à une vision, à un monde qu'il nomme et qu'il annonce. Il devient prophète, alors qu'il avait à rester poète. Il ferme l'espace qu'il fallait laisser ouvert, il dit la fable et croit à sa fabulation (la croyance est de trop). Il leste la poésie d'un contenu, il personnalise l'absence de visage, il trahit l'inconnu (il est de trop).

La cruauté poétique demande de dénoncer les impostures de la poésie, de distinguer l'imaginaire mensonger de l'imagination vide, l'illusion de la vérité, les incarnations inavouées de Dieu de la finitude éperdue de l'homme.

Rilke décrit dans les *Elégies de Duino* quelques tentations de la poésie de se détourner de son exigence nomadique pour se fixer à demeure, pour se résorber en une origine.

1. *L'enfance.*

Dans la quatrième élégie, nous voyons l'enfant laisser entrer en lui et se jouer le secret, acquiescer à la transparence et permettre qu'« Alors s'assemble ce que sans cesse/nous désunissons ». L'enfance est à première vue l'unité, elle s'inscrit dans une sorte de « durée pure », où l'enfant joue à attraper la terre, la terre heureuse, la terre joyeuse (« C'est peut-être l'enfance qui approche le plus de la ' vraie vie ' », dit Breton, « l'enfance où tout concourait... à la possession efficace, et sans aléas, de soi-même »).

Mais l'unité de l'enfance (son état de grâce) n'est possible que dans l'Ouvert, que la traversée du pays des hommes nous a fait perdre pour toujours. Nous ne pouvons nier notre discontinuité, notre séparation que si nous croyons au retour possible de la division à l'indivision. Le rêve de l'enfance retrouvée est celui de l'oubli de la séparation. Or, nous ne pourrions retrouver l'Ouvert qu'à partir de la conscience du temps de la détresse. C'est pourquoi l'enfance est irréversible — son histoire est déjà celle de sa perte. L'image de l'enfance ne peut être celle du pur retour, elle n'est manifestation que de la nostalgie, exotisme, mythe de l'origine, ersatz de l'arrière monde. Dans la mesure où l'enfance est pensée comme une nouvelle Arcadie, le retour devient régression, il s'infantilise en regret, en espoir leurré.

Le retour à l'enfance est alors l'aveu d'une vie mal vécue, que l'on voudrait recommencer dans une durée pure qui est celle de tous les possibles. C'est pourquoi l'adulte, avec l'âge, souvent revient à elle, comme à la dernière et à la première issue, au commencement qui est l'oubli de la dégradation de la suite.

Pourtant l'enfance était déjà le lieu de la violence (l'histoire), l'affrontement de la finitude, l'expérience de la terreur et du désenchantement, rien de ce que les poètes qui l'infantilisent exaltent et vers quoi ils soupirent (le thème, usé comme corde de lyre, la poésie, la mièvrerie de l'enfance est peut-être une des figures d'usage de la falsification poétique, un des mensonges privilégiés de l'idéalisme subli-ment). Devant l'impossible, le non-lieu, s'exaspèrent l'illusion substantifiante, la maladie de l'incarnation, la « belle poésie » s'émeut et l'enfance, toujours plus loin, subit l'outrage de ses bouffons.

La possibilité-impossibilité que finalement Rilke assigne à l'enfance déjoue le mythe qu'il semblait nourrir lui aussi. Pas de fadeur idéaliste chez l'auteur des *Elégies,* des *Sonnets,* des *Cahiers,* pas d'idylle, mais à la fois comme l'enfoncée dans le pur espace et la déchirure du passage, la séparation qui est la loi, le dos tourné déjà — toujours — à l'Ouvert, l'espacement, l'entre-deux qui diffère l'enfance, qui fait d'elle la dérive éperdue. Non pas un *thème,* mais l'apprêt et la répétition du congé, le déclin du temps de la détresse — notre seul temps, notre espace tramé de la mort — que pense, sous toutes ses figures, la poésie qui n'est ni simple nostalgie, ni miracle, mais difficile joie à contre-perte, vide vertigineux et heureux.

2. *L'amour.*

« *Nous, nous n'avons jamais, pas un seul jour,*
le pur espace devant nous...
... Toujours c'est le monde
et jamais Nulle part sans Rien : le Pur...
Ceux qui aiment, n'était l'autre, qui
masque la vue, en sont proches et s'étonnent...
Comme par surprise (le pur espace) leur est ouvert
derrière l'autre... Mais au delà de l'autre
nul n'avance, et à nouveau c'est pour lui le monde. »

(*E.*, VIII.)

« *Hélas! ils se masquent seulement l'un à l'autre leur sort.* »
« *N'est-il pas temps nous qui aimons*
de nous délivrer de l'objet aimé et de le dépasser en tremblant :
comme la flèche dépasse la corde, pour, rassemblée dans le bond
être plus qu'elle-même? Car nulle part il n'est d'arrêt. »

(*E.*, I.)

L'amour reconduit-il à l'Ouvert, au pur espace, à l'indistinct? Largue-t-il le monde, l'espace-temps de la séparation, la situation, l'identité? Déchire-t-il? Dépossédés, ceux qui aiment, s'*immondent*-ils dans le Nulle part, le sans Rien? Ouvert aussitôt refermé, cela qui (dé)menait au non-lieu ramène au lieu, au monde, sédentarise ce qui se nomadisait, reflue corps et biens vers la distinction, vers la possession, vers la suffisance du face à face, vers la clôture de la sécurité. Eluard a beau dire « L'amour, c'est l'homme inachevé » et voir avec Breton en l'être aimé un être-signe et miroir (« Tu es la ressemblance »), la ressemblance dépasse l'identité de la personne, perdant peut-être à la fois le singulier du nom propre, du corps propre (à force de métaphores et de métonymies du microcosme-macrocosme) et l'indistinction d'un *je* et d'un *tu* au-delà de leur regard mutuel, du Nulle part, sans Rien.

Et c'est tout le dilemme (le faux rapport). Ou l'être aimé est l'obstacle à l'Ouvert ou l'être aimé est la transparence qui efface son identité. Ou c'est le pur espace qui se dérobe ou c'est la limite de l'être aimé qui se dissipe. Ou c'est la fermeture de la possession mutuelle ou c'est l'ouverture dissolvante de la dépossession. Mais jamais à la fois le monde et l'Ouvert. D'où ces deux pôles exacerbés, d'où le sublime amour dépossédant ou l'amour narcissique, l'absolu ou le je-toi, toi-moi — et souvent, tour à tour ou simultanément, ces deux démarches conjuguées dans la mystification du poème, l'aveuglement des grandes orgues cosmiques et des violons narcissiques. Exemplaire ici le surréalisme, qui tantôt sublime la femme jusqu'à lui ôter l'existence et tantôt égrène la complainte du couple qui est seul au monde.

Il y a sans doute une indivision de l'amour et de la poésie (dont acte aux surréalistes) qui est l'inflation du poème ou sa chance, sa suffisance (sa prétention bavarde à l'Etoile ou sa satisfaction narcissique) ou alors son manque (son aller-retour vers ce qui dévide et rameute, sa spirale de l'impossible). Ni demeure de l'indistinct, ni habitation du distinct, ni inconscience de l'indivision, ni conscience fermée sur soi du reliement des solitudes, ni l'un ni l'autre, démembrant et remembrant, circulant, évidant —

heureux? Quelque part entre la nostalgie et l'utopie rilkéennes, dans le monde, dans la dérive de la parole au monde. Trop tard ou trop tôt, maintenant les lèvres sur l'instant inassignable.

3. *L'en deçà.*

Dans les *Elégies,* Rilke dénonce une autre tentation de l'origine, qui est, dit Blanchot, « de se perdre dans un aveuglement instinctif » pour y retrouver « la grande pureté ignorante de l'animal ».

Plus que l'enfant, et d'autant plus qu'il se rapproche de l'indistinct, l'animal voit l'Ouvert. On trouve dans les *Elégies* toute une hiérarchisation animale d'après le degré d'indistinction et d'inconscience. Si l'inconscience totale est la félicité, la mixité des deux états marque le début de la séparation et l'advenir au destin humain, la finitude, contre laquelle se constitue l'impossible tentative d'oublier. Rilke distingue ainsi :

— « La *petite* créature » qui n'a pas connu la gestation, donc la séparation du sein de la mère :

« *O félicité de la* petite *créature,*
qui toujours demeure dans le sein, qui l'a portée;
ô bonheur du moucheron, qui au dedans *encore sautille,*
même quand il se marie : car le sein est Tout...
... son être est pour lui
infini, hors de prise et sans regard
sur son état, pur, comme sa vue tout autour. »

(*E.*, VIII.)

— L'animal qui a connu une forme de gestation, donc la séparation. Ainsi l'oiseau qui ne jouit plus que d'une « demi-certitude », car « par son origine » « il sait presque l'un et l'autre ». Que dire alors de la chauve-souris qui « vient d'un sein »? Son vol est comme « une fêlure » qui « parcourt une tasse » :

« ... il y a dans l'animal chaud en éveil
le poids et le souci d'une grande mélancolie.
Car à lui aussi s'attache toujours, ce qui nous
accable souvent, — le souvenir...
... Ici tout est distance,
et là tout était respiration. Après la première patrie
la seconde lui est hermaphrodite et ouverte aux vents. »

(*E.*, VIII.)

— L'homme, qui est l'être le plus séparé, le plus éloigné de l'unité :

« De tous les yeux la créature voit
l'Ouvert. Seuls nos yeux sont
comme renversés... »

(*E.*, VIII.)

« Nous ne sommes pas unis. Ne sommes pas encore les oiseaux migrateurs en accord...
Mais nous, où nous pensons l'Un, entièrement
c'est déjà le déploiement sensible de l'autre. L'hostilité nous est le plus proche... »

(*E.*, IV.)

Voir et ne pas savoir, être dans et ne pas réfléchir son inhérence. Etre, dit Roger Munier, « pure présence aveugle » [2], dépossédé, sans conscience qui délimite, qui sépare dans la compréhension, pas *devant* mais avec (sans même la distance de l'être-avec). Etre — respiration de l'être — non pas conscience, déchiffrement, sens (clôture). Cela, peut-être, pour la « *petite* créature » (notre image d'elle dérape sur son être indistinct, ignorant, d'appartenance indivise). Mais nous? Nous qui signifions, modifions, déterminons, topographions, descendons et montons les étages de la parole, de la séparation, avons lieu — la parole est notre repère —, frayons dans l'espace notre avoir, nos possessions, regardons nos biens, thésaurisons vue, parole, espace, sommes en face, faisons face, figurons, sommes bien distincts, de plus en plus clairs, clairvoyants — car nous nommons progrès cette dérive du regard, cette maîtrise des domaines —, y a-t-il pour nous retour vers l'Ouvert, le pur espace, l'unité de l'indistinct, l'inconscient?

Seulement nostalgie, pressentiment (non la vue de l'Ouvert, mais le regard dédoublé, la perversion de notre assurance de voir, d'avoir lieu) et non-l'un l'autre désormais, sans arrêt en ce non-lieu de la ruine du lieu et de l'utopie du retour. Non pas retour, mais dessaisie du monde, trouée en vain de la retour vers l'hors-prise, le sans regard, flux et reflux, clôture, déchirant ici et ailleurs, vidant le monde et la langue, répétant l'Ouvert dans ce qui toujours le dissimule, blanchissant l'opaque qui restera opaque, dissimulation, noircissant le vide, revenant dans le monde où nous atteignent les signes falsifiés de l'Ouvert (l'animal, l'être aimé, l'enfant), où ce qui est *devant* (limite) en même temps illimite — Ouvert perdu, monde perdu —, détournés-retournés, jamais dans l'accord, dans la vue aveuglante (le regard sans regard), mais dans la fêlure du visible, d'où jaillit le poème qui jamais ne répond ni n'apaise.

Pourtant Michaux — insensible semble-t-il aux dénonciations de Rilke — inaugure, une fois constaté que la vie est absente, une démarche régressive vers l'insecte, le végétal, le fœtus, l'avant-naissance. On trouve dans *Face aux verrous,* dans *La Vie dans les plis* des aveux non équivoques : « A huit ans, je rêvais encore d'être agréé comme plante », des confessions, que le détour de la fiction rend encore plus révélatrices : « Il s'est oublié dans une fourmi. Il s'est oublié dans une feuille. Il s'est oublié dans l'ensevelissement de l'enfance. » Cette démarche de régression s'explique peut-être par la représentation que Michaux se fait de la naissance — et par conséquent de l'existence — comme péché et culpabilité : « Souvenir de fœtus : Je me décidai un jour à porter bouche. Foutu! Dans l'heure, je m'acheminai, irrésistiblement, vers le type bébé d'homme. » La naissance est pour lui synomyme déjà de concession (« Ne faites pas le fier. Respirer, c'est déjà être consentant. D'autres concessions suivront, toutes emmanchées l'une à l'autre ») et l'espace vital ne peut requérir l'adhésion mais bien l'horreur et l'effroi.

D'où la conduite résolue à l'échappée du monde, au point zéro de l'avant-naissance, à l'en-deçà du commencement, où Michaux situe la vraie vie : « Il y a hâte en moi. Il y a urgence. Je voudrais quoi que ce soit, mais vite. Je voudrais m'en aller. Je voudrais être débarrassé de tout cela. Je voudrais repartir à zéro. Je voudrais en sortir. » Cette démarche, à la fois négative et sublimante, s'accomplit en trois temps. Le premier nie l'espace, tantôt en l'agressant, tantôt en le fuyant. Le second suscite des métamorphoses qui témoignent autant d'une crise de l'identité que d'un désir de se sauver — ou de se perdre — dans la démultiplication des images. Ces métamorphoses sont l'aveu déguisé d'un manque, d'une faillite de l'être. L'imagination poétique propose une méthode de dissolution, de remplacement, qui consiste à substituer la multiplicité des possibles, l'informel multiplicateur à la « dépendance malheureuse. » Elle se donne comme possibilité de quitter le monde, ou du moins de « *tenir en échec les puissances environnantes du monde hostile* » en nous ramenant en-deçà de l'espace-temps. Mais Michaux va plus loin encore, il veut — troisième temps de la démarche — refaire la genèse. Pour cela, il invente (sauve garde) une langue qui entraîne la ruine de l'ancienne parole, de la vieille pensée, de l'espace stratifié, un alphabet qui peut « servir... *dans n'importe quel monde* », où les êtres, amenuisés, ne peuvent être desserrés par la mort, où l'univers, réduit à l'élémentaire d'un idéogramme, d'un signe diffus, d'une tache, se régénère. Comme si la réduction toujours était le change de l'espace — non un autre espace, mais le même réespacé, réouvert au « versant ouvert de la vie ».

Perdant le monde invivable, l'enfouissant à force de regard clinique, exorcisant le défaut d'espace, ironisant perte et exorcisme, dé-lyrant, revenant des drogues, souffrances, maladies, poésies de l'origine comme d'un rêve démonté, manifesté dans sa sauvegarde et dans son leurre, retrouvant la distance, la séparation, après l'extrême, l'en-deçà frôlé, l'objectivité analyste après les nostalgies de l'absolu, la familiarité après l'allure mystique (pensait-on), la cocasserie de l'échec médité, décortiqué, tutoyé après les poèmes de prisonnier et l'air de délivrance, Michaux échappe aux tentations et creuse toujours, davantage, dévoyé, le chemin du vide.

Invectives, éclats, arrachements, décharges, rage-décollage, courants, démarrages, bourrasques, élans, « foreuse perçante », « âme énergumène », « Mouvements d'écartèlement et d'exaspération intérieure », explosion-refus, jets multiples, gestes, « *pré-gestes* » — au faîte de cette précipitation (fuguée-lucide) vers les gouffres, au cœur de la dérive, le retour, l'extériorité (toujours déjà présente dans la ruse de l'exorcisme), la maîtrise du malheur, la connaissance, dans la distance, de ses allées-venues, de ses affolements, de ses oublis, l'identification de sa non-identité, le cercle toujours rouvert de l'exposition, la médecine infernale de la non-guérison.

A distance, avec un humour qui a partie liée avec le vieux savoir de l'échec, Michaux joue à la régression, à l'exorcisme, il explore les faux chemins de l'origine, les routes fallacieuses de l'exotisme, il rapporte ses découvertes, ses inventions, ses vues et ses visions, ses illusions contemplées et jugées, le vertige de la fable lucide, la spirale du simulacre et de la nudité, la double vue, l'intervalle encore où l'é*vide*nce poétique a son non-lieu, où la secousse de l'entre-deux continue à nous démesurer, entre ici et ailleurs, entre nous et nous-même, dans l'immonde du monde invivable, vécu comme une question (im) possible, non salvifique, tâtonnante, aveugle dans le fond de l'œil, aphone dans le souffle de la voix. Non pas origine, mais exil — EXil.

4. *La magie.*

La dégradation de la question en réponse, de l'exil en origine, Age d'or, Vérité sublime peut prendre d'autres chemins que ceux dénoncés par Rilke. Nombreuses sont les voies de la dérivation de l'anormalité, du risque et de l'inconnu, en Patrie, sérénité, foi. Ainsi la voie charlatanesque de l'occultisme, de la magie, que le surréalisme a hélas souvent empruntée, hypothéquant la poésie de la plus trouble des sublimations. L'auteur de *Nadja,* de l'*Entrée des médiums* et des *Pas perdus* a toujours été très attentif aux signes, attentif et même impatient de leur venue, d'où, de sa part, une sollicitation quasi religieuse de leur avènement. Il y a chez le chef de file du surréalisme une mythologie des signes qui fait obvier son cheminement vers une sorte de révélation à intermittences. Ainsi les hasards objectifs auxquels il croit et qui parcourent un livre comme *Nadja* (rencontres « miraculeuses » de Paul Eluard, de Benjamin Péret et surtout de l'étrange jeune fille), les transmissions de pensée avec Desnos (qui survivent même à leur amitié et peut-être à la vie), les messages des signes, qu'il nous faut déchiffrer comme un cryptogramme, « l'hystérie et... son cortège de femmes jeunes et nues glissant le long des toits ». De même sont accrédités les voyantes (Mme Sacco, « qui ne s'est jamais trompée » au sujet de Breton), les secours de l'hypnose, des sommeils. L'astrologie se trouve évidemment en bonne place et Breton parle, le plus sérieusement du monde, d'influence uranienne prépondérante pour le surréalisme, de la « remarquable conjonction d'Uranus et de Neptune », de l'égalité « 1808 = 17 » (1808 la naissance de Nerval et l'Arcane 17, celle de l'Etoile). Et il ne faudrait pas oublier, dans cette « religion » surréaliste, « la métapsychique (spécialement en ce qui concerne l'étude de la cryptesthésie) », les jeux du « cadavre exquis » et de « la définition d'une chose donnée » (qui sont pour Breton de véritables modes d'investigation de l'inconnu), la vénération de « saints », comme Lautréamont (« Lautréamont, c'est-à-dire l'inattaquable »). Par hâte de retrouver l'origine et par excès d'espérance, l'art prend le travesti de la magie : « consciemment ou non, écrit Breton, le processus de découverte artistique... est... inféodé à la forme et aux moyens de progression mêmes de la haute magie ».

Une telle conception de l'objectivité des hasards, de la conjonction des astres et de la vertu des voyantes renvoie presque explicitement à l'idée de Providence. Il y a dans le surréalisme une divination de l'occulte et des forces inconscientes de l'homme dont la finalité (l'espoir exorbitant, la théologie poétique) est la perception de la totalité, de l'unité du monde et dont le résultat risque d'être la bonne conscience, la tranquillisation du Grand Prêtre [3].

La poésie n'est pas cette réduction aux masques multiples mais au visage identique, la résolution de la question en réponse, de la révolte en savoir, de l'errance en destinée. La poésie, dit Octavio Paz, « est un acte inexplicable autrement que par lui-même », si le poème est une explication (une destination), « la réalité ne sera pas révélée, mais élucidée et le langage subira une mutilation... Le cri et sa réalité s'évanouissent comme présences et se convertissent en significations ». Ce qui différencie essentiellement poésie et magie, c'est la volonté qu'affirme la première de ne pas nommer, substantialiser l'inconnu, alors que la seconde parle de ce qui devait être tu et nomme ce qui ne peut être sauvé que dans le silence du dire allusif ou l'ironie de ses mots. Breton le sait, sur le mode même de l'oubli, il dérive *autour, à côté,* vers une semi-croyance, une parole trop chargée de certitude, qui ne tient pas la promesse de non-savoir, de trouble et de vide de la poésie :

« *J'ai parlé d'un certain ' point sublime ' dans la montagne. Il ne fut jamais question de m'établir à demeure en ce point. Il eût d'ailleurs, à partir de là, cessé d'être sublime et j'eusse, moi, cessé d'être un homme.* »

Mais tout ce texte — tout *L'Amour fou,* toute sa démarche mégalomane si typiquement « poétique » — résorbe la distance et l'écart pour redonner clôture de l'espace à la puissance, au privilège, à la vue, à la parole de la magie et de la possession :

« *Faute de pouvoir raisonnablement m'y fixer, je ne m'en suis du moins jamais écarté jusqu'à le perdre de vue, jusqu'à ne plus pouvoir le montrer. J'avais choisi d'être ce guide, je m'étais astreint en conséquence à ne pas démériter de la puissance qui, dans la direction de l'amour éternel, m'avait fait ' voir ' et accordé le privilège plus rare de ' faire voir '. Je n'en ai jamais démérité, je n'ai jamais cessé de ne faire qu'un de la chair de l'être que j'aime et de la neige des cimes au soleil levant.* »

SEULE LA POÉSIE

Qui imaginera le Dieu mort sans le ressusciter, qui vivra jusqu'au bout le chaos, l'utopie? Seul le poète peut retrouver le geste qui libère, la parole qui déchire et ouvrir, dans la chance du poème, au vide de la poésie. Seule la poésie, la pas papa poésie... Celle qui renverse les certitudes, les espoirs, les nostalgies, les veaux d'or, les Dieux tout costumés, toutes fonctions, toutes époques, tous pays, qui interroge le jour, la nuit, le visage, le ciel, l'arbre, les mots, le silence, la voix qui affirme (où? quoi?), qui soulève le corps, la limite, la frontière des syllabes.

Entendre et suivre ses volutes conduit à une réforme du regard et du cœur, du langage, de la pensée, du moi, du monde, engage à une métamorphose qui n'est pas un oubli mais une espèce inusuelle et nécessaire de création.

NOTES

1. « L'essentiel est inimaginable — ne peut être *représenté,* mais de l'impossibilité même que nous éprouvons à l'imaginer nous tirons une force positive... » (André Du Bouchet, *Baudelaire Irrémédiable*).

2. *La déchirure (méditation sur la huitième élégie),* Le Nouveau Commerce, Cahier 21-22, printemps 1972.

3. Exemplaire ici, aux antipodes, le refus profond de l'occulte d'Antonin Artaud (malgré ses « conversions » retentissantes — par après reniées — et sa croyance continue à l'envoûtement). Témoins ses *Lettres à André Breton* de 1947 qui expriment si nettement son refus de la société fermée de la magie, de l'art magique pour initiés stylisés, pour gens huppés (« huper-chic »), qui occultent la vie dans les salamalecs de leur savoir, de leurs codes, de leurs mœurs de comploteurs de la Vérité et de la Beauté. Contre toutes ces généralités de particuliers, toutes la physiologie d'Artaud se rebelle, toute son expérience *personnelle,* non utilisable, non échangeable, non imitante, non imitable. Alors il le dit à Breton : « pas de réalité universelle, pas d'absolu », d'initiation, de « mécanique cosmique... et de révélation d'un soi-disant secret de polichinelle... ». Alors pourquoi participer à « une manifestation (l'Exposition internationale du Surréalisme 1947) qui comme sacramentellement et sans bouffonner en évoque les rites (de la magie), les cadres... et le carcan »? Pourquoi rejoindre

une « activité surréaliste » qui ne réinvente pas tout physiquement, physiologiquement, anatomiquement, fonctionnellement, circulatoirement, respiratoirement, dynamiquement, atomiquement et électriquement, qui ne cesse pas d'obéir sur tous les points à un ordre (sur)naturel? Alors cette décision — absolue— de « ne pas supporter plus longtemps le carcan de l'être ou de la loi », le « *rite*/qui oblige de passer par le cadastre restreint d'un certain nombre d'opérations intellectualisées, introduites par avance dans des catégories chiffrables » et l'horreur réaffirmée « pour tout ce qui touche à la magie, à l'occultisme, à l'hermétisme, à l'ésotérisme, à l'astrologie », pour tout « ce sordide illusionnisme humain », dans le fatras duquel se trouve aussi, bien sûr, le surréalisme et ses tours de passe-passe, avec ses tarots, ses arcanes, sa « terrorisante pédagogie » de l'occulte, sa « peur du réel qui a fait naître les initiations », sa monnaie de singe d'absolu, son expositionnite des « valeurs ». Alors, ce mot merveilleusement décisif — résumé du refus, précipité de poésie — en forme de post-scriptum (auquel Breton, comme on sait, était si sensible) : « Ce passage de salle en salle, à travers 15 salles, me rappelle justement l'erreur la plus grande de l'humanité qui est de croire devoir entrer dans les cadres et le carcan d'une initiation pour connaître ce qui n'est pas, alors que ce n'est pas et qu'il n'y a rien./Rien que l'insurrection irrédimée, active, énergique contre tout ce qui prétend être, à perpétuité. »

III

UNE PENSÉE DÉPOSSÉDANTE

PREMIÈRE RÉFORME

A quoi peut s'engager l'homme qui sait la mauvaise foi, l'oubli, l'aliénation et qui condamne le monde dans lequel il vit, sinon à réclamer pour soi — faute de parler en menteur — une vie conforme à son dire?

On se rappelle l'aventure de Rousseau qui, après avoir écrit son *Discours sur les sciences et les arts,* en réponse à la question de l'Académie de Dijon, se rend obscurément compte que ce qui a été dit, écrit, exige de lui — condition *sine qua non* de sa vertu et de la vérité de sa vie — l'alignement de ses jours sur l'œuvre naissante. Cela commence par ce qu'il appelle, dans *Les Confessions,* la réforme. Réforme, en vérité, toute de surface, qui se limite à la mise, d'une extrême pauvreté, et au choix d'un métier (copiste de musique) mais dont l'objet est déjà d'être lui-même, c'est-à-dire l'analogue de son œuvre, l'exemple de ses idées. Il y a bien encore survivance de mondanité dans le côté ostentatoire et spectaculaire de son refus de la mondanité, mais le mouvement d'intériorisation suivra bientôt, cinq ans plus tard, à l'Ermitage. Ce sera la rupture définitive avec Paris, ses cabales et ses cercles et, « comme si se cacher et écrire allaient de pair », la période la plus intense de création.

Essayons de cerner ce mouvement de première réforme. « ... on finira bien par accorder, dit Breton, que le surréalisme ne tendit à rien tant qu'à provoquer, au point de vue intellectuel et moral, une *crise de conscience* de l'espèce la plus générale et la plus grave ». Il n'y a pas de conversion profonde sans crise première, sans déchirure qui ébranle l'assise et pousse à la destruction, à la violence. D'où l'affirmation « scandaleuse » du *Second Manifeste,* qui a fait voir dans le surréalisme une sorte d'adolescence attardée :

« *L'acte surréaliste le plus simple consiste, revolvers aux poings, à descendre dans la rue et à tirer au hasard, tant qu'on peut, dans la foule...* »

L'homme violent coupe les amarres qui le rattachaient au monde de l'opinion et de l'impersonnalité. Il lui lance comme un défi : « Je ne vous ressemble pas, je ne vous porte pas dans mon cœur et je vous dis bien haut, revolvers (métaphoriques) aux poings (aux lèvres) qui je suis. » Curieux mélange, en vérité, de rupture et de théâtralité, d'où ne sont pas tout à fait exclus encore l'amour-propre (la contemplation nombrilique) et la référence-révérence à la norme défiée, revenante en cet écart si publicitaire.

Mais si le défi relève de l'ambiguïté même de cette première conversion, il n'en reste pas moins que « c'est à une puissance extrême de défi que certains êtres très rares... se reconnaîtront toujours », à « un certain état de *fureur* », qui est comme le mode d'être négatif de la passion. Les surréalistes attribuent volontiers un caractère sacré à cette fureur, pensant que c'est sur son chemin « qu'ils sont le plus susceptibles d'atteindre ce qu'on pourrait appeler l'illumination surréaliste ». On retrouve dans ce culte de la violence, de la fureur sacrée un certain héritage nietzschéen, le caractère guerrier du créateur pour lequel tout est permis :

« *L'être le plus riche en abondance vitale (le dieu et l'homme dionysiaques) peut s'offrir non seulement le spectacle de ce qui est effrayant et problématique, mais aussi l'acte effrayant et n'importe quel luxe de destruction, de dissolution, de négation; le mal, l'absurde, le laid lui semblent pour ainsi dire permis, par suite d'un surcroît de forces génératrices et fécondantes capables de faire de n'importe quel désert un pays fertile et luxuriant.* »

« *Et si votre dureté ne veut pas foudroyer et rompre et trancher, comment pourriez-vous un jour avec moi — créer? Les créateurs en effet sont durs...* »

Foudroyer, rompre, trancher, cela n'est guère facile. Une sorte d'inertie nous retient dans les jardins d'Armide. Or, « il faut lever plus loin ce pied, ce pied fatigué, blessé », perdre le sol, déçus, avoir la force (la fureur heureuse-malheureuse) de « fermer violemment la porte derrière soi » et de s'arracher au fallacieux repos. Comment se donner tout entier, sans réticence à ce mouvement de la désolation, de l'éloignement, au chemin de la rupture? Les surréalistes tentent d'y parvenir par une série de moyens visant à distraire (*distrahere*) et à désenchanter le monde. C'est ainsi qu'il faut comprendre la signification d'objets détournés de leur sens, de leur finalité technique, comme le fer à repasser hérissé de pointes de Man Ray ou la cage de Marcel Duchamp, remplie de morceaux de sucre qui, à la pesée, s'avèrent être de marbre. Il s'agit de provoquer une déception devant le réel et partant son effondrement et de produire (comme dit Breton) « une crise fondamentale de l'objet » — et du sujet. Il s'agit de perdre l'homme (par des moyens fort similaires à la drogue et à la magie) pour qu'il se retrouve, au-delà de l'ordre mondain, dans un espace et un futur (peut-être plus utopiques que prochains (que Breton appelle *surréalité*. L'usage que les surréalistes font de l'insolite s'explique peut-être ainsi. Il est une arme braquée contre un monde haï qu'il faut ruiner au plus vite, il témoigne — plus radicalement — d'une aspiration vers un autre ordre (celui de la plénitude), vers une autre vie (le merveilleux, la poésie).

Et pourtant, devant cette première réforme, devant cette résolution de perdre l'invivable pour gagner le merveilleux, la pseudo-quiétude de la normalité pour le bouleversant bonheur de l'aventure, de la beauté, je ne peux me défendre d'une certaine méfiance, d'une impression d'équivoque, d'ambiguïté. Car enfin violences, défis, activités de désenchantement, insolite me semblent témoigner plus d'une mystique terroriste, d'un spectacle gestuel et bavard que d'une mise en crise du monde et de l'homme. Car merveilleux « au-delà de nos jours », androgynie, poésie relèvent moins dans la pratique d'un *gai savoir* tragique et parodique, surabondant et léger que d'un rêve dogmatique où les compagnons de pureté se font de plus en plus rares, où la discipline des phantasmes (après celle de la normalité, de l'idéologie, du logos) est la règle lourde, la sentence privée d'humour (que coexistent dans le surréalisme un certain type d'humour très « fermé » et un immense esprit de sérieux n'infirme pas cette vue, au contraire).

Bulldozer des « valeurs » et harpe de l'imaginaire révolutionnaire, le surréalisme est le cinéma de l'authenticité poétique, le numéro de claquettes de la vie devenue poésie. Antilittéraire, il devient dans sa poétification de chaque geste, le collage du « réel », la pose du kaléidoscope du visible et de l'invisible, le cryptogramme de la vie, la conversion à la circulation des signes. Mais aussi l'écrivasserie (le décodage) de chaque message, la scribouillarderie du passage de la comète et du commérage des concierges (le tout assaisonné avec beaucoup de spiritualité et battu de parapsychologie), le slogan de la pureté, le refus de la « carrière » littéraire (consigné dans des éditions de luxe), le nombrilisme international, la mauvaise foi de la trop haute voix, le clairon préélectronique des secrets.

Et pourtant sous ma méfiance même, cette *vérité* de la voix, ce ton qui m'énerve et me prend, qui malgré moi m'émeut (secousse, saccade), petite musique de l'OUT (« Tendre capsule etc melon »), du TRANS (« Ma femme au dos d'oiseau qui fuit vertical »), mouvement fou du dedans-dehors (« J'ai vu ses yeux de fougère *s'ouvrir* le matin sur un monde où les battements d'ailes de l'espoir immense se distinguent à peine des autres bruits qui sont ceux de la terreur... »). Alors tout le barnum, la préciosité et le dogme, tout s'efface devant cela : l'excès de la parole, « la fureur des symboles », le « démon de l'analogie », la théologie négative, l'exaltation des mots, la téophanie de leur rencontre, la non-résistance à l'attraction, la poursuite éperdue du je ne sais quoi et qui, la ruine du « monde extérieur, cette histoire à dormir debout », du donné, de l'espace abstrait où nous pensions vivre, le rêve actif et contemplatif du désir qui refait le monde, de la récitation du possible-impossible. Quelque chose se déplace (métaphores, renversement — hors livre?) caché par trop de flashes (trop de poses) et de moi-moi Breton (ou moi-Jouffroy, moi-Aragon), par trop de critiques diluantes ou polémiques de salons et des coups volent comme fusées, éclairs parfois durables dans la nuit, leçons de jour et de nuit pour notre temps, notre réforme. Et je reçois coups et lumière malgré les parasites et les écrans de tous bords comme une urgence encore, notre urgence.

(Donc — volte-face, virevolte, redoublement de l'ambigu, balancement du scepticisme et de la contagion — cet éloge, à rebours, cette autre lecture, cette autre strate du lisible. A l'heure où le surréalisme est traîné dans la boue par les curés matérialistes, les producteurs textualistes de révolution, les impuissants de toutes chapelles, presque envie de dire merci André Breton d'avoir vécu l'énormité de votre mauvais goût, votre paranoïa poétique. A une époque de fadeur byzantine, formaliste, crypto-scientifique politique idodologique, on a peut-être encore besoin de vos erreurs comme d'un avenir possible, un peu plus incrédule, un peu moins haut-parleur.)

Notre réforme me semble ne pas pouvoir commencer sans un repliement silencieux et solitaire hors du théâtre de « tous grands mots », de « toutes grandes attitudes », de la galerie de « tous les hommes pittoresques » (leçon toujours moderne de Nietzsche). Dans le silence et la solitude où se fomente peu à peu une autre mesure des choses et de la langue et du monde, une métamorphose du je qui se réforme en cette mise à l'écart qui n'est pas tour d'ivoire mais désert, sécheresse de soi, perte du nom dit propre, de la patrie, du sol, de l'adhérence à l'ordre, au cours du temps, au cours des bourses et des modes, au régime, à l'air que l'on respire, au journalisme à l'affût de la dernière nouvelle, à l'indifférence de la vie et de la mort, à l'équilibre du bavardage et des exhibitions de la misère poétique en milieu superurbain ultrachino-révolutionnaire. Dans la perte de soi, à l'infra de tant d'assurance, dans le balbutiement de soi, en perte de reconnaissance.

D'où cette alternative — le « choix » de la prose ou de la poésie : ou bien la sécurité des réponses extérieures ou bien l' « insécurité sans égale » de l'intérieur (qui est le dedans-dehors, le nomadisme de la personne, l'émigration-immigration de l'identité) à laquelle invite Rilke, comme à la voie nécessaire de l'écriture, comme à sa source vitale, à sa poussée, à sa similitude :

« *Votre regard est tourné vers le dehors; c'est cela surtout que maintenant vous ne devez plus faire. Personne ne peut vous apporter conseil ou aide, personne. Il n'est qu'un seul chemin. Entrez en vous-même...* »

La solitude nous fait gagner la région inexplorée, non d'un moi fermé, d'une pure subjectivité, mais d'un moi attentif au monde, à un monde dont il a préparé en lui (en elle) la possibilité du retour. Elle est la rupture qui intègre, l'éloignement qui affirme, la rumeur imperceptible du peuplement.

Violence tapageuse ou énergie silencieuse et solitaire, quel que soit le visage de la première réforme, la *vérité* de sa démarche se jugera à l'œuvre vers laquelle chemine le créateur, à l'œuvre dans laquelle il est déjà entré et qui toujours davantage lui fait signe et réclame sa plus profonde immergence, sa vie (l'échange de vivre et d'écrire), sa ré-forme.

SIMILITUDE

« ... *Nous devons constamment enfanter nos pensées de notre souffrance et les pourvoir maternellement de tout ce que nous avons de sang, de cœur, d'ardeur, de désir, de passion, de tourment, de conscience, de destin, de fatalité. Vivre — cela signifie pour nous constamment transformer en lumière et en flamme tout ce que nous sommes; aussi tout ce qui nous touche; nous ne* pourrions *faire autrement.* »

Que veut dire Nietzsche? Sinon désigner la genèse (la génétique) de nos pensées, la dynamique transformationnelle de la pensée, la poétique (les métamorphoses) de la vie, le change. Ainsi du corps même — du foyer du corps — s'élève la santé du change. L'échange du dehors et du dedans passe et vient dans le sang, le cœur, est poussé par le désir, circule, passion de la métamorphose [1].

La spiritualisation n'est que le résultat de la transfiguration, la conséquence des états différents de santé. Le savoir, c'est connaître la généalogie philosophique — et plus encore poétique (« cet art de la transfiguration *est* philosophie même » — est poésie même). C'est aussi abandonner l'idéalisme de la séparation, en finir avec la belle âme et le pur esprit. C'est retrouver le sang, le viscéral, la rumeur du corps, le cycle du dedans-dehors (qui n'est pas non plus la simple causalité biologique), le cycle du corps-désir et du monde-désiré, l'auto-hétéro sexualité, l'échange, la loi du *tiers*. C'est reconnaître une *nécessité*, une exigence de mouvement, un ordre de l'entre-deux qui déjà est le résultat du change, qui n'est jamais premier — refus ici de l'origine —, mais la continuation, le continué, le dis-continu, le « pas-en-avant », la figuration du change, l'acte poétique d'ouvrir l'avenir de la métamorphose.

Cette reconnaissance n'est pas une soumission, sans être non plus une volonté. Elle est l'entre-deux de l'obéissance et de la décision, l'actif-passif de l'appartenance.

« *Alternances douces ainsi d'obéissance et de fondation :* [*et au passage la justification de l'*obéir; *oui, car il n'y a pas de contrainte; nous sommes, nous nous découvrons être, ne pouvant pas ne pas être* obéissant; *le commandement n'est rien d'arbitraire, mais c'est* un *(peu importe son nom) que la liberté invente*]. »

écrit Michel Deguy, et René Char :

« *Nous obéissons librement au pouvoir des poèmes et nous les aimons par force.* »

Bataille fait partir de Baudelaire cette démarche d'obéissance fascinée et libertaire :

« *Ainsi la poésie se détournait d'exigences à elle données du dehors, d'exigences de la volonté, pour répondre à une seule exigence intime, qui la liait à ce qui fascine, qui en faisait le contraire de la volonté.* »

La reconnaissance, l'obéissance ouvrent un espace qui n'est plus celui du monde des tâches mais celui du change, où la vie œuvre et où l'œuvre change la vie, commune allégeance à ce qui transforme et dépossède :

« *... tu te mettras à ce travail... Ta mémoire et tes sens ne seront que la nourriture de ton impulsion créatrice. Quant au monde, quand tu sortiras, que sera-t-il devenu? En tout cas, rien des apparences actuelles.* »

Cette loi d'échanges, cette marche vers la transfiguration, la dépossession, Rimbaud l'a menée fort loin, au point que la vie a éclaté l'œuvre. Quoi d'étonnant? Si Rimbaud a cessé d'écrire, cela était conforme à une exigence qui s'est manifestée depuis la *Lettre du 13 mai 1871* à Izambard : le désir d'en finir avec la littérature, avec la rêverie seulement verbale, de se dérégler, de s'encrapuler, de devenir hors de « *tous les sens* », non plus JE mais autre, le dehors de sa parole, celui qui est parlé, l'agi (l'action rêvée et non plus le rêve de l'action), l'associal radical, le gréviste (plus tard le trafiquant, sa figure exotique, plus cynique?), qui au bout de ses visions — stade plus avancé que l'image, que le rêver impunément — ira derrière l'œil, derrière la langue délirante *échouer* à Harar dans « le commerce des rusés et le bonjour des simples » (ou c'est Harar ou c'est la mort ou la banalité, un des changes toujours possibles de la logique de l'écrire, un des *lieux* de l'oubli qui est la marge de la parole et du silence — l'autre?).

La nature même de cette exigence ne demandait-elle pas, dans son œuvre, l'œuvre déjà en échec? De sorte qu'avant de partir, il avait entrepris comme la répétition du départ (et du retour) dans la violence de l'écrit, dans l'impossible exigence de l'écriture, sa dérisoire impuissance à éclater dans un voyage bien réel, dans un programme ultra la langue (qui réalise — voilà l'étrange — l'utopie visionnaire de la langue) :

« *Me voici sur la plage armoricaine. Que les villes s'allument dans le soir. Ma journée est faite; je quitte l'Europe. L'air marin brûlera mes poumons; les climats perdus me tanneront. Nager, broyer l'herbe, chasser, fumer surtout; boire des liqueurs fortes comme du métal bouillant — comme faisaient ces chers ancêtres autour des feux.*

Je reviendrai avec des membres de fer, la peau sombre, l'œil furieux : sur mon masque, on me jugera d'une race forte. J'aurai de l'or : je serai oisif et brutal. Les femmes soignent ces féroces infirmes retour des pays chauds... »

De sorte qu'il « a bien fait de partir », comme le lui dit aujourd'hui René Char, d'éparpiller ses jours « aux vents du large, de les jeter sous le couteau de leur précoce guillotine », de fugue en fugue, de quitter pour finir la langue du voyant pour les langues de l'aventurier, le change des *Illuminations*, d'*Une Saison* pour les pays du voyage (Allemagne-Italie - Hollande - Java - Autriche-Suède-Danemark-Suisse-Chypre-Egypte-Aden-Harar-Ogaden).

Ainsi écrire, narrer, induit à vivre, produit l'histoire, les gestes de l'histoire (dérive déjà du *Bateau ivre*), fait passer des migrations du récit aux migrations inscrites dans les paysages (comme le montre, ailleurs, Jean-Pierre Faye). Ainsi le récit modifie le monde, la fiction infiltre le « réel » et tout devient fiction, déplacement d'une fable à l'autre. Ainsi « cette évaporation soudaine » qui posa plus tard une énigme (et un beau délire littéraire) « une fois connues sa mort et les divisions de son destin, pourtant d'un seul trait de scie » était la *suite* de la parole, son ultime mutation, dont Char encore reconnaît l'évidence exemplaire et l'irréductibilité :

« *Nous osons croire qu'il n'y eut pas de rupture, ni lutte violente, l'ultime crise traversée, mais interruption de rapport, arrêt d'aliment entre le feu général et la bouche du cratère, puis desquamation des sites aimantés et ornés de la poésie, mutisme et mutation du Verbe, final de l'énergie visionnaire, enfin apparition sur les pentes de la réalité objective d'*autre chose *qu'il serait, certes, vain et dangereux de vouloir fixer ici.* »

Etrange similitude de la parole et de l'action redevenue comme la sœur du rêve (« Et c'est l'action qui devient littéraire », dit Maurice Blanchot [2]). Et en même temps autre versant, autre de toute la force de la banalité (du repos dans la banalité, du sommeil enfin — encore pourtant, mais autrement contrarié). Continu et discontinu, déplaçant le silence de la langue ou se taisant vraiment dans la parole adhérente à l'efficacité de l'action. Confondant dans l'ambiguïté (dans le change ambigu de l'ambiguïté), dans l'extrême soif (d'absolu ou d'or, de nouvelle harmonie ou de projets matrimoniaux et de confort), dans la double impossibilité du Livre et de l'Abyssinie, de la limite acceptée dans les livres ou le négoce, se détournant dans l'invention de sa langue, dans l'essai de trafiquer, d'explorer, dérivant, outrepassant, échangeant le change du change du change du même et de l'autre. Poète quoi que l'on dise — avec tous les malentendus de la poésie — de part en part. Dépossédé pour nous (et pour lui-même) de sa part.

Cependant le mouvement de la dépossession n'entraîne pas — cas-limite de Rimbaud — vers le non-livre, mais au contraire (?) vers le Livre, vers l'ironie d'un livre jamais assez livre pour livrer le monde au livre, pour être l'habitat de l'espace, la matrice du monde, la demeure (pourtant en papier) du flux et du reflux, du vent, des étoiles, des travaux et des jours, des guerres, des rêves, des mots. Mouvement qui intègre la vie, au point qu'il n'y ait plus pour l'écrivain de vie, mais le seul espace de l'œuvre (l'excès de son opéra), le non-être de la vie et du livre dans l'outrance toujours du Livre, dans l'inachèvement, la répétition, l'impossible — la mort promise comme le leurre et le sens du delà du sens (le sans?). Exemplaire ici Mallarmé (« Au fond, voyez-vous... le monde est fait pour aboutir à un beau livre »; « tout, au monde, existe pour aboutir à un livre »). Comme si tout donc n'existait que pour être dit, pour cette récitation, cette tautologie, qui en même temps — comment ne pas le voir? — nie le monde, tout ce qui existe, lui substituant sa parole, sa consignation par le scribe, sa surimpression qui brouille et oublie plutôt que de recopier, de daguerréotyper. Equivoque de la tautologie, qui supprime ce qu'elle croyait repasser, qui, redisant, dédit (dédie à un autre sens à perte de sens et de « réel »). Equivoque redoublée de la lecture. Opacité double du monde et du livre, écart-irréférence, double perte d'identité. Doublon du double. Labyrinthes à perte de livres. Langages, réseaux désormais pour ne pas aboutir, pour construire la demeure inhabitable, le miroir (sans tain) de l'impossible. Echanges encore en ce lieu équivoqué du monde et de la parole, de ce que sont devenus le monde et la parole : le fabulatoire, le légendier, l'alphabet redondants, insensés :

« *Mais si tout se referme aujourd'hui sur le cercle de l'écriture, la scène de l'écriture, si toutes les fables nous renvoient à la fable de l'écriture : si l'écrit est le lieu énigmatique de sa réflexion en soi-même — qui ne peut se réfléchir lui-même que dans l'*opacité *d'une fable, ou apo-logue qui apporte l'inconscience de ce mot de l'énigme même, de sorte que la tradition du dépôt initial voilé reposé sur l'ignorance des transmettants, leur in-science d'un tel mot-de-l'énigme —, alors arrivés à cette apocalypse, qu'attendons-nous d'une telle révélation ou révélation du tout autre que ce que nous attendions, du* rien *autre que ça : qu'attendons-nous de la philologie en général?*

Comme si toutes les prophéties, fables, allégories, contes, annales, paraboles, récits, mythes, histoires confluaient à notre instance de jugement dernier aujourd'hui, et délivraient leur mot de la fin : d'avoir été la parabole de l'écriture; comme si le temps de la moralité des énigmes œdipéennes était arrivé — et que tout texte ou légende fût anagramme de notre condition d'être les êtres de la lettre, les scribes — les conteurs, les récitants, les fabulistes; cercle bouclé en l'apocalypse de l'immense tautologie, où tous nos malheurs n'étaient que pour être écrits, que pour qu'il y eût histoire, récit; depuis cette préférence d'Achille pour la mort, c'est-à-dire pour l'histoire digne d'être contée, lue : pour la légende. *Comme si l'histoire n'était qu'alphabétisation; comme si tout s'était développé sur le modèle de la tragédie grecque, où ceux qui ont une histoire, les princes, les grands frappés de destin, les héros sont ceux d'un oracle, pour que ' se réalise ' l'oracle comme malheur, Œdipe d'avoir cherché loin d'eux-mêmes le secret, de n'avoir pas compris que l'oracle parlait d'eux-mêmes, et dont les yeux se dessillent trop tard, et grâce à ce trop tard, ont été mémorables, ont décrit l'orbe d'un destin répétable, d'un aveuglement par des yeux ouverts sur des signes ambigus, sans lequel il n'y aurait pas d'histoire, si la* perte *était le prix à payer pour qu'il y ait décollement du sens, soulèvement du sens, redondance, déroulement en catastrophe du sens...?* »

Faut-il conclure de cette page de Michel Deguy que la littérature est de trop (est d'être de trop, de ce trop tard, de l'aveuglement de l'immédiat)? C'est ce que pense à peu près Kafka, qui se voue pourtant à ce trop tard, à cet inutile, à ce désœuvrement où se manque le vivre — et aussi l'écrire qui vit ce manque, qui est ce manque, son échange, sa répétition, sa métamorphose.

Dès 1910, Kafka est conscient de cette nécessité (de cette faute-fraude) de vivre « comme une huître », de donner sa vie à l'œuvre (dont l'inachèvement est et sera toujours le redoublement de l'échec, son déplacement *littéral*), de briser avec un monde où tant de « devoirs » le retiennent (rejetant l'écrire à la nuit, à la dissimulation, à l'*autre* temps, jamais vainqueur et toujours résurgeant comme un détachement, une lourdeur et une légèreté). En parcourant son *Journal,* on retrouve toujours le même combat contre les sollicitations de la vie « normale » et l'option (le choix forcé, déchirant) pour « l'existence d'un monde sans raison », qui n'est possible que dans la mesure où il appelle la dépossession (l'impossible), la similitude avec ce qui n'est pas, avec le caprice, l'infantilisme, qui pourtant n'est pas l'arbitraire mais l'*autre* loi :

« *J'ai en ce moment... un grand besoin d'extirper mon anxiété en la décrivant entièrement et, de même qu'elle vient des profondeurs de mon être, de la faire passer dans la profondeur du papier ou de la décrire de telle sorte que ce que j'aurais écrit pût être entièrement compris dans mes limites. Ce n'est pas un besoin artistique.* »

« *Qui me confirmera qu'il est vrai ou vraisemblable que c'est uniquement par suite de ma vocation littéraire que je ne m'intéresse à rien et suis par conséquent insensible.* »

« *Je lis en ce moment dans la Correspondance de Flaubert : ' Mon roman est le rocher qui m'attache et je ne sais rien de ce qui se passe dans le monde '. — Analogue à ce que j'ai noté pour ma part le 9 mai.* »

« *Le monde prodigieux que j'ai dans la tête. Mais comment me libérer et le libérer sans me déchirer. Et plutôt mille fois être déchiré que le retenir en moi ou l'enterrer. Je suis ici pour cela, je m'en rends parfaitement compte.* »

« *Je hais tout ce qui ne concerne pas la littérature... Tout ce qui n'est pas littérature m'ennuie et je le hais.* »

« *Considéré du point de vue de la littérature, mon destin est très simple. Le talent que j'ai pour décrire ma vie intérieure, vie qui s'apparente au rêve, a fait tomber tout le reste dans l'accessoire, et tout le reste s'est affreusement rabougri, ne cesse de se rabougrir.* »

Ainsi se dessine, dès le début de la résolution d'écrire, le *don* du poète à un autre espace et le refus de tout ce qui n'est pas lui et qu'Artaud appelle le néant :

« *... mais la réalité humaine, Pierre Loëb, n'est pas cela.*
Nous sommes 50 poèmes,
le reste ce n'est pas nous mais le néant qui nous habille... »

Le néant, c'est le contraire de la « vraie magie », c'est l'humanité falsifiée, la banalité de nos tâches, l'exiguïté de notre espace. Kafka le découvre dans son bureau (« Mon emploi m'est intolérable parce qu'il contredit mon unique désir et mon unique vocation, qui est la littérature [3] »), dans les conversations (« les conversations m'ennuient (même si elles concernent la littérature)... Les conversations ôtent à tout ce que je pense le poids, le sérieux, la vérité »), au sein de sa famille (« Mes parents jouent aux cartes sur la table où j'écris »), dans l'éventualité du mariage (« ne serait-ce pas dérobé à la littérature? Surtout pas cela, surtout pas cela! »). Mallarmé le rencontre au collège, à tous les niveaux de la vie sociale, partout où « Ici-bas est maître », où vomit « la Bêtise », où se colporte « l'universel *reportage* », partout où, hors la Poésie, « Tout le reste est mensonge ». Mensonge haïssable et pourtant vécu (face diurne de la vie) comme la sécurité impossible et foncièrement rejeté pour l'insécurité impossible, l'intrépidité, la puissance de la fiction mesurée qui ne devient jamais la durée, le rythme continu du jour et de la nuit. D'où ce désir, ce projet de création *impossible* que confie Rilke à Lou Andréas-Salomé comme sa nécessité, son intégralité — sa similitude, sa réforme dépossédante :

« *O Lou, un poème, la chance d'un poème, enferme plus de réalité que n'importe lequel de mes sentiments ou de mes relations. Où je crée, je suis; et je voudrais trouver la force de bâtir toute ma vie sur cette vérité, de l'enchaîner tout entière à cette joie élémentaire qui m'est parfois accordée... j'ai la certitude de ne plus désirer, de ne plus rien poursuivre, que la réalisation de mon œuvre... Je veux tout reprendre à l'origine, revenir sur mes pas, rejeter, comme nul, ce que j'ai pu produire jusqu'à maintenant, comme plus infime que la poussière du seuil que le nouvel arrivant balaie. J'attendrai des siècles, je m'en sens la patience. Je veux vivre comme si mon temps était illimité. Je veux me ramasser, me retirer des occupations éphémères... Mais je manque toujours de la discipline, de l'application, de l'impératif que j'attends anxieusement, depuis des années. Suis-je sans forces? Ma volonté est-elle malade? Ou bien, le rêve que je porte fait-il échec à toute activité? Les jours passent, j'entends couler la vie. Rien ne se produit en moi, rien de réel : je me divise toujours, je me perds en ruisseaux — et je voudrais tant suivre* mon *lit, m'accroître... Il faut que cela soit.* »

Il le faut, mais le néant habite dans les villes, dans le monde moderne où les gens ne savent plus vivre (l'impatience, le goût de la facilité, l'incuriosité leur ont fait perdre « le sens du large » et les « moyens de le gagner »), il s'inscrit dans l'horizon familial (car nos proches sont de plus en plus lointains), dans tout ce qui n'est pas l'espace-temps du poème, dans le temps de Rilke pas encore assez proche de l'événement qui déciderait, qui serait lui, venant, et l'autre. D'où la distance que le poète reconnaît entre la quotidienneté et son espace à frayer, à écrire pour qu'il vienne :

« *Le premier venu, celui qui a eu cette pensée inquiétante (on n'a " encore rien vu, reconnu et dit de vivant "), doit commencer à faire quelque chose de ce qui a été négligé; si quelconque soit-il, si peu désigné,* puisqu'il n'y en a pas d'autre. *Ce Brigge, cet étranger, ce jeune homme insignifiant devra s'asseoir et, à son cinquième étage, devra écrire jour et nuit. Oui, il devra écrire, c'est ainsi que cela finira.* »

Peut-être est-ce cette distance toujours présente qui donne son sens au combat du poète pour l'avoir lieu. Peut-être est-ce le désenchantement du monde qui ouvre la voie de l'attention, de la reconnaissance et le chemin de l'apparaître d'un nouvel être (qui n'est plus le moi atrophié des tâches et de l'aveuglement de la peur ou du sommeil).

Le néant serait alors comme l'organe-obstacle de la similitude et de la dépossession, le lieu où se *retourne* l'espace, où le temps devient vertical, où le poète cesse d'être le moi des tâches et des buts poursuivis pour devenir autre, impersonnel, accueil, transparence :

« *Je viens de passer une année effrayante : ma pensée s'est pensée et est arrivée à une Conception Pure. Tout ce que, par contrecoup, mon être a souffert, pendant cette longue agonie, est inénarrable, mais, heureusement, je suis parfaitement mort... C'est t'apprendre que je suis maintenant impersonnel et non plus Stéphane que tu as connu — mais une aptitude qu'a l'Univers Spirituel à se voir et à se développer, à travers ce qui fut moi.* »

Qu'est-ce à dire sinon que Mallarmé se croit (ou voudrait se croire) parfaitement mort à lui-même. L'individu a été sacrifié (Stéphane, le *je*) et il n'est plus question non plus d'*artiste,* de *talent,* mais de *Conception Pure,* de possibilité d'accueillir et de réfléchir l'*Univers Spirituel* (« Fragile, comme est mon apparition terrestre, je ne puis subir que les développements absolument nécessaires pour que l'Univers retrouve, en ce moi, son identité »), d'*Œuvre* (« Le Grand Œuvre, comme disaient les alchimistes, nos ancêtres »). Mais il faudrait se garder de croire que Mallarmé remplace le *je* sacrifié par une démiurgie poétique dont il serait la Bouche d'Ombre. Cela n'est pas, la dépossession dépossède aussi de la prophétie et de la voyance. Le poète est privé d'identité et de pouvoir surnaturel, il est le *lieu,* le tiers :

« *Dans le poème, Mallarmé pressent une œuvre qui ne renvoie pas à quelqu'un qui l'aurait faite, pressent une décision qui ne tient pas à l'initiative de tel individu privilégié. Et, contrairement à l'anti-*

que pensée selon laquelle le poète dit : ce n'est pas moi qui parle, c'est le dieu qui parle en moi, cette indépendance du poème ne désigne pas la transcendance orgueilleuse qui ferait de la création littéraire l'équivalent de la création d'un monde par quelque démiurge; elle ne signifie même pas l'éternité ou l'immuabilité de la sphère poétique... ».

Blanchot voit dans le poète (ici Mallarmé, paradigme de la modernité, de la vidange poétique) l'incarnation d'une exigence qui le dépasse et le fait éclater (« Je suis véritablement décomposé... Autrement on ne sent d'autre unité que celle de sa vie... »), à laquelle il ne peut répondre que parce qu'il n'est déjà plus lui-même, mais celui qui s'est donné à l'espace de l'œuvre. On comprend mieux le mot de Char : « L'acte poignant et si grave d'écrire », puisque écrire devient pour le poète le chemin d'une déperdition, d'une désappropriation, le devenir autre (autre que tout autre), l'exigence qu'il ne nomme pas, qui ne se nomme pas, qui se saisit de l'altérité comme de soi-même — commune perte, réponse vide —, qui poursuit à travers la *personne* du poète (son corps, sa langue) la décomposition, l'histoire sans fin, sans retour :

« *L'œuvre demande cela, que l'homme qui l'écrit se sacrifie pour l'œuvre, devienne autre, devienne non pas un autre, non pas, du vivant qu'il était, l'écrivain avec ses devoirs, ses satisfactions et ses intérêts, mais plutôt personne, le lieu vide et animé où retentit l'appel de l'œuvre.* »

« *Nous disons Proust, mais nous sentons bien que c'est le tout autre qui écrit, non seulement quelqu'un d'autre, mais l'exigence même d'écrire, une exigence qui se sert du nom de Proust, mais n'exprime pas Proust, qui ne l'exprime qu'en le désappropriant, en le rendant Autre.* »

Cette épreuve consume le poète qui n'est plus que cheminement et métamorphoses jusqu'à la fin de l'œuvre, qui est peut-être sans fin, dont l'espace sans cesse reculant montre sans doute cette absence de fin. Cependant, il faudra qu'il se résigne à être quelqu'un, à cette clôture qu'est toujours l'œuvre réalisée (au malentendu du livre), qu'il se résigne et ne se résigne pas, car l'œuvre achevée n'est pas l'œuvre, mais toujours l'esquisse du Grand Œuvre, le signe d'autre chose, qui est peut-être rien mais reconduit le poète vers ce qui est désigné comme altérité, inconnu, non-être. C'est sans doute ici qu'il faut trouver la *raison* du cheminement du poète : dans la conscience confuse mais progressive du devenir inépuisable de l'œuvre à laquelle il se voue « en vue de plus tard ou de jamais » et qui le fait consentir à l'incessant mouvement de l'œuvre sans l'espoir de résorber jamais tous ses ailleurs, mais avec la certitude (qui est, si l'on veut, son espoir) d'être emporté corps et biens par ce qu'il sent au plus profond de lui, qui à la fois l'englobe et le libère, l'affranchissant de l'espace et le livrant à l'éternité peut-être blanche du (re)commencement.

Nous approchons du cœur de la démarche poétique :

« *La poésie toujours inaugure* autre chose. *Par rapport au réel, on peut l'appeler irréel* (' ce pays n'existe pas '); *par rapport au temps de notre monde*

‘ l’interrègne ’ *ou* ‘ l’éternel ’... *Mais ces manières de dire ne font rien que laisser retomber sous la compréhension analytique l’entente de cette* autre chose...

La logique est trompeuse, lorsqu’elle prétend légiférer pour autre chose *(dont elle s’emploie à faire un autre monde supraterrestre ou une autre réalité, spirituelle).* »

Parfois Rilke appelle *cela* Dieu. Mais Dieu signifie alors « le plus grand espace », « le plus grand cercle », que le poète des *Sonnets à Orphée* nommera bientôt « espace intérieur du monde » (*Weltinnenraum*). La déperdition en Dieu est peut-être analogue à l’immergence et à l’exil dans le poème. Le poète se perd en lui comme le saint en Dieu, dit encore Rilke, ou comme l’amant dans l’amour de l’être aimé. Et ici, comme pour l’espace de l’œuvre, le mouvement de dépossession est lent, difficile. L’amour, Dieu, le poème n’ouvrent leur espace (qui est peut-être le même et unique lieu de dépossession [4]) qu’à ceux qui ont accepté de subir « un dur apprentissage », à accueillir la voix qui parle comme celle de la similitude, au delà du je de l’égoïté, au plus près du neutre de la parole.

Partant de l’égocentrisme (le manque), tendant vers la dépossession (la métamorphose du manque en santé), la poésie est cette incessante approche de la similitude, de la commune appartenance du poème et de la vie à une dimension d’absence. Le retrait, la solitude montrent le sens et la « réalité » d’une telle absence vécue comme le manque et l’excès de souffle.

« Sait-on ce que c'est qu'écrire?... Qui l'accomplit, intégralement, se retranche »; « Il me faut vingt ans, pendant lesquels je vais me cloîtrer en moi », écrit Mallarmé. « Tout apprentissage est un temps de clôture », répond Rilke, comme en écho. Pourquoi cela? La solitude prive le poète de la parole, du regard, du temps du monde, du secours des autres [5] pour le tourner vers la diction, la vue, l'espace-temps où se fait l'échange, la similitude. Elle est l'échange d'une loi pour une autre, d'un souffle pour un autre, mais aussi le lieu de la perte de mesure, de l'absence de limites, du vertige — car on quitte ici le connu pour l'inconnu, le possédé pour ce qui dépossède :

« Nous sommes *solitude. Nous pouvons, il est vrai, nous donner le change et faire comme si cela n'était pas. Mais c'est tout* [6]. *Comme il serait préférable que nous comprenions que nous sommes solitude; oui : et partir de cette vérité! Sans nul doute serons-nous alors pris de vertige, car tous les horizons familiers nous auront échappé; plus rien ne sera proche, et le lointain reculera à l'infini... Ainsi pour celui qui devient solitude, toutes les mesures changent.* »

Un tel lieu est celui de la décision et de la preuve, où le langage et la vie se destinent ou bien se désaccordent (alors nous nous trouvons en présence de la rhétorique, de la parole du pouvoir qui, même ici, nous guette et mêle sa voix à ce qui nous semblait être absence de voix, possibilité de la parole).

Le retrait est invoqué et attendu par le poète comme le signe et la possibilité de l'œuvre, d'une vie pour l'œuvre (le désœuvrement, l'exil de l'œuvre et de la vie).

La solitude est à la fois parole de retrait et réespacement du monde, relation plus ample, comme si l'on ne pouvait voir et aimer qu'à distance (« C'est à présent seulement que je comprends l'homme, maintenant que je vis loin de lui et dans la solitude », dit Hölderlin [7]), comme si la vue et l'amour étaient liés à la solitude, au retrait. Dans le temps de l'écart, dans le désœuvrement, dit Michel Deguy, s'apprête un compagnonnage, s'instaure un dialogue qui restituent aux choses, aux occupations leur « autre sens ». Les gestes du quotidien se découvrent marqués d'un signe d'élection, les travaux et les jours qui succèdent aux travaux et aux jours se révèlent, dans leur répétition, figures d'une autre version, d'un autre rapport au langage et au monde où se désignifient l'espace, le temps, les gestes et les mots, où la présence se retraverse malgré l'abstraction galopante, la perte du monde et du langage, la dissipation du moi dans le soi-disant concret des fonctions et des instances sociologiques.

Telle est la vérité poétique de la solitude : elle consacre, non l'égocentrisme vaniteux et suffisant, mais la diction amoureuse, incestueuse, l'outrage d'une affirmation d'en dessous irrecevable par le logos communautaire, sans limite et irrégulière.

La solitude est une patrie inactuelle, en deçà ou au delà de l'espace-temps des tâches, des possessions, des buts. Une patrie où parler est ouverture et où vivre est clarté, une patrie à conquérir (utopie) et à reconnaître (aveuglement), au terme d'une longue course solitaire : « Je vais courir seul jusqu'à ce que je me retrouve en pleine clarté », dit Zarathoustra.

Reconnaissance de quoi? retrouvaille de qui? Du moi sans doute, mais d'un moi dépossédé. D'un moi qui s'est confronté, comme Jacob avec Israël, à l'inconnu, qui à la fois perd et fait retrouver, d'un moi devenu Israël, l'altérité, l'inconnu et le même, le change du même. Telle est la propédeutique de la solitude : l'affrontement et l'accueil de l'inconnu, le déplacement de soi, le retour à l'énigme de soi. Dans le retrait s'établit la conscience de l'androgynie et sont donnés les moyens du reliement, les conditions du retour. « Il est nécessaire, dit Rilke, que nous ne rencontrions rien qui ne nous appartienne déjà depuis longtemps. »

L'inconnu est le *lieu* de l'homme que nomme le poète sur le mode toujours différé de l'approche, car toujours l'écart subsiste pour que toujours demeure, sur le chemin de l'identité à recommencer et à reperdre, la séparation qui rapproche, l'absence qui nous fait désirer l'être-là. La solitude est communion avec l'univers, au point de dessaisie de soi et d'assimilation du monde, mais cette communion, toujours imparfaite, ne résilie jamais la séparation.

Il est peut-être un *point* auquel destine le lieu d'échange qu'est la solitude, un point qui rassemble l'espace (le dedans et le dehors), qui réconcilie les contraires — et dont parlent Breton, Bataille et sans doute tous les *vrais* poètes [8] —, une sorte de centre aimanté et magique, dont la découverte semble être la finalité secrète et le fol espoir de la poésie. Finalité qui n'est pas la poursuite avouée, précise, efficace d'un but, espoir impossible, dont l'impossibilité est le mouvement de la poésie qui recherche ce qui ne se trouve pas, ce qui peut-être n'existe pas. Ce point n'est sans doute, dit René Char, « *qu'un vœu de l'esprit, un contre-sépulcre* », mais l'exigence qui porte vers lui le poète lui donne comme une suprême réalité fictive, une réalité dont il faut partager la chaleur pour assurer l'existence :

« *Il existe un printemps inouï éparpillé parmi les saisons et jusque sous les aisselles de la mort. Devenons sa chaleur : nous porterons ses yeux.* »

C'est dans la solitude que s'inaugure l'échange. L'œuvre est ce partage qui bientôt gagne tout l'espace, le poème cette « pensée heureuse » qui lentement et dans la solitude « trouve sa voie [9] ».

PATIENCE — IMPATIENCE

Lentement, patiemment. Car si l'imminence du partage est proche, elle ne peut être reconnue que dans l'attentive lenteur de la patience.

Pourquoi patienter, après quoi attendre dans la solitude désœuvrée? Rilke nous l'apprend. L'action propre de la patience est de « Porter jusqu'au terme puis enfanter », de laisser mûrir en soi (« dans l'obscur, dans l'inexprimable, dans l'inconscient ») « chaque impression, chaque germe de sentiment », de nous faire attendre avec humilité, que quelque chose s'accorde à notre disposition. Quelque chose qui n'est pas encore l'œuvre, qui est peut-être le contraire de l'œuvre. Patienter, c'est vivre à l'écoute d'une voix [10] qui couvrira longtemps encore notre voix (notre défense), c'est aimer ses questions, visages tournés vers l'inconnu de l'œuvre, « comme un livre écrit dans une langue étrangère », c'est entrer dans l'espace de la lenteur, dans le temps sans mesure [11]. (« Un an ne compte pas, dix ans ne sont rien. Etre artiste, c'est ne pas compter », ce qui doit venir « ne vient que pour ceux qui savent attendre, aussi tranquilles et ouverts que s'ils avaient l'éternité devant eux »). C'est consentir à l'incessante transsubstantiation du temps qui réduit la durée à néant, à l'éternité vide du néant, dont témoigne, toujours imparfaitement, l'absence-présence de l'œuvre et son essentiel inachèvement. C'est cheminer vers ce *ne pas,* qui renvoie plus loin, au non-être, comme à la proximité toujours lointaine. Telle est la figure exemplaire de Zarathoustra, qui n'en a jamais fini de se mettre en route, de monter vers sa cime dernière, son ascension la plus solitaire, puis de redescendre vers la mer (« Du plus profond il faut que le plus haut aille vers sa propre hauteur »), qui semble tourner en rond, à la recherche d'un centre qui rendrait égaux midi et minuit, ferait cesser le temps et laisserait advenir l'œuvre (le dehors de soi, l'avenir de ses enfants), le commencement absolu. Zarathoustra, prophète de l'imminence du jour (« Vers mon œuvre je veux aller, vers ma journée : ' Le signe arrive '), mais aussi homme de la vacuité, prince de la patience, attente pure et comme vide de tout objet :

« *J'attends : qu'est-ce donc que j'attends?* »

« *J'étais assis, attendant, attendant — rien,*
Par delà bien et mal, tantôt de la lumière,

Tantôt de l'ombre jouissant, rien que jeu,
Rien que mer, rien que midi, rien que temps sans but.

Alors soudain... un devint deux —
Et Zarathoustra passa devant moi... »

L'attente de rien est une sorte de gonflement vide, de prédisposition à l'éclatement, à la respiration de ce qui arrive, à l'échange, au devenir et à la métamorphose. Le rien, au delà du bien et du mal — du sens —, au delà de la volonté des buts et des tâches est une autre mesure du temps et de la perception. L'attente (la patience, la passivité) est, au delà du sens négatif, privatif de ces mots, une sorte d'action hors de soi, de version, de tour, vers (mais non intentionnellement) ce qui arrive, ce qui traverse soudain l'air, l'espace et l'être suspendu dans cette durée vide. Elle est le creux de l'avènement, la matrice de la rencontre et du dédoublement. Car au *terme* de l'attente (qui n'est pas sa résolution ni sa récompense, mais son comble) il n'y a plus d'identité ni de suppression de l'autre, mais comme un infini de rien, une énergie ponctuelle de non-retour où conduisait cette passivité résolutoire, cette patience vacante et engageante (« A partir d'un certain point, il n'y a plus de retour, c'est ce point qu'il faut atteindre » écrit Kafka dans une de ses *Méditations sur le péché, la souffrance, l'espoir et le vrai chemin*). L'attente passive-active, tantôt légère, enjouée, tantôt crispée, concentrée sur elle-même, tendue — toujours au delà du but, vers ce qui soulève et qui ruine, désidentifie, échange (« dès qu'on poursuit un but, on trahit, s'égare, méconnaît la nature de l'inconnu », écrit Charles Juliet, et dans ses *Fragments* encore : « je demeure des après-midi entiers à mon bureau, le plus souvent dans l'obscurité, à simplement me parcourir, m'explorer, m'annihiler. A m'efforcer d'atteindre le point de non-retour »).

Cependant attendre sans cesse ce rien, le commencement innommable, le renversement de l'espace et du temps, la « vraie vie », vivre toujours dans l'imminence d'un signe, n'est-ce pas aussi reculer devant la fulgurance dont le poème se voulait la saisie et l'éclatement? Et ne faudrait-il pas alors plutôt écouter l'impatience, la douce et violente impatience, partir, risquer le commencement [12], car à tant faire patience à jamais s'oublie le temps dont on devait s'éprendre.

Sans doute faut-il écouter la voix de l'impatience, la voix de Rimbaud et des surréalistes, mais tout en se méfiant d'elle, car, nous détournant de l'attente, elle risque d'être, comme dit Jean Pfeiffer, « l'ivresse anticipative du projet qui se dévore » [13]. Alors que « l'attente attentive à elle-même laisse être les choses », qu' « elle est l'ouverture pacifique, qui nous permet aussi d'accueillir comme réponse l'inattendu ».

Ainsi trop donner à la patience ou succomber à l'impatience, c'est toujours, d'une façon ou d'une autre, échouer. Ni l'immédiat angélique, ni l'interminable médiation de l'attente qui ajourne n'ouvrent à l'absence de temps du poème. A moins que la patience ne soit l'épreuve de l'impatience advenue à l'espace de l'œuvre (« Et à l'aurore, armés d'une ardente patience, nous entrerons aux splendides palais »). Appelons *pureté* [14] cette aurore de l'impatiente patience où il sera enfin loisible de *« posséder la vérité dans une âme et un corps »*.

Mais quelle âme et quel corps? Quel lieu et quelle formule? Le corps, l'esprit et le langage purifiés, le « je-autre », le « moi-personne » de la dépossession (de la métamorphose), l'être de la *nouvelle harmonie :* Corps glorieux (« un Etre de Beauté de haute taille », « Les yeux flambent, le sang chante, les os s'élargissent », « Oh! nos os sont revêtus d'un nouveau corps amoureux »), paysage féerique (« fleurs magiques », « sèves inouïes »), cortèges de femmes (« enfantes et géantes... jeunes mères et grandes sœurs... sultanes, princesses... petites étrangères »), tréteaux de théâtre, où se joue « cette parade sauvage », où se découvrent « les richesses inouïes », la musique des mondes, le plan des villes (« plaisir du décor et de l'heure uniques »), « la santé essentielle », où s'anéantissent, dans l'indicible bonheur, le Prince et le Génie, enfin identiques dans le non-être (l'être) de la vue, du souffle, du corps et du jour uniques.

Telle est, chez Rimbaud, l'image de l'impossible pureté. Artaud l'appelle cruauté, *théâtre de la cruauté.* La nouvelle harmonie demande une action cruelle, « poussée à bout... dont l'ampleur sonde notre vitalité intégrale, nous mette en face de toutes nos possibilités », un acte magique, nécessaire, sans lequel « la vie ne saurait s'exercer », qui renouvelle le sens de la vie, un geste entier qui retentit dans l'organisme, dans l'existence de l'acteur et du spectateur et invite à la conformité (« à prendre des attitudes conformes au geste qui est fait »). Geste qui est, aussi bien son, parole, feu, cri, lumière, tout ce qui fait vibrer l'espace, tout ce qui fait retrouver

« un état transcendant de vie », qui est la vie raccordée à l'espace éclaté et ouvert.

Ainsi, pour Artaud, le théâtre accomplit une brèche dans le corps, dans l'esprit, dans la langue, il brise l'individualité opaque, pour toucher la vie. Rythmes, images, idées ordonnent le massacre — la purification — et (re)créent la nouvelle harmonie, l' « équation passionnante entre l'Homme, la Société, la Nature et les Objets :

« *Un coup de ton doigt sur le tambour décharge tous les sons et commence la nouvelle harmonie.*

Un pas de toi c'est la levée des nouveaux hommes et leur en-marche... Arrivée de toujours, qui t'en iras partout. »

Rythmes, images, idées (re)trouvent une raison, qui est l'imminence d'un commencement qui n'aura plus de fin, car, arrivés en ce lieu, nous saurons « donner notre vie tout entière tous les jours. »

Et il s'agit bien de cela, dans le théâtre de la cruauté : de donner sa vie, de payer le prix, de se mettre tout entier dans son acte comme la mère dans son enfant — ce qui pour Nietzsche est la définition de la vertu —, de se glisser, dit Char, comme un nageur « entièrement sous les eaux ». Mais « nous avons peur de la vérité » (Nietzsche), nous sommes enclins à refuser la cruauté, et l'idée d'une vie intégrale qui « nous mette en face de nos possibilités » nous effraie (Artaud). Nous nous interdisons alors d'y penser, en considérant le théâtre comme une représentation, en ne voyant dans le poème qu'« une forme inoffensive de littérature », alors qu'on ne peut « dissocier le poème de la prétention qu'il a de changer l'homme » (Octavio Paz), alors que le théâtre est l'exaltation et le devenir « de ce qui n'est pas encore », la genèse, l'acte génétique.

Artaud abomine toutes les formes de représentation, de spectacle qui empêchent l'effectuation, le passage à l'acte, la poésie en donnant aux spectateurs une bonne conscience esthétique, un défoulement énergétique, une *catharsis :*

« *Il n'est rien que j'abomine*
et que j'exècre tant que cette idée de spectacle
de représentation,
donc de virtualité, de non réalité,
attachée à tout ce qui se produit et que l'on
montre »

Ainsi, son émission (finalement interdite d'antenne) *Pour en finir avec le jugement de Dieu,* n'avait été faite que pour protester

« *contre ce soi-disant principe de virtualité,*
de non réalité,
de spectacle enfin
indéfectiblement attaché à tout ce que l'on
montre, comme si l'on voulait par le fait socia-
liser et en même temps paralyser les monstres,
faire passer par le canal de la scène, de l'écran
ou du micro, des possibilités de déflagration
explosive trop dangereuses pour la vie,
dangereuses pour la vie,
et que l'on détourne ainsi de la vie... »

Son procès contre le spectacle est le même que celui dressé contre « l'idée et son mythe » ou contre le langage. Il faut à leur place « faire régner.../la manifestation tonnante/de cette explosive nécessité :/dilater le corps de ma nuit interne ». Car « il y a/quelque chose/à quoi faire place », quelque chose qui s'affirme explosivement et que le théâtre de la cruauté — la poésie pratique — *met* en place : le corps éclaté, le *nouveau* corps, l'impossible genèse.

La cruauté, la pureté, c'est la rigueur qui « mène les choses à leur fin inéluctable quelqu'en soit le prix », c'est la soumission lucide à une nécessité interne, la « conscience appliquée » :

> « *J'ai donc dit ' cruauté ' comme j'aurais dit ' vie ' ou comme j'aurais dit ' nécessité ', parce que je veux indiquer surtout que pour moi le théâtre est acte et émanation perpétuelle, qu'il n'y a en lui rien de figé, que je l'assimile à un acte vrai, donc vivant, donc magique.* »

Elle n'est pas violente, au sens ou Levinas entend la soumission irrationnelle, l'action subie, la possession par la muse qui se sert de notre bouche pour parler. Elle n'est ni simple volonté ni non-vouloir, mais action-passion, commencement de l'impossible :

> « *il ne peut y avoir théâtre qu'à partir du moment où commence réellement l'impossible...* »

La poésie serait alors une attention extrême à ce commencement, le mouvement de commencer, d'appliquer, de vivre la magie, d'être l'acte, le gain de corps :

« *on ne joue pas*
on agit
Le théâtre c'est en réalité la genèse *de la création* »

Mais qui peut suivre ainsi jusqu'à sa fin cette logique, cette « nécessité » interne, ce mouvement qui pousse et excède, cette pulsion du corps, cette SORTIE et devenir mots-corps, parler-agir, souffle vivant? L'attention (qui n'est ni la volonté ni le non-vouloir comme catégories de la conscience) est intermittente, provisoire, précaire. L'après du théâtre risque à nouveau et toujours d'être le spectacle, la représentation, le dédoublement de l'acteur et du spectateur de se reproduire, vouant à la dérision la *tentative,* moquant, comme Rimbaud, le sommeil, la « Déchirante infortune ». Déchirante infortune qui est le lot du créateur. Car peut-il vivre toujours au niveau de la pleine conscience appliquée? Peut-il ne pas déserter, ne pas oublier, ne pas alléguer les bonnes raisons, les alibis — plus, ne font-ils pas aussi partie de l'acte créateur?

Alors? « A chaque effondrement des preuves le poète répond par une salve d'avenir », dit René Char. Désespéré et espérant, il ne cesse de poursuivre l'impossible, entre un monde faux et la force du changement, entre le refus du monde de l'identité, du leurre de la représentation, de l'idée, du langage et l'acte pur de son éclatement. Ainsi Artaud part au Mexique pour que meure la dernière espérance (« Je n'allais pas au peyotl en curieux, mais au contraire en désespéré qui veut enlever de soi encore un dernier lambeau d'espérance ») et en même temps poussé par un fol espoir (« Je suis donc venu au Mexique chercher la force, et les forces, de pousser à ce changement... ». « Je pars à la recherche de l'impossible. Nous allons voir si je vais tout de même le trouver »). La recherche (peut-être vaine) de l'impossible est bien le cœur de la cruauté.

1. *Le corps pur.*

On trouve chez Artaud une véritable obsession du corps pur, de la vraie naissance. Le théâtre de la cruauté réalise la métamorphose du corps, son éclatement et sa communication :

« *Le théâtre n'est pas cette parade scénique où l'on développe virtuellement et symboliquement un mythe, mais ce creuset de feu et de viande vraie où anatomiquement par piétinement d'os, de*
membres et de syllabes
se refont les corps,
et se présente,
physiquement et au naturel,
l'acte mythique de faire un corps. »

Le théâtre est une vraie « table d'autopsie » où se refait l'anatomie, où le mythe est physique. Et refaire l'anatomie, c'est vaincre le déterminisme, la fatalité judéo-chrétienne de la séparation, c'est retourner à l'endroit, au delà du piège deux fois millénaire du corps et du langage articulés (divisés en parties, hiérarchisés, métaphysiqués), le reconstruire, lui enlever organes et Dieu, l'émasculer, « faire sans Dieu régner la santé », le décoliquer, lui rendre sa danse, son délire, qui est la réincarnation de ses gestes (« cé des histoires à première vue/c'est une utopie/mais commence d'abord à danser bougre de singe/espèce de sale macaque européen que tu es/et qu'a jamais appris à lever le pied »), le guérir de l'esprit et du corps démembré, de la représentation spiritualiste-sexuelle qui est la vraie privation du corps, l'envers, la longue histoire de la névrose :

« *L'homme est malade parce qu'il est mal construit.*
Il faut se décider à le mettre à nu pour lui
gratter cet animalcule qui le démange mortellement
dieu
et avec dieu
ses organes
car liez-moi si vous le voulez
mais il n'y a rien de plus inutile qu'un organe.
Lorsque vous lui aurez fait un corps sans
organes vous l'aurez délivré de tous ses automatismes
et rendu à sa véritable liberté.

Alors vous lui réapprendrez à danser à l'envers
comme dans le délire des bals musette,
et cet envers sera
son véritable endroit. »

Dans la mesure où la société, ce grand corps qu'est la société, est elle aussi atavique et fermée, tributaire du périple de l'engendrement, sangsue, elle devra également subir l'anarchie poétique pour retrouver la dimension de l'ouvert, mourir à la normalité pour renaître anormale, *réelle.* L'anarchie poétique commence par le corps (car celui-ci est, dit Deguy, « à la jointure des mots et des choses... lieu du change, axe de l'échange ») pour porter bientôt sur toutes les formes d'organisation de la pseudo-vie (sur toutes les formes « d'oppression matérielle ou spirituelle » de l'homme : famille, patrie, religion, éducation, politique, science) qu'elle ne veut pas seulement modifier mais défaire et régénérer.

Une fois atteint le point ou l'instant de la métastrophe — au théâtre, dans le peyotl, dans n'importe quelle figure du désordre —, se découvre, dit Artaud, « une sorte d'étrange soleil, une lumière d'une intensité anormale où il semble que le difficile et l'impossible même deviennent tout à coup notre élément normal ». Appelons *retour* l'avancée vers cette lumière aveuglante, plus proche de la fascination que de l'intelligible clarté.

2. *Le non-savoir.*

Notre époque se caractérise comme celle de la rupture du « mariage de *raison* entre poésie et savoir » (Deguy). Yves Bonnefoy a dénoncé la voie « enchanteresse et maléfique du *concept* » qui voile « l'originelle contingence de nos vies ».

La poésie est la « science incertaine » qui conduit jusqu'à voir et jusqu'à aimer les choses mortelles dans et pour leur finitude, la nescience qui dispense de foi, de réponse, qui permet de tenir « le pas gagné ». En ce point s'accomplit « la transmutation du dénuement en un bien », d'une pauvreté en un privilège, dirait Char, et « un possible apparaît sur la ruine de tout possible ». Mais à peine cet *événement* a-t-il eu lieu (« un oiseau a chanté dans le ravin d'existence, nous avons touché l'eau qui eût calmé notre soif »), que déjà « l'approche de l'instant est redevenue notre exil ». Et pourtant, « au-delà de cette occasion manquée, nous ne sommes plus les mêmes, nous ne sommes plus aussi pauvres, il nous demeure un espoir. » Un *savoir* est advenu, un savoir où *saisir* et *posséder* n'ont plus de sens (il y a, dit Yves Bonnefoy dans une phrase assez pascalienne, « une vertu possible du manque, c'est de connaître qu'il est un manque et d'accéder ainsi à un savoir passionnel », à une « théologie négative »), un savoir « négatif et instable » qui ouvre sur un lieu qui n'est plus l'espace usuel et qu'on appelle ici le « vrai lieu ».

Ce « vrai lieu » ne se *pense*, ne s'approche que dans et par l'errance, qui est peut-être l'erreur — c'est pourquoi Bonnefoy peut dire que « l'angoisse du vrai lieu est le serment de la poésie ». Ce qui est demandé (par quelle voix?) c'est de faire coexister l'espoir et le doute, la décision et l'insécurité. Car il faut décider sans preuves (l' « amer savoir n'a pas apporté de preuves à l'espoir qui s'est réveillé »), parier pour l'impossible, que Bonnefoy appelle l'improbable, et vivre selon le déchirement qui est sa loi.

Il faudrait — c'est l'affirmation ambiguë de cette nescience poétique — « détenir la dure altération du manque », posséder la déchirure (« si l'on veut, c'est le bien de la déchirure du lierre enfin accordé et possédé »), « ne rien savoir, sinon la fascination » (Bataille). Alors l'espace peut s'entr'ouvrir et le pas s'accomplir dans un langage qui lui aussi, qui lui surtout, après le corps et le savoir, sera l'objet de la purification.

3. *Le risque de la parole.*

Le langage est le lieu de la dépossession. La poésie est la recherche, dans le langage, du soulèvement de la langue, dont elle est la disponibilité, le mouvement « terrible et inhumain ». « Je cherchais tous les faits qui me faisaient tomber sous la domination de ma parole », dit Joë Bousquet (mais cette domination n'est pas une maîtrise de la parole qui serait le Dieu du poète, une régulation positive, plutôt une perte, un emportement, un exil dans les mots qui dépossèdent, qui sont retrait, déprise).

C'est pourquoi la parole poétique est le lieu d'une absence qui voue au recommencement, au ressassement éternel, l'incarnation de l'impossible espoir qui entraîne le discours jusqu'au silence et celui qui parle jusqu'à la mort depuis longtemps consentie. « Les œuvres d'art, écrivait Rilke à sa femme, sont toujours les produits d'un danger couru, d'une expérience conduite jusqu'au bout, jusqu'au point où l'homme ne peut plus continuer. » La parole poétique est, dans son essence même, un risque, celui de l'apatridité. Habiter la parole — il s'agit d'une limite inatteignable —, c'est avoir quitté l'espace et le temps usuels pour un chemin qui ne mène nulle part (car quitter un lieu pour un autre, aujourd'hui pour demain, c'est toujours se mouvoir à l'intérieur d'un espace et d'une diachronie homogènes). Le temps, le lieu est exil, c'est-à-dire absence de référence, altérité, mais une altérité qui fait pressentir notre plus juste visage. D'où l'impression alors d'une naissance, d'un véritable commencement, qui n'est en réalité toujours et déjà que la suite d'un mouvement qui, toujours plus profondément et plus loin, entraîne et porte le poète.

D'où l'impression aussi d'une soudaine légèreté et d'une plénitude, de l'alcyonisme et de la surabondance, qui se traduisent par le don du poète au langage, par le chant de soi, de la langue (« O mon âme, à présent que je t'ai tout donné et même mon dernier don... je t'ai ordonné de chanter, voilà quel fut mon dernier don », dit Zarathoustra). Pourtant ce chant révèle encore une attente, la souffrance se mêle à la joie, la faim se fait dévorante dans la satiété. Le désir ne sera jamais comblé, l'attente sera toujours recommencée, l'attente de l'*innommé* à qui les chants futurs donneront toujours un autre nom.

Ainsi se vouer au langage, ce n'est pas gagner l'être, mais au contraire en accuser le défaut (l'inexistence) et vivre plus profondément (plus en surface) dans ce défaut, ce qui n'est pas, l'absence de sujet, la perte d'objet de la langue. Celui qui s'y engage (le veut-il? ne le veut-il pas?) doit savoir *à la fois* sa nécessité (il ne pourrait vivre autrement), son irréalité (cela ne conduit nulle part), son inachèvement (il n'y aura plus de terme, ce sera toujours le commencement, le non-lieu, le fragmentaire). La parole tend vers un centre « qui attire ou sépare, élève ou précipite, met en mouvement ou immobilise » (Octavio Paz) — mais qui n'*est* pas. La parole tend vers un rythme qui la fige ou la dédouble, vers les variations du même, les vitesses de l'attirance et de la répulsion. Et c'est déjà l'histoire de la langue, l'*autre* histoire — l'espacement du poème.

La parole qui dit l'errance (« Chercher le lieu, partir/Errer encore »), qui a le goût de l'air, « le goût d'espace » qui est « notre fête » (Guillevic), n'est pas pour autant aérienne, transparente, lisible. Aussi simple qu'elle paraisse, elle a sa part d'ombre, éblouissante, elle entraîne vers l'obscur, vers l'*autre* lumière. « J'aime, dit René Char, qui m'éblouit, puis accentue l'obscur à l'intérieur de moi », et Guillevic : « Il fallait s'être enfoncé dans le noir, d'abord. /Au fond des chambres dans le noir », dans les grottes, avant de venir, « Chargé d'autre chose,/ Consacrer le jour ». Parler traverse l'obscur. Il faut oser ce pas, qui n'est plus le geste identifié, la parole reconnue, mais ce qui bouge, ce qui parle, immobile dans l'emportement, précipité dans l'immobile.

« Certains jours il ne faut pas craindre de nommer

les choses impossibles à décrire » (René Char), mais l'oser n'est pas retrouver plus loin le miroir de son audace, les mêmes figures de l'identité. L'audace ici est la perte. Ce qui parlait était, est déjà la perte, la plaie (« *Ici,* écrit Du Bouchet, *la plaie parle,* elle est devenue nécessaire »). En l'audace, la parole toujours se déchire, balbutie, apocope, blanchit, fend la langue. En témoignent par exemple aujourd'hui Anne-Marie Albiach, Mathieu Bénézet, Jean Daive, Claude Royet-Journoud, Alain Veinstein, Bernard Noël, aussi avant eux, des poètes plus écoutés (mais sont-ils entendus?) : Pierre Jean Jouve et encore, et toujours Joë Bousquet. Poètes de la langue, de la parole espacée, du corps refait, du savoir dessaisi. Comme si le mouvement toujours était celui de se retourner, de se *désenser,* d'en finir avec l'optimisme officiel du sens, de la morale, de la belle poésie formative, thématisable, classable en figures et lieux poétiques, avec tout le mensonge du savoir (ici l'ironique secousse de Denis Roche) et de reconnaître enfin le corps illettré, la dépossession, le risque de ne rien dire et de n'avoir pas lieu. Aimer ce risque, se tourner vers lui, commencer le poème.

NOTES

1. Cette circulation est celle aussi de la lecture, de la contamination du lecteur. « Je reconnais à ceci un véritable poète (écrit Cioran) : en le fréquentant, en vivant longtemps dans l'intimité de son œuvre, *quelque chose* se modifie en moi : non pas tant mes inclinations ou mes goûts que mon sang même, comme si un mal subtil s'y était introduit pour en altérer le cours, l'épaisseur et la qualité. Valéry ou Stefan George nous déposent là où nous les

avons abordés, ou nous rendent plus exigeants sur le plan formel de l'esprit : ce sont des génies dont nous n'avons pas *besoin,* ce ne sont que des artistes. Mais un Shelley, mais un Baudelaire, mais un Rilke interviennent au plus profond de notre organisme qui se les annexe ainsi qu'il le ferait d'un vice. Dans leur voisinage, un corps se fortifie, puis s'amollit et se désagrège. Car le poète est un agent de destruction, un virus, une maladie déguisée et le danger le plus grave, encore que merveilleusement imprécis, pour nos globules rouges. Vivre dans ses parages? C'est sentir le sang s'amincir, c'est rêver un paradis de l'anémie, et entendre, dans les veines, des larmes ruisseler... » La lecture poétique? Une circulation virale, une perversion, une force destructrice et vitale, un danger, une maladie déguisés, imprécis, un mal subtil et irréversible. Un rapport étrange mais inaliénable à la mort.

2. Dans la même page de *La Part du feu* (« Kafka et la littérature »), Blanchot écrit : « La renonciation de Racine à la tragédie fait partie de la tragédie — de même, la folie de Nietzsche ou la mort de Kleist. » Serait-ce qu'on n'échappe pas — engagement ou désengagement — à l'impossible *projet* de ruine de la poésie, que dedans ou dehors, dans les mots ou dans leur abandon, on reste déplacé, dans l'espace troué de la dépossession, dans la page blanche des signes et des gestes?

3. La poésie est-elle altération du rapport au travail, ou du moins subversion d'un certain travail machinal, à la chaîne, au jour le jour de l'ennui (et de l'exploitation), à la gueule de sérieux et de platitude parfois lucrative, presque toujours abêtissante, aberrante? Malaise social, trouble de la quotidienneté (dont la fuite est une des réponses, mais aussi le sabotage, la révolution, le contre-espace du désir), la poésie est-elle la grève de la lourdeur et la vacance obstinée, comme le bruit du cœur, de la vie vivable? Oui, le déraillement de l'ordre, oui, le désœuvrement des tâches. L'autre ordonnance, l'autre œuvre désœuvrée et vaine, irresponsable et — plus secrètement — engagée, plus riche que le sens (toujours lié au travail, au savoir-faire, au logos de la rentabilité, à la morale des esclaves). Oui, l'immoral, la joie sans cadence, sans drapeau, sans cadres et sans Plan Quinquennal. Oui, la geste poétique, le dynamitage des statues, des uniformes, des Révélations de la Norme (de la Production, du Patron ou du Parti), le refus, le refus du pli du temps plié, du

régiment des heures mortes. Oui, le loisir de rêver, de fabuler, le langage, le monde-langue, l'autre espace (l'ici réespacé, la respiration retrouvée). Oui, l'impossible tous les jours, l'écart entre vie et récit, entre barrière et désir, ennui et incendie, sécurité-malheur et aventure-manque d'audace, flottement, mouvement de navette, double faute de raison duplice. Oui la résolution (écrire c'est déplacer l'irrésolu, ajourner, résolvant, le retour de l'irrésolu, hésiter, décidant, travailler la distance du travail, ne jamais résorber la marge), la promesse toujours manquée.

4. Mais ce *lieu* se révèle souvent avec des contenus qui peuvent détourner la dépossession de son véritable mouvement de néantisation et de communication souveraines. Ainsi l'expérience religieuse ramène à Dieu la dépossession et empêche le sentiment de la finitude, de l'inconnu, de l'impuissance et de la liberté, de la lucidité et de l'espoir inespérant. Octavio Paz a raison de voir dans la religion une dégradation de la poésie, Georges Bataille de dénoncer en Dieu et en la raison une confiscation de la souveraineté de l'homme faussement dépossédé, Martin Buber de mettre lui aussi, en cause la nomination, la réponse qui réintroduisent dans le monde de la possession. Seule la dépossession poétique est vraiment dépossédante — si elle évite toutefois le piège de la rhétorique, de la littérature, c'est-à-dire encore d'une croyance, si elle ne promet rien, si elle demande seulement de vivre dans cette absence de promesse qui n'est pas absence de désir, et que l'œuvre (la chance) parfois récompense sur le mode même de la déception, de la joie du vide.

5. Ici encore Kafka exemplaire d'une existence poétique commune et tout à fait singulière : « Le désir d'une solitude allant jusqu'à la perte de conscience. Seul face à moi-même »; « Il me faut beaucoup de solitude. Ce que j'ai accompli n'est qu'un succès de la solitude »; « Je m'isolerai de tous jusqu'à en perdre conscience. Je me ferai des ennemis de tout le monde, je ne parlerai à personne »; « Qu'ai-je de commun avec les Juifs? C'est à peine si j'ai quelque chose de commun avec moi-même et je devrais me tenir bien tranquille dans un coin, content de pouvoir respirer. » La résolution de solitude, de non-appartenance peut être (est le plus souvent) contemporaine à la vie continuée des tâches, à la prose des buts, de l'efficace, de la rationalité de la maîtrise, de l'ordre du pouvoir. C'est pourquoi l'homme seul est double (se dédouble),

qu'ici n'est plus pour lui ici (« quand mon chef discute avec moi des affaires du bureau..., je ne peux pas le regarder longtemps en face sans mettre dans mes yeux, tout à fait malgré moi, une légère expression d'amertume qui fait fuir soit son regard, soit le mien ») et qu'il tend à se simplifier vers le monde (la positivité adulte), vers l'œuvre (l'inutilité infantile), bien que toujours à la fin resurgisse l'entre-deux, le monde et le livre, leur malaise parallèle, leur métamorphose secrète, la perte du sol et la rue *littéralement* pleine de monde.

6. La résistance à la solitude (à ce qui en elle se découvre, se fomente, se risque et nous risque) fait partie de la démarche poétique. Tous nous la rencontrons un jour, souvent, répétitivement. L'initiation rilkéenne à la poésie part d'elle et c'est sans doute en connaissance de cause que Rilke écrit au « Cher Monsieur Kappus » qu'elle est un organe-obstacle : « Ne vous laissez pas troubler dans votre solitude parce que vous sentez en vous des velléités d'en sortir. Ces tentations doivent même vous aider si vous les utilisez dans le calme et la réflexion, comme un instrument pour étendre votre solitude à un pays plus riche encore et plus vaste »; « Aussi, cher Monsieur, aimez votre solitude, supportez-en la peine : et que la plainte qui vous en vient soit belle. Vous dites que vos proches vous sont lointains; c'est qu'il se fait un espace autour de vous. Si tout ce qui est proche vous semble loin, c'est que cet espace... est déjà très étendu. Aimez en eux la vie sous une forme étrangère... Ne leur demandez pas conseil. Renoncez à être compris d'eux... Mais votre solitude, même dans ces conditions contraires, vous sera soutien et foyer; c'est d'elle que vous tiendrez tous vos chemins. »

7. Et Proust confie, dans *Les plaisirs et les jours :* « Quand j'étais enfant, le sort d'aucun personnage de l'histoire sainte ne me semblait aussi misérable que celui de Noé, à cause du déluge qui le tint enfermé dans l'arche pendant quarante jours. Plus tard je fus souvent malade, et pendant de longs jours je dus rester aussi dans l'arche. Je compris alors que jamais Noé ne put si bien voir le monde que de l'arche, malgré qu'elle fût close et qu'il fît nuit sur la terre. »

8. Cette vérité-là n'est ni épistémologique, ni éthique, ni ontologique. Ponctuelle, elle est de n'être pas. Toute tentative de la nommer l'afflige de pesanteur, la rend grossièrement visible, l'objective comme savoir, vertu, me-

sure de la réalité. Etre poète, c'est peut-être toujours déjouer ces pièges de l'imaginaire substantialiste, défaire la trame qui positive et enferme, rouvrir à l'éclatement du point « vibrant de toute quête » et abîme de la déception, à l'éternel recommencement (on lira dans *El, ou le dernier livre* le récit de cette *vérité*).

9. Ce n'est que dans un paysage d'attente et de solitude que la poésie « dit » à l'Etre « le lieu où il se déploie » et ce dire ne s'exprime vraiment que dans la poésie, dans la pensée-poème. Etrange leçon de Heidegger, qui expérimente dans sa pensée le glissement vers la poésie comme vers son lieu, sa géographie, son retrait, la possibilité épiphanique de ce qu'elle dépense et tait. Etre poète, c'est peut-être traverser la solitude, la lenteur et le silence, gagner la voix, l'apparaître, la fulgurance, qui n'est pas quelque chose, quelque part, mais peut-être *comme* les signes blancs sur la page blanche, à peine *comme* un traçage, comme la lisibilité déchirante ou l'illisibilité unifiante du dedans-dehors.

10. Est-ce une voix, un rythme, un précipité d'appels, un bris de digues et de conventions, une violence pourtant intime, ni pittoresque, ni publique, bien qu'un jour elle jaillira mais comme avec lenteur au dehors, indivise de frontières, exigence sans retenue mais qu'il a fallu longtemps attendre, aimer, amener à naître, expulser à terme, à l'heure et au jour voulus en dehors de nous, révélée à nous après tant d'obscures genèses et toujours cachée cependant en son extériorité même?

11. Ou plutôt dans le temps de l'*autre* mesure, celle où l'on thésaurise longtemps, accumule beaucoup, oublie et se ressouvient lorsque tout est approprié, propre (mais à perte de frontières de soi), celle où se démesure alors le moi, où tout en lui, hors de lui se dépense et où se lève enfin — comme hors temps et précipité du temps — « le premier mot d'un vers ». Qui n'a pas décliné cette « grande patience », qui n'est pas allé jusqu'au bout de cette indistinction des souvenirs, du sang, du regard, du geste, ne peut écrire que des vers qui signifient « si peu de chose », ne peut être qu'un écrivain des sentiments (« on les a toujours assez tôt »), de la mode, de l'autant en emporte le vent. Le travail dont parle le jeune Malte est le change de cette autre mesure, l'épreuve (jamais concluante) de la dépossession, l'emportement de la patience, l'échange d'une autre économie où l'é*vide*nce est la loi.

12. C'est à ce risque que conviait déjà (en même temps, notons-le, qu'à la patience) la *Lettre VII* de Platon : « L'auditeur est-il un vrai philosophe... la route qu'on lui enseigne lui paraît merveilleuse, c'est tout de suite qu'il doit l'entreprendre, il ne saurait vivre autrement » et le *Philèbe* dénonce « l'excessive lenteur » des prudents et des indécis qui, n'osant pas risquer l'infini du chemin, ne se soucient que de médiation, de degrés, de moyens termes et oublient l'immédiat.

13. Platon annonce dans *La République* que la route sera « difficile et pénible » et Socrate dit à Phèdre : « Cesse donc de t'étonner si le circuit est long; c'est non pour ce que tu crois mais pour de grandes choses qu'il faut te mettre en route. » C'est pourquoi le *Philèbe* retourne la raillerie aux impatients qui veulent arriver à l'immédiat sans passer par les intermédiaires, en négligeant degrés et étapes, directement, par le plus droit chemin. C'est seulement « quand on a longtemps fréquenté ces problèmes, quand on a vécu avec eux que la vérité jaillit soudain dans l'âme, comme la lumière jaillit de l'étincelle et ensuite croît d'elle-même » précise la *VIIe Lettre*. C'est bien pourquoi l'impatience est pour Kafka la faute la plus grave — celle par exemple de l'arpenteur (« C'est l'impatience, écrit Blanchot, qui rend le terme inaccessible en lui substituant la proximité d'une figure intermédiaire. C'est l'impatience qui détruit l'approche du terme en empêchant de reconnaître dans l'intermédiaire la figure de l'immédiat »). Le plus court chemin est donc « une faute contre l'indéfini » parce qu'il nous conduit « vers ce que nous voulons atteindre, sans nous faire atteindre ce qui dépasse tout vouloir ». Il ne peut que signifier l'absence, l'échec d'un chemin qui est fourvoiement (« peut-être n'y a-t-il qu'un péché capital : l'impatience. Ils ont été chassés à cause de leur impatience, à cause de leur impatience ils ne rentrent pas »). Mais à cet aphorisme des *Méditations* répond cette note du *Journal :* « Rien qu'attente, éternelle impuissance. » Comment sortir du cercle de la patience et de l'impatience, de l'attente et de la précipitation? Sans doute en n'écartant de soi aucune de ces deux exigences, en se laissant tour à tour (à la fois) porter par elles comme par le flux et le reflux d'une même mer dont nous sommes la vague et le creux, en vivant l'impossible (in)décision.

14. Dans le sens le moins virginal qui soit. Par-delà bien et mal, vrai et faux — hors-sens. Disons blanc et vide, « resserrement sur l'immense » (Charles Juliet).

IV

UNE VERSION DE L'IMAGINAIRE

SIGNE DE LA DÉROBÉE

L'ambiguïté du poème, c'est qu'il n'offre à première vue que le résultat, sans révéler le renversement dont il procède et le retour qu'il commande. C'est son caractère synthétique, apparemment achevé qui abuse celui qui ne voit en lui que le produit linguistique (la consommation épistémologique, sentimentale, esthétique organisée dans la langue) et ne peut — ou ne veut — revivre pour lui le cinétisme de la démarche, le mouvement de la dépossession.

Telle est pourtant l'épreuve à laquelle voue le poème : il retire du monde, du langage de la démonstration, de l'explication, de l'intelligence superposée aux choses, pour amener vers le lieu de la *montre* [1], où le geste peut s'accomplir, où le regard regarde, où le cœur raccorde, où la parole parle. Suivre le mouvement de la dépossession, être la version du poème, c'est consentir au geste qui libère dans la langue les choses montrées, appelées à se manifester, à être ni représentations ni objets (exemplaires ici la leçon de choses, les images de la ressemblance de Magritte).

Le chemin du retrait nous conduit de la représentation (l'identité close en sa répétition) à la dérobée de l'objet, de la connaissance de l'arbre (l'espèce, la structure, l'imagerie) à son existence singulière, exclusive, au non-savoir de l'arbre lui-même, irréductible. L'arbre en fleur échappe au concept, à la représentation scientifique, picturale ou poétique (peut-être pas à la non-peinture — Magritte encore —, à la non-poésie [2]), il *est* ingénument. Mais pour vivre l'ingénuité, pour être la rencontre de l'homme et de la prairie, il faut peut-être retrouver « le sol même sur lequel nous nous trouvons », c'est-à-dire avoir quitté l'espace de la représentation et de l'objectivité, être la dérobée de la parole.

L'image poétique [3] rétablit la station de l'arbre, quand « la pensée jusqu'ici ne l'a encore jamais laissé être debout là où il l'est » (Heidegger), elle dit sa verticalité, sa puissance, sa rugosité, la folle ivresse de ses branches, elle est la respiration de sa question en route vers le ciel et l'oiseau. Encore faut-il respirer, dire au bout du souffle, être l'air de la communication, le chant. Seul celui qui, entendant le chant, devient voix qui à son tour enchante, entre dans l'espace de l'imaginaire, dans la circulation de l'image, la dérobée.

LA LECTURE POÉTIQUE

1. *Image irréductible.*

Le sens de l'image est l'image même. Il ne peut s'exprimer avec d'autres mots. Quand Rimbaud écrit : « O saisons, ô châteaux,/Quelle âme est sans défauts? » il est absurde de prétendre qu'il a voulu dire « tout le monde a ses défauts » ou, comme le soutient Robert Goffin, au terme d'une longue enquête : « O bières, ô femmes! / Quelle âme est sans défauts? » Rappelons le mot de Breton à propos de Saint-Pol-Roux : « S'il avait voulu le dire, il l'aurait dit. » Dans le premier cas, on efface l'image pour ne garder qu'un pauvre signifié, qu'on prétend être le sens du poème, dans l'autre, on la traduit, lui ôtant ainsi sa force de signe de la dérobée. Finalement on enlève chaque fois sa charge événementielle, on la déteste de son dépassement, on banalise, on sécurise, on gomme le corps :

« *Quand le poète dit des lèvres de l'aimée qu' ' elles profèrent avec dédain des mots de glace ', il ne veut pas symboliser la froideur de l'orgueil. Il nous affronte à un fait sans recours à la démonstration : dents, mots, glace, lèvres, réalités disparates, se présentent d'un coup devant nos yeux.* »

L'image, comme le rappelle Octavio Paz, ne requiert aucun métalangage, elle ne s'explique ni ne s'interprète, elle est irréductible. Fermée sur elle-même, elle ouvre, pour qui réimagine avec elle, à la déicticité, à la poursuite de ce qui n'advient que sur le mode de la dérobée. La poésie (comme la pensée remémorative pour Heidegger) « n'annonce pas tant *ce qui* se re-tire, mais plutôt le retirement lui-même ». Voilà ce que d'aucuns ne peuvent admettre. D'où leur volonté de nommer, de répondre à tout prix et de couper court à l'obscur, en revenant à la norme, à la clarté. Appelons ce vouloir anthropomorphisme, réduction conceptuelle, abstraction et avouons notre méfiance pour la critique des professeurs de poésie, qui parlent de l'extérieur d'une réalité à laquelle il faut appartenir corps et biens pour pouvoir seulement oser « la prudence d'un non-savoir ».

Ne pas répondre, ne pas qualifier — signifier —, se tenir, comme y invite Heidegger, « à l'extérieur de la science », hors représentation (non par orgueil, mais par manque et par suffocation de la présence, qui n'est pas la substance, l'identité, le mot ou l'objet, mais comme le mot dans le monde dans le rêve ou le rêve dans le monde dans le mot, l'inexistant, le clignotement illisible et invisible de l'avoir lieu, du lieu). Etre dans, au cœur même de ce dehors, et pour cela en perte de commentaires, de certitudes, de prises. Et pourtant, écrivant ces lignes, si loin de l'arbre; si loin du poème qui dit *arbre*. Loin et pour cela peut-être, soudain, appartenant à l'espace de l'échange et du vide, du sol et de la désolation. Dans le manque et l'excès de dire *arbre* ou *lèvres* ou *saisons*.

La critique, fût-elle animée des meilleures intentions du monde, continue presque toujours à *traduire* le poème, à le ramener à une « explication indigente » à lui faire subir une « baisse de tension », à le rendre inexistant. Rencontre ici d'Octavio Paz, de Valéry, de Rilke dans une commune suspicion, (« pour saisir une œuvre d'art, rien n'est pire que les mots de la critique. Ils n'aboutissent qu'à des malentendus plus ou moins heureux »).

Advenir à la poésie, c'est « Briser le langage pour toucher la vie », car telle est la purification que demande le poème, sa cruauté : ne pas se fixer à une forme, à un texte, à une parole « qui nous pétrifie, qui nous stabilise », qui demande la vénération, la répétition explicative, la perte d'énergie du commentaire idolâtre et sans danger, retrouver « la force qui est dessous », derrière, entre les mots, les vocables, les lettres, « l'énergie pensante, la force vitale », la dislocation, le point (repliant ici l'une sur l'autre la double *leçon* d'Artaud et de Jabès).

Mais cette démarche, vue des métalangages, paraît arbitraire, obscure, alors qu'elle est une plus forte exigence, une plus éclatante clarté : « Ils m'ont appelé l'Obscur, et mon propos était de mer/... Ils m'ont appelé l'Obscur et j'habitais l'éclat » dit le poète d'*Amers*. Obscure, elle l'est pourtant, mais en un autre sens. La parole poétique est l'intelligence « de notre engagement dans l'obscur possible terrestre, de notre rapport avec ce qui est »[4], écrit Yves Bonnefoy, qui ajoute : « La vérité de parole est une proximité... si un poète sait écrire *Le pâle hortensia s'unit au myrte vert,* ne doutons pas qu'il soit le plus près qu'il se peut des portes qui se dérobent. »

2. *Une critique circulaire.*

Jean Cohen reconnaît volontiers que « l'obscurité est un caractère nécessaire du poétique en tant que tel », mais il ne l'admet que pour le « consommateur », le sujet esthétique « qui accomplit l'acte de contemplation » et nullement pour le critique qui accomplit, lui, un acte de réflexion. Il oppose ainsi le connaître et le sentir et retrouve, contre la poésie, les distinctions analytiques que répudiaient Artaud et les surréalistes. Cette démarche essentiellement positiviste ne vaut pas pour la poésie. Car à quoi sert une connaissance du poème pour qui n'a pas fait l'expérience de l'image, sinon à parler à côté et, au mieux, à paraphraser. L'expérience que nous invoquons est celle du non-savoir, de la néantisation radicale qu'est la dérobée du savoir. La poésie convertit alors la connaissance en existence [5], elle est le lieu réunifiant du corps et de l'intelligible, la fin du dualisme esprit-vie, la fin de tous les dualismes exactement. « Il est normal, dit Cohen, que ces deux actes différents — la poésie et la critique — s'expriment dans des langages différents. » Et si nous ne voyons pas deux actes et deux langages différents? Alors, nous parlons de la poésie poétiquement, alors nos « commentaires et explications ne sont qu'un poème superposé au premier ».

Le critique est bien un poète au second degré, il ne parle pas de la poésie « d'une manière positive », il fait à son tour un poème, ou plus exactement, il continue le poème, il prend le relais, en vue de cette poésie faite par tous que prophétisait Lautréamont (il n'y a donc même pas de premier et de second degré, mais des espacements de lecture, des contagions, des passages de flux poétiques). Pris dans le mouvement de l'écriture, il ne clarifie pas l'obscur, mais s'y enfonce. Il entend la voix des Sirènes et ne cherche pas à départager ce qui est sans partage, étant le lot de tous et de personne. D'où la circularité de la critique.

La circularité n'est pas la substitution prétentieuse du commentaire au poème, mais plutôt l'effacement devant le poème, la résorption du discours critique dans la parole poétique et du lecteur entraîné dans ce double et unique retirement. De cet effacement parlent Heidegger et Blanchot :

« *Pour l'amour de ce qui vient en poème, l'éclaircissement doit viser à se rendre lui-même superflu. Le dernier pas, mais aussi le plus difficile, de toute interprétation consiste à disparaître avec tous ses éclaircissements devant la pure présence du poème.* »

« ... *la parole critique... voudrait se dissiper devant l'affirmation créatrice : ce n'est jamais elle qui parle, lorsqu'elle parle; elle n'est rien; remarquable modestie; mais peut-être pas si modeste.* »

Voici donc la parole critique, dont le mode est l'effacement, ne se distinguant plus de la parole créatrice (« pas si modeste »), devenue son actualisation, son épiphanie et révélant, dans son mouvement de disparaître, ce qui, du dedans de l'œuvre, « n'a jamais cessé d'être présent à la manière d'une réserve vivante de vide, d'espace ou d'erreur... comme le pouvoir propre à la littérature de se faire en se maintenant perpétuellement en défaut ». La *vraie* critique est poésie, c'est-à-dire consanguinité de l'œuvre, non pas l'œuvre elle-même, mais la recherche en elle d'elle-même, de son absence qui en est le cœur, de ce qui en elle se retire et attire.

Si l'on veut, la critique dit l'échec de la poésie, elle redouble l'échec et ainsi voue au recommencement, à la relecture, à la répétition, à la possibilité de l'impossible. La circularité indique la remontée de l'écriture, le retour au surgissement dans l'image. Devenir soi-même image, tel est le projet extatique de la *vraie* lecture, devenir le temps du poème. Et telle est l'invitation du poète, qui demande que nous nous mettions en route, nous aussi, pour défaire-refaire le poème, pour nous (dé)faire, image, retournement et accueil, action-passion.

Le mouvement circulaire fait de l'espace poétique le lieu toujours mouvant de la métamorphose, « le champ du devenir ». L'image approche ce qui se dérobe, sa course — notre course — est celle de la métamorphose.

Les *Sonnets à Orphée,* les *Elégies de Duino* révèlent, dans des figures inoubliables, la *nécessité* de devenir image. Rilke nous dit, presque dans chaque poème, « veuille la transformation », « notre vie va et vient avec la transformation », parle de la flamme, qui seule réalise « l'acte pur des métamorphoses », de la source, principe de la mobilité, de l'air, qui est l'espace heureux, « fils ou petit-fils de la séparation », de la terre, qui bien que durcie sera brisée par quelque marteau aujourd'hui absent mais qui se prépare à frapper, du tournant, qui n'existe que par le changement de direction, révélateur d'un nouvel espace, du cercle sans début ni fin, principe d'échange et de passage, des mouvements de la danseuse, « déplacement de tout évanouissement en avancée ».

L'incessante métamorphose conduit — qui secrètement ne s'en doutait? — à cette part nocturne de l'homme, qui se trouve rétablie dans l'être plénier : la mort, qui est sa limite, sans l'esquiver, sans l'embellir. La poésie veut convertir la mort mais en lui rendant sa place dans la vie [6]. Les métamorphoses ne sont pas les mouvements d'une sublimation mais ceux d'une *réalisation* progressive, de l'apparition d'une continuité plus large, au-delà de la rupture et de la séparation. Tel est peut-être le sens de l'orphisme, qui *relie* (mais relier, n'est-ce pas autrement néantir?) l'être au non-être, qui est l'innocence du devenir. C'est pourquoi Orphée est la figure du poète, ou plus exactement l'absence de figure, le signe vide de sens, l'inconnu auquel il faut consentir comme au *destin* de la vie-et-de-l'œuvre, comme à la *chance* où se jouent l'homme et le monde.

Saisir la chance, et, à la faveur de mots fuyants et ressaisis, *commencer* l'œuvre qui n'a de cesse — sinon l'oubli et la peur —, c'est toujours entrer dans l'espace orphique du devenir. Qu'une telle *entrée* soit surhumaine (inhumaine) — mais qu'importent ces mots, avec la poésie ne sommes-nous pas toujours par-delà bien et mal? — qui le niera? D'autant plus qu'elle ne mène à rien : ni arrière-monde, ni Dieu, ni savoir. A rien, sinon au jaillissement de la lumière au-dessus de notre nuit. A rien, sinon à la main tendue vers l'impossible.

L'image alors excède, elle éclate en paroles surabondantes (tantôt dans la profusion, tantôt dans la pauvreté) : dans *ce* chemin d'hier, dans *ce* printemps, dans *cette* femme aimée, dans *cette* mort unique, dans *cet* ici. « Etre ici est splendide », « être ici est beaucoup », disent les septième et neuvième *Elégies de Duino,* car c'est créer avec « les choses d'ici » un rapport *nécessaire* qui réhabilite et qui sauve leur contingence (« Mais avoir été cela/*une fois, ne serait-ce qu'une fois :*/avoir été *terrestre* ne semble pas révocable »). L'excès, qui habite la parole du poète, qui ne s'y contient pas, fait apparaître (disparaître) la maison, le pont, la fontaine, la porte, la cruche, l'arbre fruitier, la fenêtre, la colonne, la tour (parler, c'est « au fond de notre cœur invisible » transformer les choses pour qu'elles deviennent invisibles). L'excès dans l'image fait image, in-visibilise, parle, chante l'apparition-disparition (car le dire alors devient chant, comme s'il était impossible au poète de parler sans louer, et le poème tout entier se fait célébration).

Toute poésie est célébration (même pauvre, surtout pauvre). Saint-John Perse donne à un recueil le nom même de la célébration, *Eloges*, son œuvre est une seule et grande louange, René Char célèbre l'espace, la terre, la truite, le serpent, la Sorgue, Thouzon, « l'idolâtrie de la vie », Guillevic accueille dans sa parole les objets les moins *poétiques* (sans la prétention phénoménologique et la préciosité d'un Ponge), Du Bouchet dit la lumière, le mur, le gel, la couleur, Alain Veinstein le peu d'espace. Dionysos affirme à travers tout ce qui se laisse gagner (perdre) par le démembrement et le remembrement de son oui — et sa langue est une joie.

LA DRAMATISATION

1. *Communication.*

« ...car je veux que ce que j'écris fasse éclater quelque chose dans la conscience, mais je veux que ce qui éclate dans la conscience fasse éclater quelque chose au dehors : terre, guerre, nations, dialectes, épidémies »

écrit Artaud à Arthur Adamov. Et nous lisons déjà, vingt ans plus tôt, dans *L'Ombilic des limbes* :

« Je voudrais faire un Livre qui dérange les hommes, qui soit comme une porte ouverte et qui les mène où ils n'auraient jamais consenti à aller, une porte simplement abouchée avec la réalité. »

La communication (l'écriture, le livre) demande l'éclatement, le renversement, l'entrée dans ce qui dérobe. Répondre à cette invite par l'intelligence discursive et la sécurité critique, c'est refuser la lecture (le franchissement de la porte, la violence des mots-dehors, la contagion de l'épidémie) et parler d'hermétisme [7], de jeu (qu'on peut donc ne pas jouer en toute honnêteté) ou interpréter avec tout son savoir, ses grilles de spécialistes, son pouvoir de juge universitaire, se réservant toujours d'être indemne, brillant, honoré, dans le confort de l'instance, dans l'amphithéâtre des pairs, c'est ne pas écouter, ne pas voir, ne pas aimer :

« *Je crois que l'esprit qui depuis maintenant cent ans déclare les vers des* Chimères *hermétiques est cet esprit d'éternelle paresse qui toujours devant la douleur, et dans la crainte d'y entrer de trop près, de la souffrir lui aussi de trop près, je veux dire dans la peur de* connaître *l'âme de Gérard de Nerval comme on connaît les bubons d'une peste, ou les redoutables traces noires de la gorge d'un suicidé, s'est réfugié dans la critique des sources, comme des prêtres dans les liturgies de la messe fuient les spasmes d'un crucifié.* »

La seule réponse, c'est de *vivre* à son tour la poésie, en devenant « le son, le geste, la parole et le souffle qui crache la vie », le rythme qui éveille et recrée : « Si je suis poète ou acteur ce n'est pas pour écrire ou déclamer des poésies, mais pour les vivre. Lorsque je récite un poème, ce n'est pas pour être applaudi mais pour sentir des corps d'hommes ou de femmes, je dis des *corps* trembler et vibrer à l'unisson du mien... »

Soit, mais *comment* répondre, *comment* vivre

(trembler et vibrer) cela? A la faveur de la dépossession qu'inaugure le sens de la question, que poursuit la révolte contre la norme, que radicalise la subversion du poème — le secret du mouvement étant le sens de l'écoute, l'action-passion du laisser-être, la fascination de ce qui alors en nous se joue. L'image pénétrante, envahissante fait de l'être submergé l'enjeu de la parole. Vidé de soi-même, rempli de la différence, l'homme voué à l'image retrouve un espace, aux confins même de l'impossible.

Un tel espace demande la dépossession, l'impersonnalité. « Vivre un possible jusqu'au bout demande un échange à plusieurs, *l'assumant comme un fait leur étant extérieur* et ne dépendant plus d'aucun d'entre eux », dit Bataille, qui écrit ailleurs : « La chance personnelle a peu de choses à voir avec la chance... la chance est telle à la condition d'une transparence impersonnelle, d'un jeu de communications qui la perd sans fin. » C'est la croyance en la fiction d'un lieu qui n'appartient à personne, qui est irréductible à l'avoir, aux projets, aux calculs, dont l'absence est la vérité et l'inaccessibilité, la chance qui peut unir des hommes voués à un même espace, à un même non-lieu :

« (*Obliquement, la conscience d'un impossible au fond des choses unit les hommes*) »

Mais pourquoi vouloir communiquer et s'unir à l'inaccessible? Car si la rencontre est peut-être toujours à venir, l'approche vers lui, asymptote ou tangente, est possible. Et qui dit que ce rapprochement jusqu'à l'extrême du possible n'est pas la *vérité* en marche du poète, son devenir, son gain d'espace, sa figure?

Comment forcer la proximité, advenir au plus près? Par l'absence en nous du moi des tâches et des buts qui lie la vie et le langage au résultat, à la conformité normative. Par l'écart, la rupture, la désorientation, la déréalisation, qui minéralisent l'é*vide*nce d'une *autre* réalité [8], entr'aperçue, devinée, perdue, à regagner, à reperdre, à retrouver.

2. *Méthode de méditation.*

Y a-t-il un *dérèglement* raisonné « de *tous les sens* », une méthode de dessaisie et de retournement? Y a-t-il, sur le plan de la création, une « technique d'illumination », de captation d'images et de rythmes? Bataille et Artaud l'ont peut-être cru. Tous deux ont mené fort loin leurs recherches de « l'extase » ou de « l'incantation » et proposé une *méthode* de méditation, d'inspiration.

Jean Bruno caractérise ainsi les différentes phases de cette *recherche* chez Bataille : « silence intériorisé — déchirement dramatique — projection et sortie de soi — glissement vers une insaisissable transparence. » Ces phases participent toutes initialement à une disposition à l'image, au souci d'une communication *vraie,* à une conception radicalisante de l'existence.

D'abord le silence, qui induit « une sorte d'engourdissement où la pensée freinée s'apaise, mais où commencent à s'éveiller d'autres niveaux », silence sur lequel Bataille médite dans des textes « d'auto-hypnose », de persuasion (lente et insinuante) de départ, d'abandon, de laisser-être. Après « cette récitation intérieure très ralentie », Bataille porte sa méditation vers « une sorte d'incandescence », il quitte la lenteur pour gagner une violence de plus en plus déchirée, un rythme paroxystique. Et en même temps, surgissent des visions, des images bouleversantes, dont le rôle est d'ouvrir une brèche, d'amener la rupture et, au-delà d'elle, la communication : « Me servant de fictions, je dramatise l'être : J'en déchire la solitude et dans le déchirement je communique. » Visions de guerre, de supplice, de flammes, de destruction, images insoutenables, où la respiration faillit et où le moi est jeté *hors de lui-même.* L'angoisse alors *imagine* la sortie, la révolte transgresse les limites et l'expansion s'opère dans une extase, dans un poème, dans le lieu d'une communication physique qui s'ouvre pour tous ceux, sortis d'eux-mêmes et entrés dans la version sans fin de l'être déchiré. Mais l'extase peut naître aussi bien de n'importe quelle forme de déséquilibre. Tout écartèlement jette bientôt dans la profusion, et la dramatisation renonce alors à « l'artifice des images saisissantes » pour être, à partir de n'importe quel « choc infime », expansion imageante, immédiate. Une seconde nature — la vraie nature? — est induite, qui dispose à une sorte de néantisation permanente, ou du moins toujours possible, à une altération du moi déréalisé, au corps perdu mais aussi étendu, régénéré par l'oubli de soi, *poétique,* proche de « la matérialisation corporelle et réelle d'un être intégral de poésie », dont parle Artaud, qui lui aussi a expérimenté, en acteur et en poète, une méthode de dépossession, d'incantation.

Il s'accompagnait, révèle Paule Thévenin, de « chantonnements rythmés dans un langage par lui inventé » et frappait sur « un billot de bois à l'aide de son couteau ou d'un marteau ». Car pour lui écrire ou lire un poème, c'était rechercher des rythmes, s'identifier à des rythmes, afin de laisser être le poème, d'en être la consonance, la pensée physique. L'acteur, comme le créateur, doit devenir la voix de l'incantation, l'ouverture à l'altérité. Le chant incantatoire, le pré-chant a une fonction d'attente, il irrite l'attente pour que surgisse de son apparente passivité l'événement, il prend au piège de son vide sonore l'*inspiration :*

« *nuyon kidi*
nuyon kadan
nuyon kada
tara dada i i
ota papa
ota strakman
tarma strapido
ota rapido
ota brutan
otargugido
oté krutan

car je fus Inca mais pas roi

kilzi trakilzi
faildor
bara bama
baraba
mince

etretili
TILI
te pince dans la falzourchte de tout or
dans la déroute de tout corps. »

Puis suit le poème proprement dit, qui est ici chant de détresse et de solitude :

« *Et il n'y avait ni soleil ni personne*
pas un être en avant de moi,
non pas d'être qui me tutoyât. »

Encore qu'Artaud ne sépare pas préchant et poème — n'a-t-il pas dit d'ailleurs que « Tout vrai langage/est incompréhensible », qu'il faut se « mettre toujours hors des mots et de la/réponse discursive/non parler/mais penser toujours petit nègre... » L'attente est déjà la face d'ombre de l'événement, le silence ou le cri, le rythme secret du flot des mots — français ou petit nègre qu'importe —, la scansion du secret, la lecture mentale et des nerfs et du cœur des prochains vocables, la mise à feu de la communication.

3. *Athéologie.*

Artaud et Bataille proposent finalement moins un système qu'une approche de la chance, dans la mise en jeu de la dépossession, de l'*illumination*. Cette approche, cette *version* de l'imaginaire est la *vérité* de la poésie.

La poésie est chemin, de l'infralangage à la parole et de l'image à la dérobée. En elle, l'homme vit l'absence de modèle, de loi, d'ordonnance transcendantale, pour gagner la déperdition d'une nécessité sans preuve. Alors que les morales, les religions de la servilité enchaînent la créature au créateur (à n'importe quelle figure de l'absolu) et ne jugent l'homme que par comparaison avec Dieu, que comme copie de Dieu, du savoir, de la norme, la poésie, elle, serait une athéologie, un vide épuisant et heureux, une é*vide*nce qui ne peut croire qu'à ce qu'elle n'est pas, une image fascinante, ni vraie ni fausse, un tiers-exclu rappelé et revenant, intempestif, déjouer nos dialectiques si confortables.

Mais le dire est déjà de trop. Tout ce livre ne cesse d'in-définir, de vouloir à son tour devenir image, poème — corps *inspiré*.

NOTES

1. Qui est aussi celui du change. Cf. le numéro exemplaire de la revue *Change*, « Change *Monstre* Poésie », n° 23, 1975.

2. La non-poésie : celle qui ne prend pas le parti, l'attitude de faire de la poésie, qui — par excès et par manque — renonce à la pose poétique, au salut de la nomination qui est le mensonge, le substantialisme, pseudo-magique de la poésie. En ce sens (proximité de Bataille) seule la haine de la poésie est poésie, la pauvreté, la parole espacée, le bruire, le murmurer de la langue qui dévore les lettres du mot *arbre*, illettrée et aveugle, comme hors du dire et du voir, entre les deux impossibilités du mot et de la chose, dans une folie privative et excessive de la langue.

3. Image, tout ce qui espace la langue, ce qui décale le mot du mot, la phrase de la phrase, ce qui suspend et précipite, ce qui rythme le parler de la parole, ce qui rassemble et disperse les signes — la version même du poème, ponctuellement et dans sa totalité, l'inachèvement majeur du murmure continu.

4. Encore faut-il connaître cet engagement, ce rapport, reconnaître l'obscur pour ce qu'il est (notre clarté et notre aveuglement), le vivre et non le feindre, le simuler, en faire une mise en scène « moderniste » ou l'ignorer dans l'optimisme résolvant et salvateur du poème religieux, moraliste, psychologique, égal à son sens linéaire (« La cérémonie de l'obscur est la fatalité de toute œuvre. Mais souvent la poésie ne se l'avoue pas, ne se connaît pas »).

5. Bien que cela n'existe pas la poésie (elle est même inadmissible), que poète ce soit un nom qui ferait rire bien des poètes. Existence ne veut pas dire substance, identité, mais *théâtre,* moment de mort et de vie, affolement du corps et de la langue, circulation et paralysie, monde dans le poème et poème au monde.

6. En trouant la vie qui ne peut être impunément le change de la mort, en espaçant l'espace, en blanchissant le récit, en discontinuant notre fausse continuité de vivants, en ayant dans la métamorphose, dans le poème (toujours un peu orphique) voix de mort.

7. Tel est le reproche *majeur* des ennemis de la poésie, de ceux qui sont au dehors d'elle, dans le dedans du confort et des mots clairs : ne pas comprendre, ne pas retrouver le sens. Mais pourquoi y aurait-il prise, sens donné à reproduire, à noter sur l'agenda du savoir, dans l'anthologie des belles idées, des belles images? Encore qu'il y ait obscur et obscur (le fabriqué et le vécu), que dans la nuit toutes les vaches grises ne se valent pas et qu'il importe de ne retenir ici qu'un certain obscur, qui est clarté vertigineuse, soulèvement du réel, odeur de vie, rencontre destinale. Ici deux *citations,* deux témoignages de deux qui savent, avec leur corps et leur langue, lorsqu'ils parlent (de l')obscur, sans le signifier en concepts inodores et opératoires sur l'ordinateur des mass media poétiques : « Car ils ne sont hermétiques, ces vers (des *Chimères*), que pour qui n'a jamais pu supporter un poète et par haine de l'odeur de sa vie s'est réfugié dans le pur esprit » (Antonin Artaud); « ... c'est venue, je pense, de quelque étrange ou reculée région — d'elle-même peut-être se projetant — qu'à la poésie, en vue d'une rencontre, échoit pareille obscurité./Ou peut-être, encore, et dans le champ d'une seule et même ouverture, quelque étrangeté divergente, solidaire étroitement » (Paul Celan).

8. Peut-être n'est-ce rien d'autre qu'une fiction opératoire, un opéra fascinant mais inassignable, inchantable vers lequel vont tous les signes, toutes les voix, qui pour cela a *lieu,* existe en cette dépense convoquée, en ces désirs rassemblés comme une image sans ressemblance, merveilleusement blanche.

V

UNE PHYSIQUE DE L'*INSPIRATION*

ÉTERNEL RETOUR

1. *La spirale.*

Georges Poulet voit la poésie animée d'un double mouvement de concentration et d'expansion. Le premier attire vers l'intérieur comprimant. Mais arrivée à cet instant de crispation, l'unité se fragmente, s'essaime avec la rapidité de la foudre. A l'acte de rassemblement, à la force unifiante succède — mais aussitôt après ou peut-être dans un même temps — le jaillissement, la pluralité. Mouvement de retrait et de rejet, de réception et de dépense, de constriction et de dissémination, autant de noms pour désigner la dialectique des deux souffles de l'*inspiration*.

Le résultat? C'est le poème, ou encore l'éclatement, les mots épars du poème, les couleurs et les lignes de la toile. C'est le jaillissement créateur, l'être brisé « en mille gouttes ou en mille cristaux », la « parole en archipel ». L'expérience de l'*inspiration* est celle du déchirement (« la quantité de fragments me déchire », écrit Char, « ma route est, je crois, un bâton éclaté »). Déchirement qui empêche le poète de s'arrêter, satisfait, et le voue, au contraire, à l'attente, à l'écoute de ce qui, advenant, concentre pour éclater, réunit pour reperdre. L'*inspiration* est une circulation de forces menées, au travers du poète, à la destruction de la durée factice de la pensée, du sentiment, du langage. Toujours donc ce double courant, flux et reflux d'une unique mer, ce double souffle, tumescence et détumescence d'un seul vent. Poète et poème sont le *lieu* de passage de cette force rassemblante et déchirante, le temps d'une image, d'un flot d'images inspirant et expirant.

L'instant de fulgurance passé, « le premier vers donné », que devient la parole poétique? Il faut bien vivre alors des reliquats de l'*inspiration* et aligner des vers ou des phrases. Le lien cependant subsiste : d'une certaine manière, le poète se souvient de leur genèse. C'est cette mémoire poétique qui le redispose sans cesse au retour (à l'écoute), à la rencontre (au flux *inspirant*), à la déperdition (au jet du poème). Ainsi pourrait-on distinguer trois moments de l'*inspiration,* auxquels correspondraient trois temps de la *conversion* (disposition, accueil, dépense). On peut penser que ce mouvement est circulaire et que l'écoute, le gonflement, la déperdition redisposent sans cesse, de sorte que le mouvement entier se maintient et même se renforce, que l'attente des formes s'exaspère et que le temps de la rencontre (de l'accueil, de la vision) revient, qui mène au rassemblement, à la déperdition, laquelle une nouvelle fois, — dans une sorte de cycle de l'éternel retour — renvoie à la mémoire.

Plutôt que l'image du cercle, je voudrais proposer la figure de la spirale. L'*inspiration* est une spirale ouverte sur l'impossible, elle l'accueille dans sa révolution, pour le reperdre dans l'ouverture, qui déjà repart, reprend et relâche, n'arrêtant jamais son mouvement de recherche et de déperdition.

Ce mouvement de départ et de retour, d'altérité et d'identité non ponctuelle est la loi même de l'*inspiration,* par laquelle se trouve emporté l'homme qui consent à se perdre, c'est-à-dire à agrandir son espace, à vivre plus amplement, à devenir tout et rien :

« *Vivre n'a de sens qu'en rapport avec bien*
Des cercles de l'espace croissant et se développant... »

« *Je vis ma vie en orbes excentriques*
Etendus sur les choses... »

écrit Rilke. Etre *inspiré,* c'est accepter le « gain d'espace », c'est se donner au souffle qui nous gonfle et qui nous accroît, c'est souscrire à l'échange entre le dehors et le dedans, pour qu'il n'y ait plus que la spirale tournoyante, la « vague unique, dont/je suis la mer progressive », mais c'est aussi « un souffle autour de rien », « un vent ». Guillevic évoque ainsi cette spirale, de l'infini du dehors au point inexistant du dedans, de l'(im)possible à l'(im)possible :

« *Je sais que tournoyant*
Autour de quelque chose
Qui est moi-même et ne l'est pas,

Je finirai par être
Ce point auquel je tends :
Vrai moi-même, le centre,

Et qui n'est pas. »

Le mouvement de la spirale à la fois rapproche et éloigne d'une (in)existence; il déchire le poète qui ne peut, pour survivre, que consentir à son absence réalisante :

« *Le centre est une absence,*
de point, d'infini et même d'absence
et on ne l'atteint qu'avec l'absence »

écrit Juarroz.

Le poète, dans la spirale, se risque à l'échange du moi et de l'autre, du familier et de l'étrange, de la patrie et de l'exil, de l'humain trop humain et du Surhumain. Et toujours il revient à soi, à un moi qui n'est plus moi, mais l'autre, pour se perdre encore davantage, pour plus radicalement exister. Au cœur de la spirale est la volonté de vivre l'impossible relation sans simplifier, traduire, expliquer, objectiver ce qui ne doit s'approcher que comme irréductibilité, chaos, surabondance.

Peut-être que la poésie est ce mouvement de la spirale, l'arrivée de toujours qui s'en ira partout, l'ouverture retournante, l'approche désapprochante, jusqu'à l'impossible, l'invivable. La pluralité des poèmes n'est jamais que le degré de l'ouverture, la vitesse du mouvement, la fulgurance du retour, la force toujours nouvelle de l'instant.

2. *L'instant.*

L'instant réaffirme, redispose, l'instant porte au nouveau passage. L'instant est la force de réactivation de la spirale. Il disparaît, d'autres viendront qui retrouveront, qui réincarneront sa force compressive et expansive. L'instant refait mémoire du poème. Lorsque Gaston Bachelard écrit, à propos du cosmos nietzschéen, qu'il « vit dans des instants retrouvés par des impulsions toujours jeunes », qu'il est « une histoire de soleils levants », il décrit l'instant même de la poésie.

Si l'instant est le cœur toujours vivant, toujours perdu, le chant réespacé de la spirale, le recommencement et la persévérance de l'infini en ce *lieu* qui n'est pas, qui surexiste d'attirance, il est le signe illisible, incompréhensible du retour éternel :

« *A chaque instant commence l'existence; autour de chaque ici tourne la sphère là-bas. Le centre est partout. Courbe est la voie de l'éternité.* »

Et le même, sporadiquement reconnu, repart à la poursuite de soi-même, montrant ainsi que l'accueil est l'éternel dépassement de soi vers soi, l'accroissement de sa différence, l'écartèlement grandissant de sa profusion et le retour et la pauvreté. L'instant est donc bien la perte, l'apprentissage renouvelé de la dépense, le commencement de l'existence.

Mais ce chemin est sans fin, le retour ne résout pas, il réactive la spirale (ou la courbe, disent les animaux de Zarathoustra). L'instant n'a de cesse d'être l'avancée du temps et le retour de l'instant (« impossible chemin de l'Impossible », dit Celan, et pourtant « immatériel mais terrestre, de ce sol, chose ayant forme de cercle, et qui, passant de pôle en pôle, fait sur soi retour... *Méridien* »).

Vertige en l'instant de l'autre et du même, de la contemplation et de la précipitation, du blanc et de la déchirure, du resserrement et de la démultiplication de la parole :

« *... l'instant s'est précipité dans un autre et un autre...* »

écrit Octavio Paz, à qui Roberto Juarroz répond comme en écho :

« *Chaque parole devient alors un autre puits*
dans la profondeur nomade qui nous habite.
Un puits dans un autre puits. Et dans un autre encore...
comme si parler n'était déjà plus une tour de fumée. »

Si le poète ne désire pas (désir qui est aussi bien répulsion) ce vertige, s'il ne s'y dispose pas (sans pourtant le vouloir), rien n'arrive à lui du dehors, aucun « arbre mental » ne projette « son feuillage délirant », nul oiseau ne vole hors de lui. Il n'est pas *inspiré*. Il n'est pas le corps transparent et l'aveuglement. Il ne prend à la poésie que son nom d'apparat, de falbala.

MATÉRIALITÉ ET DIASPORA

« *Peu à peu toute joie devient nue.*
On avance dans l'arbre complexe du voir...
Peu à peu on apprend à écouter
Quelque part la chute du jasmin. »

dit Lorand Gaspar. Et le cœur alors se distend, s'avance vers les choses dont il aime la matérialité et tout l'être devient « cette grande rigueur de voir », le bord du regard, la sensibilité des pierres, de « la chute du jasmin », le « goût de piments rouges », « le glissement de l'air et le resserrement/ des papilles », la conviction de la terre. Pour que cette conviction ait *lieu,* il faut se donner tout entier au mouvement qui appelle pour être à son tour par nous *inspiré* (la spirale du dedans-dehors). Il faut accueillir la racine de l'arbre en nous et approcher de sa part « la plus nocturne », ou du moins en vivre la fiction, le temps peut-être imaginaire de l'échange. Temps long où la patience doit composer avec l'impatience.

D'où la répétition, dans l'instant qui recharge et décharge, de l'interrogation des éléments, de l'apprentissage de la lisibilité, des premiers mots du dialogue avec le bois, l'oiseau, le ciel, la rivière, avec les objets usuels, dont parle Guillevic : le bol, le marteau, le ciment, le feu, les formes géométriques mêmes. Car tout peut être approché, accueilli, essayé, car le poème est le désir de donner la parole aux choses et les choses à la parole, pour que la rencontre ait un *lieu.* Ainsi peuvent jaillir des mots, qui ne sont pas une représentation, une traduction de la « réalité », mais une recréation, une regénération d'un monde qui ne *disait* rien en un univers qui maintenant *parle,* mais qui n'existe peut-être pas.

Car l'invention verbale peut-elle, et surtout veut-elle reconnaître la *naturalité* des choses? Le poème n'est-il pas la démesure de l'objet qu'il dessaisit (contre la tentation lyrique de surnaturaliser ce qu'il voulait « exalter jusqu'au simple »)? La lisibilité de la nuit des choses n'est-elle pas l'opaque, si le désir en est la transparence? N'y a-t-il pas entre le « réel » et les mots qui l'approchent, l'accueillent et l'essayent un mur qui ne peut être franchi (pas de transparence, d'immédiat, d'égalité du monde et de la parole), mais qui peut-être sera contourné (pas d'opacité du réel qui ne résiste tout à fait à la ruse des mots qui continuent à rêver la transparence, mais sur le mode de la stratégie de l'irréel, de la fiction)? Exemplaire ici l'attitude de Guillevic de *Carnac* à *Paroi,* des pierres de Carnac à la paroi réelle et au « mur de vent », au « mur d'absence », en passant par toutes les séductions et les *impossibilia* de l'obstacle :

« *De toi je parle à peine,*
Je parle autour de toi,

Pour t'épouser quand même
En traversant les mots. »
(Carnac)

« *Apprends la muraille,*
Caresse la muraille,
Cherche où elle est. »
(Avec)

« *Paroi qui n'est peut-être faite*
Que de l'absence
De réponse aux questions.

Alors, entrer
Dans une absence? »

« *Peut-être toi*
Es-tu faite avec rien.

Faite seulement
De la limitation
De nos pouvoirs. »

« Mais je te sens, paroi,
Tout à fait autre chose. »

(Paroi)

L'obstacle change, il se déplace (et nous déplace avec lui, comme parallèlement), il blanchit, il se renforce et la langue est ce qui le nomme, l'éprouve, ne l'épuise pas. Comme si être poète était avoir recours à cet impossible pour qu'il soit possible de parler l'impossible, de blanchir, d'exalter dans le *lieu* contrarié, fasciné de la langue, dans la diaspora des mots qui manquent et qui reviennent vers le lieu du manque (dehors? dedans?), dans la « connivence », le pas franchi (« Ailleurs plus loin,/Ailleurs toujours »), dans le détour, l'exorcisme de la nomination, la dérive de l'écrire qui est oubli. Comme si être poète était ne même plus imaginer, représenter, doublement oublier (soi, la chose nommée) et se souvenir de l'impossible et aimer l'impossible, que l'on tutoie, ne tutoie pas, qui est le leurre et le bonheur de la langue :

« Mais toujours le soupçon venait
Que la paroi, la vraie paroi,
Etait ailleurs.

Et ne nous quittait pas
Pourtant, jamais. »

« Te parler,
C'est toute une erreur,
Tu n'existes pas...

Tu n'es personne...

Tu n'es pas de ces êtres
Que l'on peut tutoyer... »

Entre-deux de parole et d'objet (d'obstacle à l'approche de l'objet — mais lequel?), d'absence donc en ce lieu qui nomme et défait l'obstacle et la langue, irréalisant tout, faisant du poème une sorte de non-lieu, de paroi mentale et à la fois toujours au dehors, d'instant de négativité et de plus haute affirmation, de rencontre comme doublement matérielle et de double diaspora (du côté de l'exil, du côté du retour).

De sorte que :

« *Le feu,*
Pas le feu.

L'espace,
Pas l'espace.

Les jeux,
Pas les jeux.

Les rêves,
Pas les rêves.

Les hommes,
Pas les hommes. »

De sorte que « les mots/Ne se laissent pas faire... /Et toute langue/Est étrangère », que l'objet se dérobe, que la paroi (voile et objet elle-même) est signe de l'absence, présence passée dans la question sans réponse, dans la disposition à interroger sans réponse qui est l'impossible aussi de la langue, du poème, de nous parlant, poétisant [1].

De sorte que la parole, l'objet, l'obstacle et la transparence (l'espoir discontinu, le leurre qui est peut-être la vie du poème, sa poursuite vide, sa tentative d'épuiser la distance qu'il redouble, qu'il resserre, qui fait de l'objet, de la langue, de l'entre-deux de la paroi présente et absente la circulation, la circularité du dire, du toucher, de l'aimer, l'aller et le retour, le sans cesse recommençant, les lieux diffus et rassemblés du signe — mais de quoi? [2] —, la déicticité de l'ailleurs qui est ici, qui revient ici, qui n'est jamais ni ici, ni ailleurs) existent sur une scène fictive, peut-être, mais vécue, mouvante, emportée, retenue (entre la spirale et l'instant, entre l'infini et le point).

De sorte que tout est dépense et concentration, version du retour, espoir jumeau de résolution (de fin) et d'absence de terme (d'absence de temps), prescience du delà, de l'étranger, du neutre où il n'y aura plus de différence entre questionner et répondre, parler et blanc de la voix, où la langue, l'objet, la paroi s'indifféreront dans l'Un ou le Nul, où la spirale pour toujours disparaîtra. (Encore que cela continuera, discontinuera pour d'autres lecteurs, pour d'autres poètes, de génération en génération, de siècle en siècle, selon une autre écoute, une autre lumière, une autre révolution, une autre narration, une autre musique des choses, de l'obstacle, de la transparence, de la langue, un autre corps espérant — d'autres figures du leurre.)

De sorte que non-savoir de l'objet, de la paroi, de la langue — de tout langage (« je suis sûre de n'avoir jamais /rien su dans aucune/langue »), que ne pas savoir « pourquoi je dis cela/sinon/cette ouverture/proche de ton toucher », l'inachevé, l'inachevable, la parole si difficile, l'« énergie du commencement » qui « pousse vers/ma vie en avant quelque part », l'« intervalle difficile/à combler », le retour et l'être-là « Comme si rien n'avait/commencé encore » (« la route se rattrape/elle-même et je serai/là d'où je n'ai pas bougé »), qu'au plus vif de l'essor, qu'au plus mort de l'exil, qu'ici, partout, nulle part, avec-sans, « pas là/pas où/tu es », où les mots « retombent sur/les mots déjà là toujours »/où la peau voit (« sphérique silence/lignes/détails/énergie/gravitation »), où le corps, où le corps-mots-dehors et dedans sait, ne sait pas, pousse, accueille, propage, resserre, matériel (maternel), diasporique (chambre dissoute), « pense contre lui-même », contre le nom, comme un souffle (corps *inspiré*), comme « Un souffle disperse les limites du foyer », ouvrant ainsi « des brèches opéradiques dans les cloisons », dans le théâtre toujours déroutant « de la grande route effacée », du défaut « en haut de la glace de droite », de la couleur (« Un vert et un bleu très foncés envahissent l'image »), du dételage, de la dérive (la non-reprise) de « la source de soie » à « l'aboi des dogues » [3]...

NOTES

1. « Il faut peut-être/Essayer autre chose ://Essayer/D'être la question/Qui s'accepte indemne de réponse.//Essayer/De donner à la question même/L'accueil qui serait fait à la réponse.//Essayer/De transférer de ce côté de la paroi,/Dans le côté du questionnement,//La masse qui est de l'autre côté.//Essayer d'être tant qu'il faudra/Question qui déambule.//Je nous connais assez :/On n'acceptera pas. »

2. « Le signe, dit Bataille, indique qu'une chose a lieu, mais quoi? » Lire les signes, l'illisible, c'est être poète, illisible. Transparence et opacité, matérialité et diaspora traversent le poème toujours double, toujours simple, « NUL L'UN » (Jabès), égal à lui-même, inassignable, inassumable et demandant à être partagé. Pourquoi? Vers quoi? Pour faire signe, pour être nous aussi, insignifiants, le signe.

3. Exemplaires ici de ce mouvement de dépossession matérielle, de l'économie poétique diasporique, Rosmarie Waldrop et Arthur Rimbaud. Non pas deux noms, mais deux signes du leurre lucide et espérant.

VI

L'ESPOIR POÉTIQUE

VERS LE BLANC

Quelle est la prétention de la poésie, qui parle du « vrai lieu », de la « vraie vie » et vit dans une perpétuelle attente d'un événement toujours au futur, qui retourne au recommencement, au nouveau départ, à la nouvelle attente? N'est-ce pas un nonsens que de chercher l'instant merveilleux où l'*ailleurs* sera ici (dont l'instant n'est jamais que la fiction) et de vieillir dans cette vaine espérance? « Car, *entre temps,* dit Yves Bonnefoy, nous aurons vieilli. L'acte de la parole aura eu lieu dans la même durée que nos autres actes. Il nous aura donné telle vie plutôt que telle autre, dans le danger du poème et les contradictions de l'exil ». Et de poser enfin la question : « Qu'aurons-nous eu, en vérité, si nous n'atteignons pas le vrai lieu? » Nous aurons eu au moins un désir demeuré désir, cette union d'espoir et de lucidité nommée mélancolie, qui est la « grâce » du poète et le don qu'il peut faire :

« *Et dans sa pauvreté, donner demeure son bien* »

« *Aussi la fleur sans nom...*

Dit que parler c'est pour donner
Ce que l'on croit ne pas avoir. »

Nous aurons eu la traversée de tout lieu, de tout geste, de tout discours, le blanc, l'espacement, la distance, le récit du manque et du trop, le temps du poème dans le temps de la prose, le trou (attirant, rejetant), la courbe de l'espace (« territoire blanc/ espace en forme d'arc »), la terre où le moindre souffle, la moindre altération du murmure « prendrait l'aspect d'une tornade dont la violence serait telle que rien, *rien* ne pourrait être épargné » (glissement pourtant de l'espoir inespérant d'Yves Bonnefoy et de Guillevic — si différents —, à celui de Claude Royet-Journoud et d'Alain Veinstein — si différents —, pauvreté de plus en plus grande du récit, surabondance du don). Nous aurons eu des mots, des phrases comme vides de mots, une phrase (« ... *toujours la même phrase* »), une « langue italique», une langue étrangère désignant quelque chose qui ressemble (qui rassemble et qui perd), qui est dehors (dehors-dedans, dedans-dehors), qu'on ne peut que contourner, qui ne peut que nous défaire, qu'être l'absent-présent de la langue, l'ébauche (et la débauche) :

« *le mot* geste, *ici, n'aurait-il prise que sur une ébauche...* »

Et pourtant la poésie n'est ni un mensonge, ni une mystification, elle est la seule possibilité pour l'homme de sauvegarder l'impossible, le sans fond, le sans plafond [1]. Le poème est une parole inépuisable (une geste de paroles et de blancs) qui ne mène à rien, si rien est ce mouvement incessant vers

« l'inconnu qui creuse », si rien est notre geste de pauvreté, notre pelle qui creuse et qui repousse :

« *Enfonce-toi dans l'inconnu qui creuse. Oblige-toi à tournoyer.* »

« *Puisque vivant toujours*
A l'avant du possible...

Nous n'avons pas cessé
De creuser dans nos jours,

De creuser de colère
Et de creuser de joie. »

« *Mais tandis que je me défaisais, sans gagner le* dehors, *j'imaginais le moment où je devrais* aussi *me passer de la terre.*
Ecrasé sous son poids, je m'exerçais à creuser, avec l'ongle, une fourmilière. »

« *... déterrer, enfouir : c'est toujours creuser.*
En retour : l'innombrable, l'intime — un corps?
Non, ce n'est pas un corps. Il n'y a qu'une sorte de forme arrachée qui guette un geste, un mot, pour repousser. »

(Char, Guillevic, Veinstein, autant d'étapes vers le peu, l'absence d'histoire, le « seul pas ».)

La poésie demande l'échec et en même temps une sorte d'avoir ultime qui n'est pas la possession, l'écart (« il n'y a rien à dire à ce sujet »), l'écartèlement (« et *tu n'as rien* que ce blanc »), le défaut (« Il n'est pas le maître du corps »), le récit « à corps perdu », demande — mais comme sans voix, comme « un excès rentré » — l'insécurité, le malaise, la perte des certitudes (celles de la religion, des idéologies, de la Poésie, du solipsisme de la forme, de la science de la langue), pour se tenir toujours à même le grand mouvement pulsionnel qui passe sous le langage [2] et dont le flux silencieux et rapide fait parfois, aux rares moments d'appréhension, de dépossession, la musique, le blanc du récit.

La passion du cheminement, dont notre chemin n'est jamais qu'un traçage, une répétition, traverse le poème et le porte à un pouvoir d'affirmation qui n'a pas de nom, qui n'invoque aucun nom, qui ne peut que nommer, que perdre le nom, le propre. Affirmation vide, espoir hors de toute attente (ni paradis, ni connaissance — aucun lieu), à partir d'où on ne parle pas, on ne fonde pas (« tourne court/l'obscène fabulation ») — ainsi pas même d'histoire de l'absence, de prophétie de l'absence, de théologie négative —, « trop vaste//et comme insoutenable//aux lèvres dites ». Langage « arrière amassé », projeté, n'ayant pas encore *vraiment* commencé, qui fut, sera détruit, recommencé, répété, poursuite de ce qui toujours échappe (double leurre), qui n'est pas l'objet d'un discours, que la parole tait sans cesse, remontant la langue, rentrant l'excès à l'intérieur du dehors, dans l'outrance du dedans, dans le non-lieu où nous ne sommes pas encore parvenus, où nous différons d'avoir lieu, comme si écrire était aussi ajourner, priver de la fin, poursuivre le retard, déchirer la page (le lieu?) — mais non la déchirure, la césure, « *le blanc de la fiction* » qui divise le corps qui le porte, l'emporte, l'excès.

(Lecture ici obsédante de Claude Royet-Journoud, Roger Giroux, Jean Daive, Anne-Marie Albiach.)

Et pourtant donc l'espoir (« Cela ne s'atteint pas ») : l'R soufflée du mot (« il dit : Dieu est là aussi où manque la lettre »), la langue de la séparation, l'absence de langue de l'unité (la double absence). Et pourtant l'avancée vers l'obscur, vers l'aveuglement (« un arbre au merveilleux silence noir »), vers le vide, vers Dieu (l'absence de nom) est le chemin de l'espoir (le livre fait, défait, l'épreuve toujours resserrée de la mort).

(Lecture maintenant pour moi vitale d'Edmond Jabès, de Bernard Noël, d'Alain Veinstein.)

Mourir serait-il taire le nom? Après l'absence progressive de son nom, la poésie vouerait-elle à l'absence *définitive* (toujours déjà répétée) du nom (de l'absence)? Après son altération, paradigme de subversion de la langue, après que le poète ait écrit, parlé vers le blanc des lèvres, sera-ce le dernier mot, le dernier instant qui donnera *raison* au silence [3], qui nous écrira à l'encre blanche, qui sera l'outre-voix du nom imprononçable, l'illisible lisant?

VERS LE PEU

C'est cet espoir, cette marche vers le neutre (« voie du nul; du même annulé »), ce simulacre [4] répété de mourir (de détruire, d'écarter), qui, frayant le poème, conduit à l'effroi qui appelle (qui épelle le nom), cette passion irréalisante vers l'« irréalité irradiante », vers le retrait et toujours aussi (contre-poème dans le poème) ce désir de composer « avec une terre désaffectée, pour ne pas se laisser mourir », de posséder au moins « le peu de place » (que le mouvement de travailler, de manquer la terre toujours réduit), de réciter la fable vitale (avant que les murs s'écroulent, que la terre cède, que les quatre lettres du mot *mort* ne résorbent tout) et de perdre la fabulation, de traverser le jour de l'illusion et du combat sans résolution, dans la « poussière narrative » du recommencement, sur les amas du lieu décomposé, répétant ce qui n'arrive pas (qui a déjà eu lieu, qui se poursuit, spirale de l'infinition), l'é*vide*nce de la scène où objets, mots, scène depuis toujours n'existent pas, où la fiction d'écrire, de lire est la mise, le gain et la perte. C'est cet espoir qui dévore le nom, l'espace, les années, qui défait les mots, les livres, qui a peur, qui avance dans la peur (avec les haltes, les dérobades, les ruses de la vanité), qui s'ouvre à la menace, à la perte de la bouche qui dit les mots, de la main qui creuse (ou écrit), à la nudité du non-dit. C'est cet espoir de rejoindre la peinture [5], le commencement possible de la représentation, du récit et sa désobjectivation et sa ruine, sa contre-écriture, son écriture-rature. Le cercle, je disais le cercle ou plutôt la spirale ou plutôt le point ou plutôt rien, oui *presque* rien.

NOTES

1. « Comment dire ma liberté, ma surprise, au terme de mille détours : il n'y a pas de fond, il n'y a pas de plafond », dit René Char — et pourtant pas de profondeur...

2. « Je vis le poème comme *une explosion d'être sous le langage* », dit Roberto Juarroz. La poésie est la ruine de l'être, le démembrement et le remembrement, mais comme pluriel, comme de personne. « Je n'ai même plus la certitude/d'être le personnage », écrit Alain Veinstein.

3. Poser ainsi la question c'est laisser croire à un sens possible de la mort, c'est faire du dernier instant, du dernier mot le coup fourré du sens qui peut enfin resurgir. Le langage ici positive. Il faudrait pouvoir lire hors du nom, hors du mot. Mais sans doute ne le *peut*-on que mourant, que sans pouvoir : corps de l'impossible (ni nom, ni voix, ni corps). Ecrire c'est peut-être alors *corriger* peu à peu cette illusion de la finalité du chemin, de la finalité même de l'absence, de la mort — de la Vérité —, répéter la mort, la fiction du blanc. Un exemple : la fin du chapitre dans la première version de ce livre (1969) et ces dernières lignes aujourd'hui (1976), peut-être plus proches de « l'excès en blanc » qu'est la lecture de la mort, de l'échec de lire et d'écrire que consigne tout livre. Soit cette ancienne page du premier livre détruit, réécrit (qui déjà voudrait sa rature, son resserrement) :

> « Ici s'arrête tout langage et tout chemin visible. Ici est le scandale du silence qui n'a plus de nom — le nom silence ne signifie plus rien — et auquel nous devons consentir comme au point statique vers lequel tend tout art...
>
> Le poète attend la mort comme l'ultime visage de sa liberté. Tout le long de sa vie il a répété : 'Beaucoup de paroles simples n'ont pas été dites encore. Le plus simple n'a pas été dit' et a recherché ce 'point unique', ce 'quelque chose de simple, d'infiniment simple, de si extraordinairement simple que le philosophe n'a jamais réussi à le dire'. Et voici qu'il entre dans l'espace de la simplicité, qu'il est l'évidence aveuglante et innommable de la totalité ou du néant, l'altérité du plus grand cercle, le 'saxifrage éclaté'.
>
> Ne voit-on pas que la poésie est déjà comme le visage de cet espace de silence et d'accueil, qu'elle dit toujours autre chose, qu'elle en réfère à ce qui, au-delà de la vie et de la mort, est l'*origine* sans lieu, sans temps et sans visage. Qu'elle est l'abîme et la liberté, l'échec et la victoire, les contraires opposés et réunis, l'unité du multiple et la multiplicité de l'unique. Qu'elle est l'infinie question du sens de la vie. Mais poser cette question jusqu'au bout, jusqu'à devenir soi-même le silence de la réponse ou de l'absence de réponse, c'est déjà donner un sens à la vie : le sens exaltant du cheminement, qui est son propre fondement, et de la parole, qui est sa seule justification. »

4. Je songe par exemple à ce très beau texte de Bernard Noël, *Le même nom* (paru chez *Fata Morgana*), où l'on peut lire : « L'écriture est une passion qui se nourrit de l'ordre qu'elle brise. Si elle ne va pas tout droit dans la mort, elle est un simulacre vécu de la mort, car dans l'acceptation même de la vie, l'écrivain connaît la décomposition de sa vie./L'écriture est cette pliure à la limite de la mort vraie et de la mort jouée : elle prive d'être la réalisation de l'être. »

5. « Sans nom, sans histoire, peut-être n'est-elle le personnage d'un récit — et, à elle seule, le récit — que parce qu'elle a emporté son secret dans la peinture » (Alain Veinstein, *... un excès rentré*).

DÉMARCHES

« Tel opère le Mime, dont le jeu se borne à une allusion perpétuelle sans briser la glace : il installe, ainsi, un milieu, pur, de fiction. »
(MALLARMÉ)

MÉTHODE

Peu à peu laisser entrer en moi les mots, parcourir l'illisibilité. Ne pas comprendre, être emporté par un rythme. Revenir en arrière. Annoter, raturer, encercler. Repartir dans tous les sens. Soudain les premiers mots de l'accompagnement, du mime, de la répétition. Différer un peu l'obscur, oublier à la fin le texte initial, oublier cette lecture-écriture. Entre les lignes, dans la marge des pages, jeter les phrases d'un autre texte (comme celui-ci par exemple), à même la feuille ou sur n'importe quel bout de papier à portée de la main. Continuer un récit, poursuire un rêve, conduire tous les mots vers le même *lieu* de la ressemblance, où je découvre mon visage, pourtant quotidien, illisible comme le reste.

(Et j'oubliais le hasard de la circonstance, le calme ou la précipitation, le soleil ou le froid, le début ou la fin de la journée, le goût des fraises ou de l'abandon, le message à demi entendu, la une des journaux, la voix au téléphone, la conversation la plus anodine, l'homme ou la femme le plus anonyme, tout ce qui parle, bruit, passe, effleure, rencontre.)

On appelle cela *lire, écrire,* avec trop de sérieux et pas assez d'attention peut-être à l'éphémère. C'est un risque dérisoire et parfois la ruine du nom, le change d'une vie, une langue étrangère, diasporique (comme musique du désir), incompréhensible pour les techniciens de la communication, les théologiens du dialogue, les professeurs, les spécialistes et les salutistes. C'est une contagion souveraine, une absence de propriété. C'est en deçà du sens, de la signature, du savoir et du pouvoir (traversé par tous ces raz-de-marée), la nourriture de la fiction, l'éphéméride du désir.

Sinon lire, écrire tous les jours, du moins rêver les mots, les rythmes, recevoir la charge et la décharge des signes comme coups de grâce, comme commencement du lisible, du dicible. Etre un récit continuel, une lecture multipliée, la langue qui ruine, l'avant des mots (poème? roman? critique? qu'importent ces catégories), comme é*vide*nce de l'espace, comme rumeur de la mort, le baromètre des extrêmes.

Tout cela bien malgré moi, dévié, toujours au delà, ligne après ligne éconduit, jeté hors livre (la maison de la Culture, le palais solipsiste du Sens), là où Rimbaud, Artaud, Bernard Noël, Jean Daive, Alain Veinstein et quelques autres trouent le *réel,* où leurs mots, mes mots font éclater le visible, la fausse surface et la fausse profondeur du lisible.

(Reste l'opaque, la parole folle. On appelle cela *lire, écrire,* comme si la poésie était dans les livres.)

AVÈNEMENT, DEVENIR, DISPARITION

Pourquoi l'obsédante présence d'Arthur Rimbaud? Pourquoi ce retour à lui à chaque étape du parcours? Pourquoi l'illumination de son nom dans le sillage de notre modernité? N'est-ce pas qu'avec lui le poème advient, la poésie ne cesse de devenir? Avant bien sûr il y eut des poèmes et de la poésie, mais peut-être pas *cela :* l'avènement, le commencement pur, l'incessant (c'est la concentration du *cela* qui nous fascine. La radicalité du simple, l'évidence de la vision et de l'aveuglement, la perte si rapide du savoir, du salut et la joie pourtant, justement.)

Découvrir cette ouverture de l'espace et du temps sous les récits d'*Une Saison* ou les contes des *Illuminations,* c'est entrer dans la dimension d'une histoire illimitée et fuyante, dans le jeu de la dérobée. Ce chemin fut mené sans complaisance, puis l'échec fut sans doute porté ailleurs ou oublié —qui le sait? Mais comment ne pas voir dans l'affirmation répétée du lyrisme et de la critique l'équilibre difficile de l'homme moderne, comment ne pas reconnaître dans la démarche du poète des *Illuminations* notre image : celle de l'impossible mais nécessaire ordonnance de la *vraie vie*? Ne sommes-nous pas, nous aussi, les bâtisseurs d'un ordre invivable, d'une musique inhabitable, d'une simplicité impossédée? Encore faut-il jusqu'au bout assumer l'image, tirer les conséquences du devenir poétique et ne pas s'étonner que sa démarche puisse aussi bien aboutir au commencement qu'au silence, ces deux visages de la perdition.

Les *Illuminations* sont l'expérience du désir incarné, de l'impossible — un instant advenu — qui ouvre le monde à son espace, l'homme à son souffle, la vie à son *vrai lieu.* L'expérience de la libération. La parole de Rimbaud est d'abord celle du retour à l'impulsion endormie, à l'élan oublié. D'où sa violence, qui est celle du renversement, de la ré-origination. Parole agressive, mais douce aussi, tendre même, car ce qui va se réinstaurer est *le nouvel amour, la nouvelle raison.*

Cette parole, créatrice, génétique, qui la déclenche? Un geste, un simple mouvement de la main, un seul pas, le seul déplacement de la tête. Mais ne nous trompons pas sur son immédiateté, elle a été longtemps confrontée, dans l'infra-langage de la mémoire, au monde de la lassitude et de l'ennui, elle a subi tout le poids de l'aliénation des jours gris, du sérieux des tâches. Ce qui soudain avec elle advient — à la faveur d'un geste, d'un son, d'une rencontre —, c'est l'urgence de la décision poétique, le rêve qui déferle sur l'acte, le retourne et le précipite, le désir qui prend corps, *ici et maintenant.* Ce qui advient est l'ordre de la métamorphose, *la nouvelle harmonie.*

Appelé par sa différence, le moi entre dans le théâtre de la métamorphose, il s'ouvre au jeu du dévoilement. Sur les tréteaux se manifestent le corps, l'esprit et le langage pourvus d'un nouvel espace : paysages féeriques, cortèges de femmes, couples royaux, êtres de jeunesse, témoins d'une autre réalité; sur les scènes s'imposent la parade sauvage : « richesses inouïes », « musique des mondes, plan des villes », « plaisir du décor et de l'heure unique », « la santé essentielle ». Pourquoi alors le rejet brutal de la nouvelle ordonnance, la mise à néant du projet de métamorphose? Parce que Rimbaud connaît la limite résiduelle de l'écriture, la précarité de l'espoir. D'où les soudaines révélations de l'échec, au sommet de la montée lyrique, de l'effervescence du gai savoir : tout n'était que rêve, imagerie, mensonge. La lucidité critique met en face de la norme inchangée, de la prose insurmontable. C'est alors la répression du désir, l'impitoyable liquidation du poème, qui se termine souvent sur cette chute foudroyante, sur cette brusque rature, pour ne plus, un jour tout proche, se recommencer dans d'autres textes.

Relisons *Enfance, Les Ponts, Dévotion, Démocratie, Nocturne vulgaire,* ou *Solde,* la démarche est toujours la même : il s'agit de vendre au rabais tout ce qui faisait le prix de la métamorphose, de vendre même « les corps, les voix, l'immense opulence inquestionnable, ce qu'on ne vendra jamais », de solder jusqu'à l'insoldable pour mener au degré zéro de la désolation, au désert de la cruauté, aux antipodes de la féerie des jardins de palmes. Ce que Rimbaud refuse, c'est « qu'un jour de succès nous endorme sur la honte de notre inhabilité fatale », qu'un matin de royauté ne voile la vulgarité de tous les jours et l'habituelle inharmonie. Il ne veut pas que l'avènement du poème conduise au lieu idéal où l'entraîne le mensonge des magiciens et des prêtres. Son paganisme s'y refuse, son bon sens paysan. Il rejette toute velléité d'oubli, de sublimation, pour ne sauvegarder que ce double mouvement contradictoire et autodestructeur de l'espoir et de la lucidité.

Cette tension se défait et se reconduit de poème en poème. Parvenu au pôle de la lucidité dérisoire, une voix resurgit soudain, au cœur même de la détresse, qui recommence la métamorphose et exige à nouveau que le désir *réalise* la réalité et réinvente la vie. Cependant Rimbaud se rappelle toujours à temps que « la musique savante manque à notre désir » et que le non-savoir est notre lot. Ainsi avorte la tentation messianique.

Mais pourquoi le désir, s'il ne mène à rien? Il reste qu'il affirme une sorte d'aspiration sans corps et sans lieu, un site inhabitable, un pays qui n'existe pas mais vers lequel Rimbaud chemine, échouant sans cesse à la prise mais ne pouvant faire autrement que de recommencer et se redisposer à la ruine. Car tel est le risque majeur de la poésie : se perdre dans une extériorité, une excentricité, être porté vers ce dehors qui échappe au discours et qui, peut-être, est ce qui fonde (et défait) tout discours. L'irréductible non-lieu de la poésie apparaît chez Rimbaud et, en même temps, pour qui peut lire, il nous dérobe et nous dépossède, nous renvoyant à notre tour à l'écriture, à l'avènement, au devenir, à la disparition.

Joie de ce cercle. Terreur-bonheur de l'entre-deux (écrire-pas écrire). Faillite de tout désormais, à côté, plus près de la (con)fusion dont la parole n'est qu'une trace inutile, revenante. Face à quoi il faut risquer autre chose que de la critique, autre chose que du face à quoi. Sans cela *words, words, only words*. Affaire de linguistes, de rhétoriciens, d'amateurs de poésie, de convertisseurs, de savants, de dilettantes ou de prêtres.

(1969)

DE LA FABLE A LA FICTION

« ... fin de l'erreur la plus longue... INCIPIT ZARATHOUSTRA. »

Les questions que Nietzsche pose tout au long de ses livres n'ont rien d'abstrait, je veux dire qu'elles nous concernent, qu'elles ne cessent de nous viser, nous obligeant à poursuivre pour notre compte le chemin. Irritantes, insupportables même, elles nous jettent — ne fût-ce que l'espace d'un instant — dans un creux que dissimulaient notre bonheur tranquille, notre maîtrise, notre position sociale. La question ici creuse, ouvre un espace où se perdent peu à peu les références, les certitudes, le guide moral (toutes les figures de Dieu). Il faudra désormais penser autrement, vivre autrement, être nous-mêmes, oser la puissance de ce que nous sommes, la joie d'une naissance. Questionner devient un acte — l'acte décisif du courage angoissé, puis rieur, l'épreuve nécessaire du nihilisme et de son dépassement, le chemin d'une réponse, d'une création. Réponse il est vrai peu ordinaire, qui ne pacifie pas, qui n'est pas l'oubli facile de la sublimation. Réponse qui conserve la force qui cherche et ébranle, qui l'accomplit dans des formes et des figures irréductibles à des signifiés philosophiques. Nous sommes hors du concept, à la croisée du langage et de l'être, dans l'événement toujours discontinu de la présence. Dans la logique de la représentation, dans la double voie de l'idéalisme et du naturalisme, tout ceci est un pur non-sens, pour moi c'est l'avènement même du sens, sa fête approchée, risquée dans les mots et dans les gestes de tous les jours, une pratique nouvelle du langage et de la vie — une esthétique de la chance.

Si la question conduit à la régénération du moi, questionner c'est créer et créer c'est combattre ce qui, en nous et tout autour de nous, résiste : l'instinct théologique, l'espace théologique. Le combat c'est de dé-moraliser nos pensées, plus fondamentalement même, nos perceptions, c'est de nous débarrasser d'une bonne conscience fondée sur la fable de la vérité. Le préalable pour Nietzsche, est toujours la maladie de l'homme moderne : l'idéalisme, la décadence psycho-physiologique qui contamine la vie, la secrète rancune contre la vie. Au commencement de notre culture est donc l'obstacle qui empêche la vie d'être culture et la culture d'être la vie, la force malade qui sépare, qui invente n'importe quelle vérité transcendentale pour nous séparer du monde présent, de la présence illogique, irréductible au concept.

La fiction de Nietzsche, c'est de diviniser l'irréductible, de penser l'impensable, dans des formes qui ne peuvent être qu'excédantes, qu'en dehors du sens de la métaphysique. L'affirmation est la forme de toutes ces formes — oserais-je dire son essence —?, qui ne peut être que tautologique.

Ne nous y trompons pourtant pas. Il ne s'agit

pas du triomphe de la subjectivité et de l'arbitraire. Ce qui pousse la fiction affirmative à dépasser le nihilisme qui constate la non-vérité, c'est la force vitale (la volonté de puissance), la force jadis confisquée par l'idéalisme, la force régénérée qui ébranle le sujet, qui à la fois le diffère et le singularise, le surpasse et le renvoie à une histoire jamais partageable. C'est dans l'entre-deux du Surhumain et de l'humain trop humain que s'élabore la pensée nietzschéenne, que se joue la communication, que se fait le livre pour tous et pour personne. Le nommer, le situer est le réduire, le proposer à un fichier des concepts. Mais n'est-ce pas le piège même du langage qui récupère toujours tout et naturalise le non-sens? Piège que le dehors déjoue, que la volonté de parler au dehors, en deçà, dans la marge espère écarter, offrant par là même au lecteur, l'alternative du malentendu ou de l'expérience réassumée, le dilemme de la fidélité à la lettre (suivre à la lettre Nietzsche qui veut échapper à la lettre) ou à l'esprit (perdre Nietzsche en affrontant, pour notre compte, la différence à laquelle il nous ouvre).

Affronter ce dilemme, c'est — si on ne l'esquive pas par une résolution facile — reconnaître l'incertitude de la lecture, passer de l'ordre du langage au dé-lire (avant de retomber dans l'ordre), faire une expérience sporadique et rare — mais peut-être décisive —, qui décide de nous, au delà du vouloir et de la personne, nous vouant à une communauté du dehors, à une diaspora des exceptions (des êtres qui s'exceptent).

Si nous restons inscrits dans l'ordre du langage, si nous sommes toujours pris dans les rets de la grammaire, la question reste hypothéquée par une réponse qui la conditionne. Au commencement est le langage. Comment dépasser le commencement? Ce besoin de dépassement devrait, dans sa radicalité même, conduire jusqu'à l'éclatement de la langue. Il y a chez Nietzsche, un désir d'illisibilité, une volonté d'écrire pour effacer les lettres, pour brouiller les signes, pour sortir du langage. Le paradoxe, c'est que ce désir pousse à écrire, à communiquer sur un mode qui n'est pourtant pas celui de la communication. L'événement — la présence — est précisément ce qui n'a pas de voix, ce qui n'est pas éloquent. D'où une esthétique du murmure, de la discrétion, du retrait, qui coïncide parfois avec la violence des figures qui retiennent le secret : la danse, le chant, le rire. Entre le silence et le cri, quelque chose parle qui communique dans la langue et comme en dehors d'elle, entre le dit et le non-dit, dans le creux des lettres, à l'aube d'un sens nouveau, qui ne peut se recevoir qu'au delà de la parole, quand nous glissons — *meta-phora* — vers ce qui, dans la langue, nous pousse en dehors d'elle : l'exception, la rencontre de la force réalisante, l'événement tu, origine et fin, cercle du langage.

Cependant cette confidence de la réponse, cette persévérance de la question dans ce qui répond, est divulguée et banalisée par deux types d'approches dogmatiques : le « lettrisme » et la « traduction ». La première approche du texte — celui de Nietzsche ou de n'importe quel auteur — se fait en prenant la langue dans sa matérialité, en ramenant tout le discours au seul jeu des signifiants et en traitant d'idéaliste toute pensée qui voudrait sortir de la langue. Entre l'idéalisme et le matérialisme peut-être y a-t-il une troisième voie : l'entre-deux d'une parole qui s'excède, qui se ruine dans sa dépense, amenant au non-lieu des mots, vers les signes vides où l'événement s'affirme, incompréhensible, innommable...

Le matérialisme de la lettre vide l'art de toute mystique. Il transforme la recherche en productivité, l'expérience en expérimentation, le risque existentiel en un carnaval de mots. C'est l'art pour l'art... avec le cautionnement « scientifique » de la linguistique. Méthode de lecture et d'écriture, ce « tel quellisme-structuro-sémiotiquisme » met entre le texte et nous la grille de la suffisance et du dogmatisme et « produit » la plupart du temps des textes d'une grande ineptie, où l'humour même a le visage du sérieux, où la spontanéité sue la culture, où la rhétorique et le conformisme d'une mode ont raison de ce qui, au départ, était et aurait dû rester un combat contre l'idéalisme.

L'autre approche réductrice du texte — de la question qui porte et traverse le texte jusqu'à son éclatement —, c'est la traduction, je veux dire le commentaire. Commentant le texte, je le porte dans un autre discours, je l'explique, l'ajoute au musée de la culture, je le voue au malentendu. Il est des malentendus éclairants — la lecture psychanalytique en est un exemple —, mais il faut pouvoir aller au delà de leur lumière, qui, à trop éclairer, nous cache le mouvement même qui se joue dans l'œuvre, à la frontière de la langue et du sens. Pour nous en approcher peut-être nous faut-il chaque fois sortir de l'espace de notre maîtrise (notre culture, notre morale, notre langage), tenter l'impossible percée hors de la grammaire. Tout ceci est pourtant encore de la culture et du langage, mais une culture et un langage animés de part en part par la vie, transis de puissance et de joie.

Il s'agit chaque fois de combler une séparation, de retrouver un espace et un souffle, un corps, de réincarner la force et le rire dans chaque mot, dans chaque geste. Vie excédante où tout devient affirmation. C'est là l'invention de l'artiste, la fiction du poète : le contraire de la fable morale, de la négation de la vie. Ce projet esthétique est le plus concret, il exprime dans le langage ce qui, faisant éclater la langue, renvoie à la parole physique, inséparable de l'exercice des sens, du partage naturel du monde. La poésie est ce don mutuel qui passe par la parole, qui défait la lettre et fête la déperdition des signes. Dans *Zarathoustra* quelque chose se précipite, la pensée se dépense dans une scintillation d'images, dans le rythme d'une ascension et d'une descente. Opposée à la résistance du langage, au discours des Sages, la parole de Zarathoustra s'allège en déjouant les justifications du concept, les « bonnes raisons ». En route vers le non-sens, vers un *autre* sens, la pensée figure ce passage en un discours jaillissant. Zarathoustra, porte-parole de Dionysos, incarne le dieu nouveau — résurgence du paganisme poétique — dans un pas de danse, un chant, un rire qui renverse les Tables anciennes. La force insolente de ces figures est d'ouvrir la parole à une sagesse sauvage, à un sens toujours à venir — qui est l'innocence de l'avenir. Bientôt la parole n'est plus que mouvement. Bientôt tout est rythme, le « message » se résume à la joie, à l'affirmation illimitée, au vertige de l'être.

Toute l'œuvre de Nietzsche (*justement* inachevée, non-œuvre) est bien une protestation contre l'homme théorique. La pensée est, pour lui, inséparable de celui qui en fait l'épreuve, de celui qui écrit « avec son sang ». Il faut « payer avec de l'or comptant », « avec *ses propres* expériences ». Les questions sont ici tournées contre soi, la connaissance n'est plus une fin. Tout part de la vie et y revient. Connaître, c'est consommer de la vie. Rien d'autre. On pourrait parler d'une éthique de la dévoration. Ethique dangereuse, qui affecte tout l'être, l'écartelant entre le dedans et le dehors, le portant dans la distance du dépassement. La pratique poétique de Nietzsche est ce passage constant du plus personnel à la dépossession, l'ouverture à l'inconnu, à l'altérité, l'agréation de l'étrange. Penser, c'est alors éprouver comme une musique magique la multiplicité du moi, c'est dilapider sa maîtrise, s'offrir à la joie de la différence, se surprendre et se retrouver chaque fois, jusqu'à la limite où il n'y aura plus de reprise, où réside peut-être la folie.

Le commentaire protège de ce mouvement de spirale. Il le théorise, il en fait un discours, il en parle sans le vivre. Le commentateur est le fonctionnaire de l'aventure. Il joue sur deux tableaux: il parle de l'insécurité, de la folie, il vit dans la quiétude, dans la maîtrise. Je suis moi aussi un commentateur qui lit Nietzsche dans la distance sécurisante [1]. Je le sais. D'aucuns ne le savent pas, oublient l'oubli. L'homme théorique est celui qui parle de l'aventure avec bonne conscience, qui se croit révolutionnaire avec des mots, qui ne reconnaît plus sa mauvaise foi. Dogmatique, il se sert du sang des autres, il vit par procuration, incapable de créer sa vie, de l'ouvrir à un nouvel espace. Beaucoup d'intellectuels diplômés se servent de leur « science » (la linguistique, la psychanalyse, l'ethnologie...) pour se protéger de la pensée (la dépense), pour réduire la violence poétique au commentaire, à la grille du système ou de l'idéologie. Ainsi la pensée créatrice (la parole-vie, le souffle délirant) a-t-elle toujours été réduite, tantôt au scientisme (à la vérité impérialiste du commentaire), tantôt à l'illuminisme (à la vérité révélée du mystère). Ce sont ses deux falsifications, qui ne sont que les deux formes du même idéalisme. Il y a aussi bien sûr, le nihilisme de l'art pour l'art, de la seule activité ludique. Mais lui aussi est récupéré par le commentaire. Le savant (qui se double d'un politicien) est partout, qui, même sous le masque du rire et sous les appeaux de la révolution, jette sur toutes choses son sérieux, sa prétention, révélant par là même sa force anémiée, son impuissance à recréer la vie et la joie.

Le scandale du sens (que Nietzsche assuma contre la philosophie — l'idéalisme —, un peu comme Kierkegaard contre la théologie), c'est le passage de la vérité à la création, de la fable à la fiction, de la métaphysique à la poésie. L'espace théologique de la raison, du langage s'est brisé et, devant le non-sens (l'absence d'un sens donné), le créateur retrouve le pouvoir de regarder, d'aimer, d'affirmer au delà de lui-même, dans une absence de limites que ne vient refermer aucun dieu ni aucune « structure ». Désormais, l'affirmation *poétique* embrasse la totalité du monde, est le cercle de l'éternité. Le sens devient cosmique, est l'éternité de l'immanence, le chant de la terre, la joie païenne qui veut la rencontre du hasard et de la nécessité. Le concept n'est pas accrédité à rendre compte de cette joie, de cette fête du sens. Peut-être faut-il seulement écouter le poème de Zarathoustra, où s'accomplit sous nos yeux (et pour nos oreilles) l'enchantement de l'être, la fiction poétique qui décide — par un excès de puissance de vie — de dépasser le nihilisme. Cette fiction n'est pas l'oubli du réel, mais sa réalisation, la force d'intégration qui agrée même le passé, faisant du temps le cercle de la création, l'être de l'affirmation. Au terme de la fiction, tous les dualismes se sont désintégrés, le oui hyperbolique pousse au retour. Tout re-commence, ré-affirme. Et pourtant tout diffère, l'équivalence est aussi une différence. Nous sommes dans l'unique pluriel de la fête.

L'affirmation excédante conduit à une autre mesure du monde, à une démesure où le dedans et le dehors s'échangent, où la synthèse du commencement et du retour se réalise dans la figure du Surhomme. Franchir ce dernier pas n'est peut-être plus marcher mais voler, peut-être plus penser, écrire, mais être enfin rendu à la présence, en deçà du vouloir et du non-vouloir, du moi et des autres, dans le dehors si proche et si simple, irréductible comme l'image désormais de Nietzsche. Comme si toute la tension du penseur l'avait conduit à devenir image, à être cette figure que l'on interroge et qui ne répond pas. Enigme donc de la folie, de la personne éclatée (vouée à son éclat) et effacée (qui a perdu le support du sujet). Entre l'humain trop humain et le Surhomme, n'est-ce pas l'itinéraire d'égarement de notre modernité — notre folie inassumable — que préfigurait Nietzsche?

Je crois qu'il n'y a pas ici de message. La fiction ne dit pas quelque chose, mais toujours en deçà et au delà, autre chose [2], elle déplace, elle nous transporte et ne cesse de donner à voir. Le plus habituel : telle toile vingt fois regardée, tel livre lu et relu, telle musique devenue refrain, un jour s'ouvrent à nouveau à l'écoute, à l'en deçà-au delà de la fiction, nous gratifiant d'une ouïe nouvelle. Les vraies œuvres résistent à la réduction, au terrorisme de l'abstraction, elles échappent à nos prises, nous surprenant toujours, nous poussant au mutisme, à l'immobilité fébrile de la passion, qui est la fièvre même de la fiction, la trouée de l'avènement. Puis le discours recommence, pour nous défendre, la culture intègre le dehors fascinant et terrible. Mais il est peut-être parfois une autre démarche qui accorde une sorte de paix dans l'incertain, qui, questionnant et répondant, nous fait avancer vers un monde devenu signes sans références et répand la fiction partout, vivant dans le quotidien cette scintillation sporadique mais incessante qui donne à la vie son sens : le chemin de la découverte et de la métamorphose, la pratique poétique du souffle et du pas, du geste et de la voix, de l'œuvre qui les incarne et les reçoit — réceptacle toujours trop étroit, qui déborde dans l'existence.

La fiction n'a pas de cadre — sinon elle serait le fait de spécialistes, de techniciens. Expérience, elle brise le cadre et embrase les corps. Toutes les révolutions commencent peut-être avec le changement de la perception.

Je rêve d'une révolution physique qui traverse les mots et les formes pour donner une nouvelle naissance. Peut-on appeler espoir cette infinie genèse? Je le crois : espoir du mouvement — du repos dans le mouvement —, de la geste du chemin qui n'a pas de destination et qui perd tous ses guides.

(Que ce rêve et cet espoir se soient nommés *Surhomme* et *éternel Retour,* au fond, qu'importe. Il s'agirait d'aller au delà de la nomination, près des intensités qui se rechargent et qui se déchargent, à la limite de nos corps et des cloisons de l'espace et du temps, près de l'ouvert, du cercle ou de la spirale, du retour et du devenir, où ma parole est trop pesante, où le livre doit se fermer, nous jetant hors de lui, dans l'envol des pages, dans le rêve qui brasse les mots et les gestes et fait un autre corps, un autre souffle, une pensée méconnaissable désormais.)

La traversée apprend, à celui qui emboîte le pas lentement (fidèlement), passionnément (comme un iconoclaste), l'impossibilité de la lettre et de l'emportement, l'entre-deux du même et de l'autre, la loi de la répétition et de la création, leur double limite, leur double repli dans la fiction qui n'est ni le commentaire ni la *vraie vie,* mais peut-être la légende du parcours, la ruse de l'oubli à persévérer, grâce au changement de signe, sur l'autre versant du nihilisme, dans le savoir de l'illusion artiste, de la vitalité du mensonge, dans le récit du dépassement et du cercle.

(1973)

NOTES

1. Bien qu'après rien ne soit plus sûr, que le commentaire n'ait de cesse — mimant le mouvement de l'affolement de la pensée — de se détruire, de s'alléger en une parole-vie, de devenir le comment taire.

2. Qui n'est pas l'arrière-monde de l'idéalisme, mais rien, le mouvement de déception et d'enchantement de rien, l'absence au cœur de la présence, le cœur battant plus loin, entre fixité et mouvement, dans la spirale du vertige, parfois rapide, parfois imperceptible, silencieux, presque mort.

ITINÉRAIRE DE L'IMPOSSIBLE

Artaud a très vite pressenti qu'il fallait sortir, « toujours, partout, dans un mouvement d'insatisfaction mortelle ». Très tôt, quelque chose s'est affirmé en lui, qui est la déperdition, l'effondrement central, le malentendu de la drogue, du corps et de l'esprit en déliquescence, l'équivoque devant laquelle nous nous trouvons lorsqu'on parle de ses textes tout entiers descriptifs d'un manque fondamental, d'un défaut de coïncidence absolue, d'une faillite parallèle du corps et de l'esprit.

C'est le mécanisme de l'érosion de la pensée, qu'il a décrit dans *L'Ombilic des limbes* et dans *Le Pèse-nerfs,* tantôt sur le mode de l'analyse clinique du phénomène, tantôt sur celui de la traduction poétique, mais toujours à l'extérieur de lui-même, écrivant « pour sauver ce qui reste », confiant ses impossibilités à cette essence de l'impossible qu'est le langage. On trouve un exemple de cette analyse dans une lettre au docteur Soulié de Morant, où il fait l'aveu d'une discontinuité fondamentale, d'une fissure qui est l'origine d'une sorte de déminéralisation de l'évidence, d'écrasements et d'écartèlements affolants de la conscience. Un tel état rend tout rassemblement impossible, le monde ne créant plus en soi, selon le mot de Jean Wahl, le lieu de son accueil et le dedans ne pouvant se saisir face au spectacle d'un centre éclaté. Il reste alors une sorte de vide. Mais de ce vide naissent des phrases pour que cela au moins soit à défaut de la vie. Ces phrases, qui décrivent l'impossibilité, accusent l'absence, elles s'écrivent en dehors d'Artaud, elles sont tirées de lui comme « au hasard ». De cette non-nécessité de l'écriture, qui n'est que le reflet du défaut de coïncidence entre soi et la vie, témoigne par exemple « L'Enclume des forces », qui est le point le plus bas du désespoir.

Mais Artaud ne s'en tient pas à « cette absence de pensée qu'est la pensée », il fait la double expérience du théâtre et du mythe, qui vont brûler son langage et donner à l'esprit son vrai sens qui est de régénérer l'esprit, au corps son juste destin qui est de purifier le corps, à la vie sa « belle vraie nature » qui est d'être l'originelle unité. L'érosion de la pensée devient alors anarchie et le modèle de cette anarchie est pour lui l'empereur Héliogabale, qui introduisit à Rome le culte du soleil et fit basculer l'empire de l'envers à l'endroit (« il a appelé la faiblesse de la force et le théâtre de la réalité »). De même Artaud est en ce temps-là impuissance muée en force, défaut de pensée devenu poésie, poème de la pensée. L'anarchie prend la forme du procès du corps et de la civilisation. Que reprocher au corps? Quels reproches adresser à la société? Artaud attaque le père, le cycle de l'engendrement qui nous rend prisonniers de cette vie qui commence par un non-événement. La seule manière de se guérir, c'est de renaître à une vie nouvelle, en transformant la vie et pour cela, en premier lieu, en transformant le corps. Il faudra donc supprimer les organes, refaire l'anatomie, vaincre tous les déterminismes. Tels seront la fonction et le but du théâtre de la cruauté et, plus tard, des mythes indiens du Mexique. Ce besoin de renouvellement ou mieux d'origine purificatrice, Artaud l'a aussi exprimé dans sa critique et dans son refus de la culture européenne. Notre civilisation est celle de la rupture entre les choses et les idées. Le civilisé est « un monstre chez qui s'est développée jusqu'à l'absurde cette faculté que nous avons de tirer des pensées de nos actes, au lieu d'identifier nos actes à nos pensées ». D'où cette conception séparée de la culture et de la vie. Les responsables? Artaud les désigne sans hésitation : le christianisme et le rationalisme. Jésus était un véritable païen et c'est l'Eglise qui l'a trahi pour devenir le christianisme, c'est-à-dire la religion de la séparation. Le rationalisme a introduit, par l'anayse, une autre forme de division. C'est pourquoi Artaud veut retrouver l'esprit de synthèse des primitifs, qui ne séparent pas la Culture et le Destin. Ce retour au paganisme explique ses voyages au Mexique et en Irlande, qu'il faut comprendre comme une recherche de la vraie culture, c'est-à-dire de l'homme entier et du « secret de la vie ».

La « vraie vie », il a d'abord essayé de la trouver au théâtre, avant de la chercher dans les mythes incarnés des Indiens tarahumaras et des vieux druides de l'Irlande. Le théâtre est pour lui le lieu d'un bouleversement, d'une convulsion, qui est à la fois rupture et accès, puisqu'il convient de sortir du réel falsifié pour entrer dans le réel poétique, le lieu aussi où l'impossible s'incarne dans un langage et dans un espace révélants. Dans l'espace théâtral l'air devient respirable et une communication peut s'instaurer, puisque ce qui se trouve communiqué au spectateur, c'est le corps transformé « souffle par souffle et temps par temps ». L'acteur qui métamorphose son corps accomplit un acte dangereux et terrible, « l'acte mythique de faire un corps ». Cet acte porte un nom : *théâtre de la cruauté.* On peut s'étonner du nom donné à cette magique régénérescence — c'est qu'elle exige une totale pureté. Comme la souffrance jadis donnait droit à la parole (« je suis un homme qui a beaucoup souffert de l'esprit et à ce titre j'ai le droit de parler »), la pureté donne aujourd'hui droit à la recréation du monde et de soi et est la condition sine qua non de toute entrée en poésie. Mais comment communiquer ce renversement de l'espace et cette renaissance que permet le théâtre de la cruauté sinon par la création d'un langage « de feu et de foudre »? D'une telle communication, Artaud a toujours rêvé, même à l'époque où il n'avait qu'« une absence de voix pour crier ». Un tel langage est évidemment le contraire de l'écriture (« toute l'écriture est de la cochonnerie ») et il se doit, pour ainsi dire, de se tourner contre le langage, pour ne plus le considérer que sous la forme de l'incantation, pour le briser. « Briser le langage pour toucher la vie », y a-t-il meilleure programmation du théâtre, de la poésie? On n'est jamais né, on n'est jamais tout à fait au monde, c'est pourquoi il faut croire à un sens de la vie renouvelé par le théâtre, croire à la poésie. Il s'agit — c'est cela la cruauté— de toujours combattre pour la faire prévaloir contre le néant. Cette lutte suppose « la force sempiternelle » qu'Artaud (comme Rimbaud) a toujours recherchée comme l'impossible salut.

Au retour d'Irlande commence la longue période des internements, de l'asile, de la « folie », qu'il faut comprendre comme la consommation du renversement, la radicalisation de l'imaginaire, qu'Artaud a voulu incarner dans sa vie jusqu'à réinventer la vie, jusqu'à refaire la genèse. En témoigne *Van Gogh le suicidé de la société,* écrit à la sortie de Rodez. L'art déduit le sacré du plus quotidien, le poète, le peintre ont meilleure vue, donnent une meilleure lecture de ce qui est autour de nous — et en nous — parce qu'ils ont brisé avec l'espace-temps de la possession, avec l'anthropomorphisme des humanismes. Pour en arriver où? A la correspondance, à l'accueil, à la non-séparation, qui toujours a été le rêve de la poésie et que la cruauté dépossédante accomplit. La folie d'Artaud, c'est le consentement plénier à la métamorphose, à la « force tournante » jaillie et arrachée en plein cœur, à l'altérité radicale, au mouvement-vertige de la présence : « Car bientôt je ne m'appellerai plus Antonin Artaud, je serai devenu un autre, et le Devoir qui m'incombe est redoutable. » En liberté surveillée à Ivry, c'est une période féconde, où la lutte impossible continue pour installer en ce monde — comme il l'écrivait à Breton — « ce grand Rêve qui seul nourrit ma réalité ».

Qu'une telle démarche aboutisse à l'échec, pourquoi s'en étonner? L'imaginaire ne revendique jamais la victoire, le désir est toujours en deçà de la vie. L'important est d'avoir incarné l'impossible — on ne réalise pas l'impossible, l'important est d'avoir confié un jour à Paule Thévenin : « Je n'aime pas les fraises, ce que j'aime c'est le goût des fraises dans les fraises. Je n'aime pas les baisers, ce que j'aime c'est le goût des baisers dans les baisers. Je n'aime pas les cons, ce que j'aime c'est le goût des cons dans les cons. Je n'aime pas les culs, ce que j'aime c'est le goût des culs dans les culs » — on n'atteint jamais l'être —, l'important est d'avoir tout donné à la vie — on manque toujours sa vie. Antonin Artaud, exemplaire, nous montre que la poésie demande l'impossible, qu'incarner l'impossible est vivre la liberté, qu'assumer le paradoxe de la liberté exige un cheminement sans frontières et sans répit :

« *A même*
A même la poésie Antonin...
Pas de frontières
Pas de répit surtout »

comme disait, à sa mort, René Guy Cadou, définissant ainsi la démarche du poète, « prospecteur d'un nouveau monde en proie à une impossible genèse ».

(1966)

LE JUGEMENT ET LA RÉPÉTITION [1]

> « *Et c'est ainsi que Van Gogh est mort suicidé, parce que c'est le concert de la conscience entière qui n'a pu plus le supporter.* »
>
> (ANTONIN ARTAUD, Van Gogh...)
>
> « *C'était une foule, un nombre indéfini de personnes qui n'avaient pas su lui montrer autre chose que leurs yeux morts, leurs gestes inutiles, leur manière imbécile et cupide de vivre... Il lut dans leur regard que ce qu'ils n'acceptaient pas, c'était sa folie, et d'avoir rendu cette folie visible... tous ces gens, sans esquisser un seul geste ni prononcer une seule parole, étaient occupés à le lyncher. Leur silence et leur inertie le lynchaient, leurs faces stupides, leurs attitudes repues, leur raison inexorablement raisonnante, la pitié même qu'il inspirait à quelques-uns, tout cela le lynchait.* »
>
> (MARCEL MOREAU, Le Bord de mort.)

Déloger du lieu du jugement la vie présente, le monde devenu anormal, l' « ordre tout entier basé sur l'accomplissement d'une primitive injustice », la conscience malade qui ne veut pas sortir de sa maladie, la société liguée contre les « investigations de certaines lucidités supérieures », contre la conscience divinatrice, visionnaire qui dérange, désaxe, rend la vie invivable, institutionnalise l'ordre même de la nature. Déloger de l'équinoxe des marées, de la gravitation de la logique, des mœurs et de la nature d'où s'organise toujours la déclaration de folie (affermie par la terminologie des psychiatres) qui empêche de respirer « la conscience lésée », qui décrète le « délire » et alimente « la grande machine du péché ». Car l'ordre naturel et l'ordre moral croisent leur iniquité, la science et la religion complotent ensemble et « salopent » l'innocence des aliénés authentiques [2].

D'où le plaidoyer impossible d'Antonin Artaud qui, du lieu même de l'aliénation « authentique » parle contre l'envoûtement des « bien-portants » le langage des « malades », des spoliés, des enfermés, des suicidés, répétant la parole sans concession (dite hermétique pour mieux l'enfermer dans sa non-audibilité, dans son non-sens, pour ne la recevoir qu'avec un sourire entendu) de Baudelaire, de Poe, de Nerval, de Nietzsche, de Kierkegaard, de Hölderlin, de Coleridge, de Van Gogh et de quelques autres. D'où la condamnation incroyable qui voit le jour : l'enfermement n'a pas lieu que dans les asiles, il y a « la conscience unanime » qui porte son jugement, il y a « la venimeuse agressivité du mauvais esprit de la plupart des gens », la « magie civique », « la formidable oppression tentaculaire » qui apparaît bientôt dans « les mœurs à découvert », l' « unanime saleté » qui entoure, suce, étouffe « les quelques rares bonnes volontés lucides » pour qu'elles ne puissent « émettre d'insupportables vérités », pour que ce soit le silence ou le délire catalogué — le lieu toujours bien clos du jugement.

Dès que la lucidité pointe et va saillir, « la conscience générale de la société » mène son action punitive et, au besoin, « suicide » celui qui voulait s'échapper, ainsi Van Gogh, le suicidé de la société. Elle s'introduit — et infecte — dans le corps de l'homme libre (lucide et chaste), substitue en lui la possession [3] à la liberté, la succubation et l'incubation à l'innocence, l'oubli de soi à « la conscience surnaturelle » et, « telle une inondation de corbeaux noirs dans les fibres de son arbre interne », prend sa place et le jette hors de la seule voie où respirer avait un sens.

Soit maintenant la peinture de Van Gogh, la circulation de sa peinture à l'exposition de l'Orangerie, dans l'aujourd'hui de la vue, de l'ouïe, du tact, du goût réveillés à leur vigueur de perception, à l'éruption des sens. Soit la sortie au jour des « défilés giratoires constellés de touffes de plantes de carmin, de chemins creux surmontés d'un if, de soleils violacés tournant sur des meules de blés d'or pur » — « porte occulte d'un au-delà possible, d'une réalité permanente possible », d'une force de transmutation de la « sordide simplicité », de passionnalisation de la nature et des objets, de déduction mythique « des choses les plus terre à terre de la vie ». Non pas la fable, la divinité, la surréalité, mais « la réalité elle-même,/le mythe de la réalité même, la réalité mythique elle-même, qui est en train de s'incorporer ».

Et, « l'oreille assez ouverte », voici « la grande cymbale, le timbre supra-humain », « abrupt et barbare ». Ainsi éclate la lumière, submergeant les tableaux, qui est le feu des objets pourtant usuels.

Ainsi surprend l'ordre refoulé comme le secret d'un foyer « placé ailleurs », comme l'issue délirante d'une lueur qui fait peur et que la vie étrangle dans la mémoire, dans les yeux, dans le cœur, la vie sécurisante de l'anodin bourgeois qui refuse l'art et le génie, l'œil, la voix artistes de la métamorphose, des psychiatres qui ne peuvent que diagnostiquer la « rébellion revendicatrice » comme une maladie à laquelle un divertissement s'impose, un dérivatif, un oubli « salutaire », pour laquelle il faut fermer « le commutateur de la pensée ».

D'où le *dévoiement* de Van Gogh par le Docteur Gachet (gachette) qui insensibilisait sa sensibilité et tétanisait la mort là où le souffle devait sortir, où l'éruption « délirante » devait chanter. Une fois de plus et encore, oui toujours, la *bonne volonté* du savant, du moraliste, de l'humaniste — du prêtre —, la vengeance de la norme, de la salubrité physique et psychique qui couvre l'horizon de la voix, raréfiant l'espace et rendant vaine la couleur jetée à grands coups de sarcloir entre le champ de blé et le ciel des corbeaux, où, somptueuse et sale, la mort, discrètement, affirme quelque chose de plus ou de moins que le visible désormais [4].

Car le malentendu est là : le projet de guérir, de ramener [5], de sauver « le délirant, illuminé, halluciné », de faussement le « calmer » (de le perdre dans une fatigue étrangère) « au lieu de le suivre dans son délire » ou au moins de regarder sans juger le « rythme compressé, antipsychique d'occulte fête en place publique... remis dans la surchauffe du creuset », de sentir sans rancune le « réel » qui se soulève dans le seul et simple « alignement d'objets naturels et de teintes », dans « la couleur saisie comme telle que pressée hors du tube ».

Mais cette nudité de *fait* (« tête d'épi sur tête d'épi, et tout est dit ») est la limite de la visibilité : la dénudation épidermique de l' « occulte étrangeté [6] », la « couleur roturière des choses » où le réel déborde le réel, faisant jaillir « une force tournante, un élément arraché en plein cœur », le passage de la représentation au surgissement, de la peinture à la musique des atomes [7]. Comme juste après la vue (« L'orageuse lumière de la peinture de Van Gogh commence ses récitations sombres à l'heure même où on a cessé de la voir »).

Rien de plus que des tournesols, qu'un ciel orageux, qu'une plaine « en nature ». Rien de plus que la peinture, mais « tous les lamas rassemblés du Thibet peuvent secouer sous leurs jupes l'apocalypse qu'ils auront préparée », mais sa figure « rouge de sang, dans l'éclatement de ses paysages..., dans un embrasement,/dans un bombardement,/ dans un éclatement,/vengeurs de cette pierre de meule » qu'il porta, fou, « toute sa vie à son cou./ La meule de peindre sans savoir pourquoi ni pour où ». Comme hors de la peinture, et pourtant dans son seul espace, « la pure énigme de la fleur torturée, du paysage sabré, labouré et pressé de tous les côtés par son pinceau en ébriété ». Devant nous, devant Artaud qui voit « comme de l'autre côté de la tombe d'un monde où ses soleils en fin de compte auront été tout ce qui tourna et éclaira joyeusement ».

Rien de plus et pourtant de trop. De trop l'accompagnement, l'opéra de l'appartenance, l'entrée dans le « coudoiement naturel des forces qui composent la réalité », le rayonnement et la rutilance, le « fulminate », le « volcan mûr », « la pierre de transe », le « bubon », « la tumeur cuite », « l'escharre d'écorché » et « le vertige comprimé ». De trop l'absence d'âme, d'esprit, de conscience, de pensée — « rien que des éléments premiers tour à tour enchaînés et déchaînés ». De trop la folie du dépouillement, « le péché de *l'autre* » (la terre qui a la couleur d'une mer liquide), le regard « vissé » qui « enfonce droit » — « le moment où la prunelle va verser dans le vide » — et délivre le corps de l'âme, « des subterfuges de l'esprit ».

Et pour ne pas être de reste avec ce surplus gênant — ce manque, ce vide aspirant, cet infini-néant —, l'esquive est d'invoquer le spirituel, la famille, la santé, l'histoire de l'art, le marché [8], comme Théo parlant de son fils (une bouche de plus à nourrir), le Docteur Gachet de délire, vous et moi d'expressionnisme et de symbolisme avec le goût de la culture et l'air convenu des catalogueurs, de défiler devant les toiles de l'Orangerie et d'ailleurs [9], regardant sans voir, jugeant sans vaciller, sans répéter avec ses yeux et son corps, sa musique et sa lumière, son refus et sa joie les rythmes où bascule le normal, sans trouver au sortir du musée, dans la rue, tombée, « une énorme pierre blanche comme sortie d'une éruption volcanique récente », sans être le mime et l'écart, l'image et la nudité.

POST-SCRIPTUM

D'où l'impossibilité de s'en tenir encore à une critique du jugement, à l'instance de l'humanisme bourgeois [10] (comme à la production des décodeurs de la « Révolution Culturelle »). Artaud est *à côté* du savoir et du salut, près de l'infini *actuel* de Van Gogh, près du « nœud de sang » de tous ceux qui lui ont tordu le cou à force d'instances, de mots d'ordre et d'étiquettes. Qui ne répète pas le congé de la culture, qui ne se *désenvoûte* pas, gagnant la solitude des yeux et du corps — où le partage commence, où le souffle et l'espace se réapprennent —, se trompe de langue et de vie.

Artaud sape l'estrade de l'exposé. Van Gogh efface le tracé à la craie sur le tableau noir du cours magistral. Les corbeaux, les tournesols, le visage à l'oreille cassée, les ifs, les blés, le soleil de deux heures, la chambre de bénédictin, le fauteuil et le bougeoir, le café de nuit couleur de fond de mort, le semeur, le Père Tranquille envahissent et prolifèrent. Artaud lâche la « glossopoïèse » :

« KOHAN
TAVER
TINSUR
Pourtant »

et le Popocatepetl gronde dans ma gorge, en retrait de paroles, près de la voix rauque et du cri de la musique [11] du retour.

(1974)

NOTE

1. Autour de *Van Gogh le suicidé de la société* (k éd., 1947).

2. « Et qu'est-ce qu'un aliéné authentique?/C'est un homme qui a préféré devenir fou, dans le sens où socialement on l'entend, que de forfaire à une certaine idée supérieure de l'honneur humain. »

3. « Car c'est la logique anatomique de l'homme moderne, de n'avoir jamais pu vivre, ni pensé vivre, qu'en possédé. »

4. Une richesse du malheur, un mélange de vin et d'aigreur, de funèbre et de luxe (« couleur de musc, de nard riche, de truffe sortie comme d'un grand souper » et en même temps « comme excrémentiel des ailes des cor-

beaux surpris par la lueur descendante du soir »), de faste et de fange (« où la couleur lie-de-vin de la terre s'affronte éperdument avec le jaune sale des blés »), « de naissance, de noce, de départ », d'accumulation et d'apocalypse. Comment le regard *honnête* pourrait-il recevoir la somptuosité et le calme, le tournoiement et la détresse, les ténèbres et la lumière et accompagner la mort, lui qui ne connaît ni la fièvre ni la santé, mais la fadeur d'un monde en cage supporté et consolidé?

5. C'est-à-dire de procéder à l'échange, de le vider de son vide et de son plein pour le *posséder* corps et bien. La culture est l'envoûtement, les psychiatres et les esthètes, les « amis » et l'ordre du Vrai et du Bien envoûtent le sans-pareil. A force de « prévenances », de visages laids, de paroles insipides, de sucreries nauséabondes, le désespoir excède le désespoir et le seul air possible semble être la mort.

6. Pas d'hermétisme pourtant. Pas de passage au mythe, au symbole, d'agrandissement des choses, de sublimation mais la lisibilité du mythe dans le terre-à-terre, seulement la lettre de l'apparence (ni savoir ni salut résolument). Pas d'arcanes, mais la recollection de la nature, « l'unique scrupule de la touche sourdement et pathétiquement appliquée ». Ainsi une « nature vraie » à côté de la reproduction et à côté de la peinture, « coup de massue » frappant « toutes les formes de la nature et les objets ». Peignant dans l'inertie la convulsion, c'est-à-dire le dehors de l'apparaître, éventrant le visible, pour le vider de toute intériorité, montrant la transmutation à l'œil qui ne peut plus qu'aller à la rencontre de ce qui l'exorbite et l'aveugle — et tout cela dans la peinture, dans la simplicité du motif, où se recommence le paysage, où l'identique reprend au creux de lui-même l'identique, dans le battement — qui est tout l'art — du discontinu.

7. « Tout cela au milieu d'un bombardement comme météorique d'atomes qui se feraient voir grain à grain... »

8. «... dans une galerie de peinture, dans un de ces locaux où l'on vend à la criée des tableaux peints, où l'on vend des suées d'hommes, des transpirations de suicidés, qui sorties de la crispation de la main, des doigts raidis du pauvre Van Gogh sur son pinceau ne sont plus que du : /ça vaut tant. » (*Lettres à André Breton*, in *L'Ephémère*, n° 8).

9. « ...et les mêmes, qui à tant de reprises montrèrent

à nu et à la face de tous leurs âmes de bas pourceaux, défilent maintenant devant Van Gogh à qui, de son vivant, eux ou leurs pères et mères ont si bien tordu le cou. »

10. « ...mais il y a l'effarante dissimulation psychologique de tous les tartuffes de l'infamie bourgeoise, de tous ceux qui ont eu à la longue Villon, Edgar Poe, Baudelaire, et surtout Gérard de Nerval, Van Gogh, Nietzsche, Lautréamont. » (*Lettres à André Breton*).

11. « ... mais qui serait/par *le fait même,*/un formidable musicien. »

TAC-TIC
DE LA RÉVOLUTION CULTURELLE

Un colloque, c'est un ensemble de voix, un pluriel assemblé dans et par sa dissémination. Mais c'est parfois aussi un centre, une volonté d'ordonner, de réactiver l'histoire, ses figures et ses signes (ici Artaud, Bataille), dans un certain sens qu'il s'agira de lire déjà dans le passé, de dégager de tout ce qui n'est pas lui encore. Pour cette *purification* d'Artaud et de Bataille, pour ce coup de force ordonnateur de la lecture rétrospective-prospective, il fallait un maître de ballet, un metteur en scène assez pur pour ne pas s'embarrasser de la nuance petite-bourgeoise, assez convaincu de sa « mission » révolutionnaire pour ramener tout à cette voix — à sa voix.

Prendre la parole

Sollers est ce général qui met au pas dialectique et maoïste tous les hétérodoxes et les petits fauteurs d'écart. Il parle, il parle, dans ses communications (c'est bien normal), après chaque communication, refaisant l'exposé, redressant les développements, remettant sur leurs pieds les dialectiques trop idéalistes, coupant la parole, la redonnant un (petit) temps, la reprenant aussitôt, distribuant les bons et les mauvais points, s'étonnant pour finir qu'il n'y ait pas plus d'interventions, qu'après qu'il s'est substitué à Artaud, personne ne pose de questions sur Artaud (comme si le silence n'était pas la seule réponse à ce matraquage pontifiant-idéologisant-délirant, à la frustration ressentie par la double confiscation d'Artaud ou de Bataille et de la parole de/sur Artaud ou Bataille).

Donner le ton

Pourtant ce que dit le maître du jeu n'est pas dépourvu d'intérêt, est même souvent passionnant, force à remettre en question. En simplifiant, je pourrais dire que ce n'est pas tant ce qu'il dit qui fait problème que l'envahissement de sa parole, que son narcissisme impudique, son allergie à l'humour (en témoigne autrement « l'affaire » Denis Roche), que le ton du discours, l'incroyable sérieux de bas-bleu révolutionnaire.

Le ton perturbe la communication, non pas qu'il conduise à la subversion (l'irruption du nom propre, l'intrusion du sujet dans le savoir), mais parce qu'il détonalise l'avènement qu'il prétendait annoncer, qu'il désactive ce qu'il pensait réactiver et fait subir une baisse de tension à ce que la parole d'Artaud et de Bataille matériellement disait. Soit qu'il tombe dans l'outrance mimétique de l'histrion, voulant faire éclater le nom propre pour en empêcher l'appropriation — et, ce faisant, renforçant le sujet, le sujet Sollers qui jongle avec les mots et se rend maître d'un autre langage, volontairement composite, brouillé, où Bataille, mais surtout Artaud, devient de la littérature, de l'insupportable littérature.

Soit qu'il prenne la voix professorale et prêchi-prêchante du théoricien. Mais ici Sollers est battu d'un diapason par l'ineffable Kristeva qui remonte au déluge pour immerger Artaud et Bataille dans son savoir et inonder les auditeurs (et les lecteurs) de son flux salivant. Intelligent, certes très intelligent, mais à côté, autour, prétextant Artaud, Bataille, n'importe qui, pour mettre au point le petit système sémiotique et jouir de ses formules sans se soucier si elles sont ou non opérantes (ce que remarque justement François Wahl). Si la tentation savante de Sollers est Kristeva, avec cette modulation-là de la voix, l'énergétique est encore plus dissolu. La grosse caisse conceptuelle couvre les cris d'Artaud et l'ivresse riante de Bataille, plus encore que les jeux de mots ou les gros mots de l'histrionisme. Entre les deux Sollers hésite (le ton histrionique est plutôt réservé au discours sur Artaud, sauf quand on le chinoisise, le ton savant à Bataille, qui se prête peut-être mieux qu'Artaud aux délires théoriques). Seule la modestie est commune aux deux registres de la voix : tout se dit « simplement » (la répétition de ce mot dans un contexte qui semble plutôt le rendre inopportun est un exemple d'une rhétorique du comique — involontaire — chez Sollers et Kristeva).

Montrer la voie

Un colloque sur Artaud/Bataille? Sans doute. Mais aussi un colloque sur ce que Sollers a dit, pensé, prescrit sur Artaud et Bataille. Ici, la référence est de rigueur. Cela donne une dialectique du compliment (car le maître, grand prince, rend les compliments), cela donne une guirlande de fleurs, où tous les protagonistes de la Révolution culturelle se retrouvent, associés dans la même importance. A force de se distribuer les épithètes : « force particulière », « intelligence du texte », « *texte historique* », il n'y a plus que les autres qui sont des imbéciles, ceux qui restent à l'écart de cet échange de (bonnes) paroles ou qui enfreignent le code, n'entonnant pas l'air du matérialisme dialectique et de la « pensée Mao Tsé-toung », n'associant pas Artaud et Bataille à la révolution en cours sous leurs yeux. Que réserver à ces « idéalistes » indécrottables, sinon le refus d'entendre la question, la feinte de ne pas se sentir concerné par elle (Lamarche-Vadel), la moquerie (Wasmund), la censure et l'exclusion (Denis Roche), au mieux la disputation « amicale » pour lever ce qui ne peut être qu'un malentendu?

Qu'ont donc en commun ceux qui s'entrelouent? De quoi se louent-ils? D'être des révolutionnaires qui découvrent chez Artaud et Bataille le ferment de la révolution rouge, une sorte de prémodèle du matérialisme révolutionnaire Mao Tsé-toung. La démonstration de la véracité de ce rapprochement, voire de cette annexion, est faite de la manière la plus explicite et la plus définitive par Henric dans sa communication *Artaud travaillé par la Chine* (dont il faut souligner la remarquable seconde partie sur la langue, la famille et le sexe). « Ce que l'auteur des *Lettres du Mexique* était venu chercher sur une terre indienne et qu'il parut désenchanté de ne pas vraiment trouver... n'est-ce pas aujourd'hui, demande Henric, un événement comme la Révolution culturelle prolétarienne en Chine qui le réalise? » A quoi l'on pourrait facilement répondre que ce n'est pas parce qu'Artaud écrivait : « Nous attendons du Mexique, en somme, un nouveau concept de la révolution », qu'il s'agit là déjà, en puissance, de la forme qu'a prise plus tard la révolution chinoise. Nous sommes au moins ici en pleine hypothèse, en pleine vue rétroactive de l'histoire. Qu'il y ait chez Artaud (comme chez Bataille dans une autre mesure) une aspiration et une force révolutionnaires, c'est bien évident, qu'il y ait chez l'un et l'autre un matérialisme — encore qu'il soit assez ambigu et d'une ambiguïté différente —, cela aussi est incontestable, qu'il y ait enfin chez Artaud la tentation d'un autre espace culturel (Mexique, Chine), c'est encore vrai. Mais cela ne veut pas dire que la révolution, le matérialisme, l'autre espace culturel préfigurent la Révolution culturelle prolétarienne en Chine! L'affirmer n'est possible que par le coup de force idéologique de la lecture, qui lit dans le texte ce qui a été programmé hors de lui, qui récupère ce qui ne lui était peut-être pas destiné (car Artaud et Bataille — soyons-en sûrs — eussent rué dans les brancards, ri du rire majeur, apostrophé tout ce sérieux de l'esprit, démantelé tout cet ennui bavard et cette mondanité colloquante qui se porte vraiment trop bien pour être honnête).

L'équivoque

Toujours est-il que le Artaud de Henric (comme dans une certaine mesure le Bataille d'Houdebine) traduit bien la vision et la visée politique de ce colloque avant-gardiste et révolutionnaire : celle d'un écrivain engagé qui a opéré en plein surréalisme un retrait « tactique » qui constitue « une avancée révolutionnaire dans une stratégie globale, à long terme » (*sic*). Le parallèle Mao-Artaud esquissé par Henric est de l'ordre du collage : il aligne les unes derrière les autres des phrases des deux « penseurs », hors de tout contexte. A ce compte-là, tout veut tout dire et rien ne veut rien dire.

L'équivoque du colloque vient de ce type de lecture téléguidée, de ce regard prévenu (plutôt que prévenant), préjugeant, prédéterminant. L'équivoque, c'est de donner pour analogue (ou au moins pour un prolongement) ce qui n'est sans doute pas du même ordre philosophique et politique. Il n'y a pas de traduction d'une pratique à l'autre et les analogies valent toujours ce qu'on veut bien qu'elles valent. Toute mise en savoir, toute idéologisation est un mensonge.

Le risque d'écouter

Ce qui ne veut pas dire que la culture soit tabou, qu'Artaud et Bataille soient protégés par l'ineffable. Scarpetta a raison de dénoncer là une « vieille ruse idéaliste » qui nous détourne des questions qu'ils nous posent « avec urgence ». D'où la difficulté de parler et l'impossibilité de se taire. Mais qu'au moins cet écart soit reconnu (Scarpetta est à peu près le seul, avec Pleynet, à le faire pour Artaud; Barthes, Hollier et Baudry pour Bataille) et maintenu sans le résorber ou le positiver, le transformer en réponse, en norme révolutionnaire (car il y a aussi un *ordre* révolutionnaire auquel ni Artaud, ni Bataille n'ont jamais adhéré). Et ce maintien — oserai-je dire cette fidélité — n'est qu'au prix du risque : le risque d'écouter. « *Mais risquons au moins d'ECOUTER ce que dit Artaud* », demande Scarpetta, terminant son commentaire par la lecture d'un texte d'Artaud, rendu ainsi à son avenir, à la liberté de l'écoute.

De tels instants, bien que rares, existent aussi

dans ce colloque paradoxal et, comme le dit Sollers, imposible. Ni neutre, ni délirant ou prétentieusement savant, passionnément ouvert, parfois le discours rejoint le soulèvement même de la parole et ouvre la spirale sur son orbe infini. Parfois le pluriel est affirmé (par Sollers même). Que nous sommes loin alors du texte branlant de Guyotat, du commentaire castrateur de Xavière Gauthier ou de la pensée trouée de Kutukdjian, loin du délire scatologico-scientifique et même loin du tic-tac idéologique. Près de la différence qu'il n'aurait jamais fallu perdre de vue.

(1973)

NOTES

1. A contre-courant d'un colloque démagogique (*Vers une révolution culturelle : Artaud, Bataille*).

L'IRRESPONSABILITÉ POÉTIQUE ET LE JOUR SERVILE

Si Dieu est mort, nous dit Nietzsche, il faudra payer pour cette perte. L'impossible est le prix, répond Bataille. Il est difficile de comprendre cette réponse. Mais il faut se persuader qu'il s'agit d'autre chose que de verbalisme. Bataille dit d'ailleurs dans l'avant-propos de *La Littérature et le mal,* qu'il faut peut-être se méfier d'une clarté de la conscience qui ne serait pas d'abord passée par le tumulte, d'une cohérence qui n'aurait pas eu d'abord le visage voilé du lyrisme. La mort de Dieu et l'impossible qui s'y substitue sont bien des vérités de la nuit dont s'empare l'inquiétude, en même temps que la joie, et qu'un esprit froid, compassé, imperturbablement raisonneur manquerait. L'objet même de la connaissance demande ici du sujet connaissant une sorte de participation qui n'exclut pas — c'est là toute la difficulté — le recul nécessaire à la réflexion, demande d'être à la hauteur de son vertige sans toutefois y succomber. On ne comprendrait pas la mort de Dieu si on ne livrait parfois notre pensée à l'excès qu'est cette mort, aux profondeurs abyssales qu'elle ouvre :

« *Nous ne pouvons nous en remettre aveuglément à la passion... mais la générosité dépasse la raison, et elle est toujours passionnée. Quelque chose est en nous de passionné, de généreux et de* sacré *qui excède les représentations de l'intelligence : c'est par cet excès que nous sommes humains. Nous ne pourrions que vainement parler de justice et de vérité dans un monde d'automates intelligents... la vérité se donnerait-elle à qui ne l'aimerait pas jusqu'au délire?* »

C'est du rapprochement puis de la coïncidence de la violence (de la passion, du lyrisme) et de la raison que pourra naître une pensée assez vivante (dionysiaque) et assez mesurée (apollinienne) pour éclairer les expériences extrêmes et décisives de la vie, celles de l'extrême du possible où se joue la vie. C'est bien ce que Bataille indique lorsqu'il écrit : « ma lucidité ne serait pas si mon délire était moins grand » ou encore : « l'expérience intérieure lucide, c'est tout le problème : comment exercer *fureur* et *lucidité* ». Qu'un tel exercice soit possible, qu'une telle pensée existe, l'œuvre de Georges Bataille en témoigne, qui exalte dans une éthique de la transgression et de la souveraineté, de la dépossession et de l'*amor fati* le paradoxe d'une pensée qui ne veut pas se clarifier aux dépens de sa part d'ombre mais qui, bien au contraire, l'éclaire par la nuit (la nuit rendue égale au jour, car « midi c'est aussi minuit » et qu'à un certain point de la pensée, l'unité des contraires soudainement apparaît, inexprimable et irréductible).

Un parti pris de lucidité, une rage de l'interrogation conduit Bataille dans ses investigations éthiques :

« *QUE PEUT FAIRE EN CE MONDE UN HOMME LUCIDE?*
PORTANT EN LUI UNE EXIGENCE SANS EGARDS. »

Cette question, il la porte en lui « comme une charge explosive » et il décide de la vivre jusqu'au bout, sans tricher, c'est-à-dire sans se mentir : sans sublimer, sans réduire le questionnement à une réponse rassurante qui nous défait de notre finitude, qui nous délivre de l'inconnu et nous promet la béatitude éternelle ou le bonheur édulcoré et naïf de la morale servile. En ce sens, l'éthique de Bataille, qui opte pour la souveraineté, refuse peut-être le bonheur facile, mais c'est au nom de la joie lucide, qui tire de son face à face avec *ce qui est* et de son rejet de tout au-delà les raisons de son exaltation et de son rire.

Ainsi avec Bataille — comme déjà avec Nietzsche — la philosophie redevient l'amour douloureux et ravi, terrifié et fasciné de la vie. Avec lui, la philosophie redécouvre la sainte précarité de la vie et se fait « apothéose de tout ce qui est périssable », apothéose même de la mort, car « *la joie devant la mort* signifie que la vie peut être magnifiée de la racine jusqu'au sommet ». Mais elle n'appartient vraiment « qu'à celui pour lequel il n'est pas d'*au-delà*... intellectuel ou moral, substance, Dieu, ordre immuable ou salut ». Avec lui, la philosophie magnifie l'intégralité de la vie qu'a toujours refusée la loi morale. Aimer l'homme, le vouloir libre, ce sera donc se dresser contre tous les ennemis, contre tous les réducteurs de la vie. Ce sera dénoncer la morale de l'avarice, de la prudence, du calcul, de l'utilité, de l'obéissance à la règle, en un mot la morale du *bien* (dc l'homme bon, disait Nietzsche) et lui opposer l'éthique de la générosité, de l'exubérance, de la gratuité, de l'inutilité, de la révolte ou de l'irrégularité, en un mot, du *mal* (de l'immoralisme).

Revenons un instant sur chacun de ces termes qui caractérisent tantôt la morale de la production, tantôt l'éthique du gaspillage ou de la transgression. Il ne s'agit pas tant, dans l'esprit de Bataille, d'opposer deux morales, deux systèmes que de montrer la complémentarité de deux démarches, toutes deux essentielles à la vie, mais que les hommes *bons* ne peuvent tolérer côte à côte et qu'ils appellent alors, d'une manière discriminatoire, bien et mal. Bataille demande qu'à côté du temps profane, du temps du travail et des interdits qui sauvegardent la collectivité, l'homme sache « qu'en lui une part irréductible, une part souveraine échappe » qui n'a pas moins de valeur. Cette « part maudite » est, au contraire, « réservée à ce qui, dans une vie humaine, a le sens le plus chargé ». Si le monde du *bien* manque de générosité, c'est justement parce que le souci de l'avenir, propre au travail, « exalte l'avarice » et « condamne l'imprévoyance qui gaspille », la jouissance de l'instant présent. Au contraire, le monde du *mal* nous ouvre à la « divine ivresse » qui est en entier dans le présent, dans la jouissance de l'instant, dans l'incurie des calculs de la raison. L'exubérance, indifférente à la durée, conduit à vivre dangereusement, ainsi que le demandait Nietzsche, dans la rupture de la règle et de l'ordre, dans l'anarchie de l'imprévu, attiré par la mort qui est « le signe de l'instant », « la fin dernière et l'issue de tous les calculs ». Evidemment, elle ne sert à rien, elle est une consommation inutile. Mais son inutilité même fait, selon Bataille, sa souveraineté, alors que la production, l'utile est le subordonné, le servile. Le gaspillage des forces n'est pas insensé, c'est bien plutôt la productivité comme fin qui est un non-sens. Et c'est l'immoralité de la morale, le « crime de lèse-majesté contre la vie », que de toujours appeler l'utilité, la logique, le bien contre la dépense, la passion, l'excès. On se souvient de la critique nietzschéenne, que nous retrouvons presque identique chez Bataille : « L'homme de la moralité condamne l'énergie qui lui manque », il privilégie les vertus par « conformisme peureux », par crainte du désordre que suscitent l'inutilité, le gaspillage. C'est pourquoi la morale bourgeoise est un formalisme, une morale affadie, qui a négligé ou méconnu le « ressort secret » de l'éthique qui est la transgression, la mise en jeu toujours possible de son existence. Mais ce dynamisme de l'éthique, ce passage du clos à l'ouvert, comme disait Bergson, du bien (la règle, l'interdit) au mal (la transgression) est refusé par l'homme *bon,* pour qui le bien est la soumission, l'obéissance — sans doute rationnelle, c'est-à-dire utile, mais liée au caractère relativement fermé de la règle.

Rien de moins anarchique, en un sens, que la pensée de Bataille. Il ne s'agit pas de nier la règle, la servitude et de faire sauter le monde du bien, pour faire prévaloir l'autre, celui de la liberté souveraine. Si cela pouvait réussir, si la liberté triomphait, l'irrégularité deviendrait la règle, le mal le bien, le sacré le temps profane. Telle est l'impasse de la transgression illimitée, de la liberté absolue : elle sombre dans l'insensibilité. D'où la nécessité de sauvegarder la règle, l'ordre, l'interdit, pour préserver la transgression, la liberté elle-même qui tient son sens et sa force de son pouvoir d'anéantir et donc aussi de l'interdit (du bien) avec lequel elle a partie liée. On comprend maintenant la formule de Bataille : « La transgression... lève l'interdit sans le supprimer » et on reconnaît le caractère hégélien de cette opération, l'*aufheben* qui dépasse en maintenant. On aperçoit enfin le caractère paradoxal de l'éthique véritable, qui est un « jeu d'oppositions fascinantes » entre la loi et la violation de la loi, entre la vénération et la profanation étrangement mêlées. Ainsi, pour donner un exemple, « nous vénérons, dans l'excès érotique », selon Bataille, « la règle que nous violons ». Nous sommes aussi loin, on le voit, de l'anarchie du mal que du manichéisme du bien. Le mal renvoie au bien et le bien au mal, qui mutuellement se repoussent et s'attirent, éclairant le sens de notre action, tour à tour fidèle et révoltée.

Rien d'étonnant dès lors si la souveraineté échoue puisqu'elle réclame l'échec, que ne pas échouer — ou réussir la liberté — c'est retomber dans le monde non dialectique du bien, c'est vider de son sens le mouvement de libération de la liberté. La souveraineté est insaisissable, on ne peut l'approcher que si on renonce à la raison utilitariste qui voudrait la posséder comme un objet :

« *Une pesanteur aliène toujours dans le sens de l'utilité la souveraineté proposée... la souveraineté n'a pour elle que le royaume de l'échec.* »

On dira que Bataille se fait l'avocat d'une cause perdue, qu'il n'y a pas lieu de s'interroger sur ce qui est impossible, de se complaire à un leurre. Bataille reconnaît que « jamais nous ne pourrons *être* souverains ». Alors à quoi bon? C'est que, dans une certaine mesure, « l'impossible est levé si la lutte est possible » et qu' « à la souveraineté dont nous parlons, il nous est possible de tendre... à la grâce de l'instant » si une *chance* nous est donnée. La chance de celui, qui s'étant mis en jeu, se trouve et trouve sa chance. Chance que personne, en vérité, n'oublierait si nul ne refusait de se mettre en jeu et si chacun cessait de « se comporter en infirme » qui se fait une gloire du travail nécessaire et se laisse « émasculer par la crainte du lendemain ». Cependant, la chance ne dépend pas de notre recherche attentive et volontaire. Le relâchement et l'excès d'attention nous en éloignent également, car la volonté relève de la logique du bien, de la pensée possédante, alors qu'on ne peut posséder ni la souveraineté ni la chance qui y conduit et que ce sont, au contraire, des « moments de disgrâce » que ceux « où la pensée de la souveraineté nous engage à la saisir comme un bien ».

L'échec de la souveraineté, qui est aussi sa dérisoire puissance — une puissance sans pouvoir — apparaît clairement si on considère une des *opérations souveraines* citées par Bataille : la poésie. Si rien n'est souverain qu'à la condition de « ne pas avoir l'efficacité du pouvoir », c'est-à-dire de ne pas se subordonner aux exigences et aux espoirs de l'action (« primat de l'avenir sur le moment présent, primat de la terre promise », principe hors de question du sérieux des tâches), la poésie est proche de la souveraineté. Mais si tous les buts « également vides de sens » sont tenus pour un leurre, si toute action, tout avenir aliène le poète qui se voudrait souverain, seule reste pour celui-ci une liberté inorganique et irresponsable, qui n'ordonne pas la nécessité collective. « La poésie peut verbalement fouler aux pieds l'ordre établi, mais elle ne peut se substituer à lui ». Certes, elle peut, grâce à l'anarchie des images, « anéantir l'ensemble des signes qu'est la sphère de l'activité » et exprimer ainsi dans « l'ordre des mots les grands gaspillages d'énergie » et une souveraineté sur laquelle « rien ne mord ». Mais cela faire n'est pas changer le monde, seulement l'ordre des mots. Attitude souveraine, mais aussi attitude mineure et puérile, la liberté poétique est un pouvoir d'enfant et, pour l'adulte « engagé dans l'ordonnance obligatoire de l'action », un rêve, un désir, une nostalgie, une hantise. Le passage de la poésie à la révolution met, selon Bataille, la poésie au service de la révolution. C'est tout le dilemme du surréalisme devant le communisme, de la souveraineté *pure* mais inefficace et de la servilité stratégique et *impure* des moyens à mettre en œuvre en vue d'une fin. La poésie n'est souveraine que si elle est révolte et non révolution (exercice du pouvoir). « L'authentique souveraineté refuse » : la poésie est une contestation sans pouvoir. Mais alors elle est arbitraire, capricieuse et donc facile? Que risque en effet le poète souverain? Bataille répond : d'abord la poésie n'a aucun droit (« le droit est la chose de l'action, l'art est sans droit contre l'action », dit Blanchot), elle ne revendique pas « le privilège du sérieux », ensuite l'opération souveraine expie l'autorité qu'elle se donne. Le prix payé par la liberté poétique n'est pas imaginaire : vivre souverainement engage à un certain mode de vie, qui est loin d'être un rêve verbal et protecteur. Si l'opération souveraine n'expiait pas l'autorité, « elle chercherait l'empire, la durée. Mais l'authenticité les lui refuse : elle n'est qu'impuissance, absence de durée, destruction haineuse (ou gaie) d'elle-même, insatisfaction ». En effet, la souveraineté, la liberté, la poésie ne peuvent « réussir ». D'où ce mouvement d'autodestruction et d'insatisfaction auxquelles elles sont vouées et auxquelles elles vouent. « La vie puérile, le caprice souverain, sans calcul, ne peuvent survivre à leur triomphe. »

Pourtant la tentation est toujours présente d'installer mieux la souveraineté dans le monde qui poursuit un but, de la rendre fonctionnelle, et par conséquent raisonnable, de la débarrasser de sa gratuité, de son excès inutile et inefficace. Car à quoi sert-il d'affirmer que « je suis, dans le sein d'une immensité, un plus excédant cette immensité », puisque l'englobant que je prétends être finit toujours par être englobé, puisqu'on n'échappe jamais à la nature qu'on veut excéder par un saut, puisqu'on est défini par des lois immuables? A rien, sinon à affirmer désespérément, contre tous les déterminismes l'en-dehors de la loi :

« *Le cœur est humain dans la mesure où il se révolte (ceci veut dire : être un homme est ' ne pas s'incliner devant la loi '). Un poète ne justifie pas — il n'accepte pas — tout à fait la nature. La vraie poésie est en dehors des lois.* »

Cependant l'échec d'un tel mouvement est toujours clairement affirmé par Bataille :

« *Mais la poésie, finalement, accepte la poésie. Quand accepter la poésie la change en son contraire (elle devient médiatrice d'une acceptation)! je retiens le saut dans lequel j'excéderais l'univers, je justifie le monde donné, je me contente de lui.* »

D'où cette conclusion : « Je m'approche de la poésie : mais pour lui manquer... l'excès s'insère à la fin dans l'ordre des choses. » Mais Bataille d'ajouter : « Je mourrai à ce moment-là. » Ainsi la vie est définie comme la protestation insensée contre l'insertion de l'excès dans l'ordre. Vivre souverainement, c'est protester, jusqu'à la mort, contre la réduction de la « part maudite », contre la dépassionnalisation de l'homme. D'où ces phrases d'allure et d'esprit très surréalistes :

« *La poésie qui ne s'élève pas au non-sens de la poésie n'est que le vide de la poésie, que la belle poésie. La poésie... est... la simple évocation par les mots de possibilités inaccessibles. La poésie ouvre la nuit à l'excès du désir. La nuit laissée par les ravages de la poésie est en moi la mesure d'un refus — de ma folle volonté d'excéder le monde.* »

Phrases où l'insatisfaction et l'échec sont unis au désir fou, à l'*amor fati* (car qui ne reconnaît, à ces définitions de la transgression, de la souveraineté et de la poésie, l'*amor fati* de Zarathoustra?). L'insatisfaction et l'échec, qui sont les figures nocturnes de la passion, du désir, nient, dans la poésie, la limite des choses pour nous rendre à son absence souveraine de limites. On pourrait parler ici de transcendance — d'une transcendance qui conduit à l'inconnu, à la mort, non à Dieu ou à la raison :

« *La poésie jamais ne cesse de nous jeter passionnément* hors de nous *en de grands élans où la mort n'est plus le contraire de la vie.* »

Le lieu où mène la transcendance, la transgression n'est pas le je introverti, dont parle Jung, qui ramène la poésie « à la hantise de ses sentiments personnels », mais un au-delà du moi qui ne peut accéder à la pensée de l'*amor fati* qu'en se dépossédant.

L'*amor fati* est une pensée dépossédante, ce qui veut dire qu'elle est d'abord une pensée qui renonce à posséder l'objet de sa connaissance (comme le veut l'utilitarisme rationaliste), ensuite une pensée — si cela peut se concevoir — indépendante du sujet qui la pense, une pensée peut-être inhumaine (surhumaine disait Nietzsche), qui parvient si bien à ne plus compter avec le « moi », qu'elle peut donner son accord à la loi dispendieuse de la nature, c'est-à-dire à la mort. Ainsi Bataille peut dire que l'érotisme est une dépossession, l'érotisme qui, pour lui, est essentiellement approbation de la vie jusque dans la mort. La passion érotique, poétique, la pensée dionysiaque, l'*amor fati* dépossèdent pour rendre l'être, l'excès de ce qui est :

« *C'est toujours la mort — tout au moins la ruine du système de l'individu isolé à la recherche du bonheur dans la durée — qui introduit la rupture sans laquelle nul ne parvient à l'état de ravissement. Ce qui est retrouvé est toujours en ce mouvement de rupture l'innocence et l'ivresse de l'être.* »

L'être devant lequel l'homme dépossédé, l'homme dénudé se trouve, est, dit Bataille, d'une « impénétrable simplicité ». Il se découvre dans un instant de plénitude où rien ne compte « que l'instant même », dans un instant invivable plus longtemps, qui ne peut parvenir à la durée et qu'il faut bien nommer *extatique*. Cet instant est la chance. Mais la chance est impersonnelle — comme l'appel heideggérien —, elle conduit à la dépossession et à l'*amor fati.* Et le mouvement de la chance, le mouvement de la dépossession est inexorable : il faut s'abandonner à lui comme à l'irrémédiable, à la grâce — mais il n'y a pas ici de récompense, pas de Dieu, seulement le *rien,* seulement la mort. Pourtant la violence de ce mouvement n'est pas le laisser-aller de l'instinct; il y a en lui une rigueur qui effraie, qui accorde l'homme, au-delà des deux temps de l'interdit et de la transgression, « avec son propre déchirement... avec la mort, avec le mouvement qui l'y précipite » et le retourne « sans échappatoire à la totalité de la destinée humaine ». Cette rigueur qui oblige, cette fascination qui lie est la souveraineté sans limites, la mort qui attire l'homme libre et réalise la liberté inutile.

Et cela est incompréhensible, cette horrible attirance, cet amour inouï, cette joie que Bataille appelle « jubilation tragique ». Incompréhensible comme l'est déjà, dans une moindre mesure, l'autre, l'étranger, comme l'est plus fortement l'inconnu, l'*Unwissenheit um die Zukunft,* dont parle Nietzsche. Mais, dit Bataille, « c'est ce que je porte d'inconnu en moi-même qui me fait moi », c'est au fond de ma nuit que réside le secret et la simplicité qui me lient décisivement aux autres et au monde. Et cela, mon incompréhensible liberté le pressent plus qu'elle ne le comprend car elle vit « au bord des limites où toute compréhension se décompose ». Mon étrange et souveraine liberté, plus que la raison rassurante ou indifférente, me conduit à voir en face l'absolue finitude de l'homme — si souvent travestie —, sa non-reconnaissance et sa gratuité, son ignorance et son impuissance — presque toujours déguisées —, son absence d'issue. Et, malgré tout, elle me pousse à ne pas me tenir aux limites que je ne peux éviter, à l'échec que je ne veux sublimer, mais à être « la sauvage impossibilité », l'absurde et lucide défi, « expression d'une sagesse sans espoir » et cependant non résignée, non lavée du désir qui a survécu à l'angoisse et à la désillusion.

Ainsi la souveraineté mène, par-delà l'insatisfaction de la recherche, le désespoir de son inanité, au désir de désirer, à l'inassouvissement :

« *A la vérité, tu aspires à la nuit... Mais la mort ne peut être possédée : elle dépossède... la déception est le fond, est la dernière vérité de la vie.* »

Il ne s'agit pas d'un simple masochisme. Il n'y a pas lieu de se satisfaire, dit Bataille, « d'un état d'immuable insatisfaction » car la « jouissance morose, prolongée d'un échec », la « crainte d'être satisfait changent la liberté en son contraire ». Il s'agit de sauver le désir et la transgression contre tous les assouvissements et de faire toujours coexister passion et lucidité, de prémunir l'être contre les tentations de l'avoir :

« *L'impossibilité de l'assouvissement dans l'amour est un guide vers le* saut accomplissant *en même temps qu'elle est la mise au néant de toute illusion possible.* »

Et un tel combat, une telle inhumanité, seule la souveraineté, la puérile liberté peut l'assumer. La liberté qui se rit de l'obstacle, qui reconnaît ingénument la non-reconnaissance, qui va « ouverte et joyeuse » au-devant du pire. La souveraineté qui n'est pas viable mais dont l'impossibilité est notre démesure.

Il y a dans l'éthique de Georges Bataille quelque chose de profondément romantique, d'un romantisme à la Baudelaire, qui donne arbitrairement au poète le droit de vivre dans le monde (la règle, l'interdit) en échappant au monde (la transgression, l'enfance). Baudelaire prétend, selon Bataille, ne plus obéir aux exigences du dehors et « répondre à une exigence intime » qui le lie « à ce qui fascine » : la chance ou l'écriture, l'érotisme, le rire. Il s'agit donc ici d'un monde autarcique, mais en même temps dépendant, qui tire de sa dépendance les raisons d'une persévérance diabolique. Au plus le monde servile est présent et opprime, est respecté et exécré, reconnu et rejeté — par exemple chez Kafka — au plus il permet au monde imaginaire de se créer. Mais cette création est une mise à mort car elle ne peut s'intégrer dans la réalité et rester la souveraine liberté qui conteste le monde servile et elle ne peut non plus perdurer sans la réalité que pourtant elle transgresse. D'où son mouvement d'autodestruction, sa dialectique impuissante dont l'issue est la mort.

Les activités souveraines (par exemple la poésie) sont toujours, d'une certaine façon, en dehors du monde, qui est mis par elles en question. L'engagement est cette extériorité critique de la contestation, du refus, de la passion. Mais la mise en question ne fait pas que s'opposer à la mise en action (« Mise en action et mise en question s'opposent sans fin, d'un côté, en tant qu'acquisition au profit d'un système fermé, de l'autre en tant que rupture et déséquilibre du système »), elle développe aussi la mise en action et comme telle, elle est, sans le vouloir peut-être, complémentaire de l'action, non pas intégrée, mais insérée au monde servile. Et l'étrange irresponsabilité, la scandaleuse autonomie de la poésie n'est plus à comprendre comme une indifférence au monde mais comme une forme spécifique d'action, qui n'est pas directement liée aux buts, qui ne poursuit pas précisément une fin : telle liberté, telle cause, mais peut-être l'immédiat, l'impossible. Folie idéaliste? Aberration romantique de l'absolu? A un certain niveau, oui. Mais à un autre non, si la voix de l'autonomie est entendue par les hommes de la servilité qui combattent pour la liberté et qui font passer, au niveau de l'action et de ses exigences, le lyrisme inefficace des poètes.

Revenons à cette idée de la complémentarité des deux morales et des deux engagements (qui peuvent d'ailleurs se retrouver chez le même homme, le poète et l'homme d'action [1]) : celle de la transgression et celle du travail, celle de la poésie et celle de la politique. D'un côté donc la contemplation, qui n'est pas l'évasion facile dans la tour d'ivoire, qui échoue, de l'autre, l'action, qui traduit, à son niveau de mixité et de compromis, les exigences nues d'une folie surhumaine.

Reste à s'interroger sur les possibilités d'un tel partage, en nous demandant si la liberté n'est pas la mesure absolue par rapport à laquelle je juge mes actes — bien que ce soit une mesure qui ne mesure pas, une *absence de mesure* —, si la liberté n'est pas ce qui toujours conduit l'homme à incarner l'impossible, un impossible sans doute défiguré, mais dont le visage n'est jamais tout à fait perdu.

Etre libre, ce serait alors ne pas cesser de voir ce visage d'ombre, ne pas cesser d'entendre une voix presque absente. Etre libre, dans le monde des buts et des compromis, ce serait ne pas abandonner l'écoute attentive d'un au delà de l'homme qui n'est pas Dieu, la Raison ou l'Histoire, mais ce qui fonde, sans vouloir être un fondement et en n'indiquant pas de route, toute recherche et tout cheminement. Une telle vue, une telle écoute, privilégiées dans le quotidien le plus banal, est sans doute le bonheur tragique de l'impossible poésie advenue, à venir.

(1967)

NOTE

1. Ce peut être le même homme qui, à un niveau de sa vie (celui de la création), est toute souveraineté et, à un autre (celui de la politique), est servilité en lutte pour l'autonomie.

Il n'est pas nécessaire, il est même dangereux de vouloir ramener la première forme d'engagement à la seconde, car c'est hypothéquer vraiment la liberté que de n'admettre la révolte que pour autant qu'elle soit révolution, comme si l'arrière-plan « métaphysique » de toute révolution n'était pas la révolte. Nous retrouvons ici le conflit du surréalisme et du communisme ou, d'une manière plus générale, celui de l'anarchie et du pouvoir, de l'imaginaire et du pragmatique.

ARCANE SCEPTIQUE DE L'IDENTITÉ

> « *Aimons cet homme qui n'aime plus rien.* »
>
> (Décoctions)

La poésie recherche une communication vide. Elle met en œuvre une *autre* parole, une *autre* pensée qui ouvrent sur l'inconnu. Elle ne déduit ni ne clarifie, elle n'est pas l'espace rassurant, familier, ne mène pas à la justification, à une sagesse-sérénité. Ni métaphysique, ni religieuse, elle voue au non-sens, à la destruction des bonnes raisons. En elle s'affrontent les contradictions et se déchirent les extrêmes, se livre un combat qui force les mots à avouer leurs limites, leur part de convention et d'usure. Et pourtant, dans ce non-lieu où tout s'anéantit, s'apprêtent, comme pour une fête, un *regard sauvage,* attentif aux formes « naissantes », une *langue originelle,* une *présence* et un *ordre.*

Achille Chavée est exemplaire de cette démarche. Dès ses premiers poèmes, il affirme sa volonté de « briser le moule/qui enserre notre visage », de se livrer au désordre, ce « cri désespéré de l'ordre ». Les textes de Chavée nous entraînent au vide, au désaccord, ils font éclater notre savoir, nos garde-fous et, dans l'excès même de la transgression, dans le sacrilège du refus intégral, ils nous donnent la force nue et nouvelle de voir « la concrète immensité de la prairie », de retrouver les paroles les plus proches qui relient à ce qui n'aurait jamais dû être perdu.

Il a fallu la rupture, le terrorisme de l'humour pour que la *réalité* fasse irruption, il a fallu nous préparer à l'accueil par le cérémonial du sacrilège. « L'humour est ici, dit Miguel, à base d'absurde, d'incongru, dus à un déplacement de la pensée. Le sens dessus dessous peut-il délivrer un sens autre [1]? » La parole poétique déplace, introduit une faille dans le discours, dans la continuité, dans le ronron métaphysique, politique, religieux — l'humour est une de ses percées — et délivre, après cette propédeutique qui n'est jamais une fin en soi, un sens, un *autre* sens, une *autre* parole.

A la limite, il s'agit d'une altérité absolue, d'une différence qui ne cesse pas de différer de la représentation et qui nous mène à l'indistinct, à l'unité magique — donc impossible — de l'identité. Chavée, qui parfois se veut prophète, annonce dans un futur lointain (qui se confond peut-être avec la mort) cette communauté des hommes et des choses, ce retour à l'indifférencié (qui ressemble parfois au retour au sein maternel), au mythe qui serait la réalité même, à une enfance qui ne nous abandonnerait plus, au rêve toujours immanent à la veille. Mystique, dira-t-on, mais teintée d'humour, de cruauté, et de tendresse un peu sceptique. Car au fond, il n'y a rien, n'est-ce pas? Et c'est de l'excès de la conscience de ce rien qu'il faut vivre et mourir, « aux confins de la présence et de l'absence », dans l'entre-deux du malheur et de la chance. Et la chance ici, c'est la dépossession, l'ouverture du moi de la maîtrise à l'incertitude de l'inconnu, à l'impouvoir de l'amitié de l'être, à l'impuissance de la poésie (« j'apprends alors que je suis un sosie/le sosie du prince régnant sur un empire de lait »). La chance est la répétition de la question affranchie de toute réponse, jusqu'à l'aurore d'un sens toujours à venir, toujours à recommencer. La chance est que la magie échoue, qu'il n'y ait pas de salut, de corps glorieux, d'alléluia, mais seulement cela : notre quête, notre recherche, le devenir et la métamorphose. Il faut se hisser jusqu'au jour pour le promettre et lui donner jour. A la démesure de soi est la présence, à la limite extrême, la communication :

« *A la limite de l'amour*
à la limite de moi-même
à l'idéale vie que je n'ai pas vécue
je suis présent pour Toi. »

C'est le savoir de la question, le soupçon du sens qui force le poète à « écrire aux fins de déchirer les apparences », à « écrire le soudain/l'imprévisible », à agresser le monde-obstacle, le monde de la séparation ,à la recherche des « traits secrets » du « dernier visage », qui apparaît au plus profond de la finitude, du rien.

Dépossédé de l'esprit de sérieux (carte de visite, pensée calculatrice, langage conceptuel), le poète « doué de générosité » s'aventure jusqu'aux sources d'une enfance, jusqu'à l'oubli de son identité sociale, vers son intégrité véritable, ici même, devant « l'immense misère des hommes/qui doivent vivre/dans cet endroit maudit de la planète » et, en même temps, dans un lieu sans histoire, où l'on communique avec les insectes, où le cheval et le papillon cohabitent, où l'univers « d'une incroyable transparence » se donne à nos paumes ouvertes, délivrées de toute inquiétude. Pour s'avancer vers cette « preuve éblouissante », il faut être allé au but de soi, avoir progressé dans les ruines de son propre destin, avoir fait « serment de contingence », être revenu de loin, toujours plus chargé de colère, de révolte et d'amour, plus dépouillé de son nom dérisoire, plus proche du commun, de l'absolu quotidien, du sacré (qui est la vie sans Dieu et sans Raison, le dépassement qui n'a d'autre fin que l'espoir d' « un jour de délire communicable », les métamorphoses du réel que le poète regarde comme sa seule étoile).

L'avènement d'un *autre* sens n'est possible qu'après la liquidation de tous les transcendants, de toutes les sursignifications qui maintiennent l'homme dans un rapport de copie à modèle, d'image imparfaite à Réalité, d'enfant à père. Chavée renverse ce rapport et sort de la dépendance, il fait le « geste nécessaire » et voit « se détachant du ciel/tomber sur la plaine immense du silence/semblable à une pluie fine d'automne/pour la fertilité du grand désert/le cadavre de Dieu redevenu poussière », et il s'avance « comme un tigre vers Dieu/en déniant son existence ». Le transcendant récusé libère l'énergie de la transcendance (« Il est certain que quelque chose existe/est/tendant à nous nier/nous dépassant/et qui en nous se réalise... »). Le poète peut maintenant « violer/les vierges interdites », aimer Marie comme une femme dépouillée « de tout bijou de pacotille/de tout voile inutile », faire « l'amour avec Elle/au grand jour au grand soleil/devant Dieu lui-même ». Au sommet de la violation et du sacrilège, un dieu se recompose, entièrement lavé du ciel et de tous les dualismes de la séparation, un dieu « au-delà de toute éternité » qui n'a plus à interdire ni à protéger, qui ne sauve ni de la mort ni de la vie, qui laisse le corps et la pensée à leurs forces excédantes, sans privilège, sans enfer et sans salut, qui laisse l'espace libre et ne sort pas de la contingence. Un Dieu que Chavée congédie « d'une très chaste chiquenaude » chaque fois qu'il redevient le Dieu qui tente « de faire croire/à l'innocence de ses intentions » — pour délivrer son « filigrane d'authenticité ».

Exigence d'intégrité (« Au rendez-vous des fous célèbres/il y avait un homme intègre »), exigence excessive, baroque [2] dans ses images excédantes, dans sa préciosité ou dans son burlesque, voix qui demande la nudité, la simplicité, l'amitié d'un sens partagé, qui ne répond pas, mais continue à nous interpeller, à demander qu'on le brise pour le redécouvrir, qu'on le dilapide à nouveau, qui ne peut cesser d'advenir, car il est l'événement même, la parousie de l'homme sans Dieu et sans sagesse, « dépaysé d'être lui-même », dans son errance et sa révolte. Le sacrilège n'est chez le poète que la figure de la bonté, la route toujours ouverte de l'origine et de l'exactitude, l'arcane de l'identité, de notre innocence, de notre question sans limite, près de l'enfance et de la mort.

(1970)

NOTES

1. André Miguel, *Achille Chavée;* Seghers, coll. Poètes d'aujourd'hui, 1969.

2. André Miguel insiste avec raison sur l'esprit du

baroque « teinté de surréalisme » de Chavée. Il rattache ce poète à ce qu'il appelle le baroque du Nord, qui serait la caractéristique de certains écrivains et peintres de Belgique (Ghelderode, Michaux, Colinet, Nougé, Della Faille, Koenig, Ensor et Magritte). Dans leurs œuvres, en effet, se manifeste le singulier mélange d'un « ricanement sacrilège » et d' « un élan fou vers l'absolu ». L'humour et la métaphysique se détruisent et ouvrent par là même au commencement d'un sens, à l'origine d'une raison. Mais le baroque ne nomme pas, il ne transforme pas l'espoir en certitude, son nihilisme demeure inapaisé dans le vertige de la spirale, dans son inextinguible mouvement qui désintègre et qui crée. Il nous engage à l'ordre de l'excès, au grand sérieux de la dépense (« Je suis le poète sérieux/ au cœur depuis longtemps perdu »), il nous dégage salubrement du triste sérieux de l'humanisme malade, de la petite bourgeoisie aux idées « nobles », qui rend la vie invivable avec ses bondieuseries et son intelligence de diplômés sans courage. « Traversé d'humour, dit Miguel, ce rien se déclare comme une présence et même une secrète espérance ». Nous croyons avec lui, avec Chavée l'intraitable, à cette voie de la poésie qui rend peut-être à l'homme son identité, qui n'est plus une possession.

DROIT NATUREL

« La poésie moderne a un arrière-pays. » Telle est l'affirmation répétée de René Char. Le poète est d'abord l'homme d'un « morceau tendre de campagne », d'une « rivière pleine d'anneaux de couleuvre et de danses de papillons », de vergers prometteurs de fruits, de roseaux sous la garde des chênes et des oiseaux, l'homme d'un pays, d'une attention, d'un amour, d'une mémoire résurgente, d'une enfance. Pour qui ne se souvient pas du pays, de l'enfant lointain qu'il était, la fontaine ne parle plus sous les arbres, le retour, la rencontre sont perdus, le présent ne peut s'assembler autour des premiers pas, les ruines ne sont pas « douées d'avenir », il n'y a plus de nouveaux matins.

Mais que vaut la singularité d'une terre, d'un amour, d'une enfance? Elle renvoie à l'ubiquité des lieux et des cœurs, elle mène, ondoyeuse, à la totalité des visages, à l'unité de la vie. Et voici le poète solidaire « des moissons et des miroirs de notre monde brûlant », inquiet de ce qui s'accomplit dans le monde, associé à son bouillonnement, « conservateur des infinis visages du vivant ». Voici le poète *accordé*.

Cependant l'amour est un combat, l'approche une escrime qui nous mesure à l'altérité, dans un échange d'où ne sort nul vainqueur, seulement une qualification mutuelle. Se souvenant de la leçon héraclitéenne, Char sait que les attenants s'aiment et se livrent bataille, que « l'asymétrie est jouvence ». D'où son dit de la prairie et du ruisseau, de l'oiseau et de l'arbre, du requin et de la mouette; la geste des « mortels partenaires » : le martinet et le fusil, le taureau et l'épée, l'alouette et le miroir, les cerfs et le chasseur, liés, par-delà la mort, sur la paroi des grottes de Lascaux; l'aveu de la « guérilla sans reproche » du couple entre-déchiré et recommencé; la reconnaissance dans le poème ordonnant, de la « bataille de tisons » de l'écriture.

Ainsi l'accordé découvre la différence. Il voit au centre de la poésie son *contradicteur*, son *souverain*, et « lutte loyalement avec lui ». Il devine derrière le familier l'étrange, sous le pays l'apatridité, le dehors. Il fait l'expérience — essentielle pour la poésie — de la proximité lointaine, de la présence marginale. L'amitié, l'amour même, le poème gardent les distances — une distance minimale mais qui sauvegarde l'éloignement, empêche la cohabitation, la possession. « La vraie fraternité commande une extrême discrétion. » L'Ami décrit dans « Suzerain » est silencieux, il surgit d'un passé presque perdu pour reconstituer le pays, dessiner « le littoral cruel » que le poète aura « un jour à parcourir », il apporte une exigence : ne pas s'établir, il apprend à voler « loin de l'hébétude des navires à l'ancre ».

La différence, le dehors appellent l'homme installé dans sa terre, dans son amour, dans ses mots, à briser sa nuée et à franchir le sommet toujours surélevé, la distance sans cesse reconduite.

L' « Autre » convie le « je » au cheminement, à l'enfoncée dans « l'inconnu qui creuse », il préserve dans l'écart « la tension de la recherche », il transforme l'obstacle en médiation. A l'effort des sentiers pénibles « succède l'évidence de la vérité à travers fleurs et fruits », « en dépit de ses relais haineux », le chemin « nous montre les fétus des souhaits exaucés et la terre croisée des oiseaux ».

Quelque chose surgira de cette impossible rencontre, de cette poursuite insensée, de ce dialogue contre raison : la lumière de l'arrière-pays. Peut-être est-ce une illusion, mais une illusion tenace, « sans cesse déchirée et réintégrée », parce qu' « inscrite en filigrane dans le jour en même temps que dans nos yeux ». Le regard et le pays participent de ce même espoir, que Char nomme ailleurs « un vœu de l'esprit », un « contre-sépulcre », ou encore une « contre-terreur », un « contrepoint du vide ». Cette croyance essentielle reconduit passionnément aux « tendres preuves du printemps », au « fugace bruissement des feuilles », à « la harpe brève des mélèzes » — à l'amitié de la « terre imputrescible ». Quelque chose échappe à la mort elle-même, qui n'est pas notre présent mais un temps transformé en durée :

« *Un mystère plus fort que leur malédiction innocentant leur cœur, ils plantèrent un arbre dans le Temps, s'endormirent au pied, et le Temps se fit aimant.* »

Cette durée est franche de tout péché originel et de toute survie, elle se moque de « l'infini parfait et burlesque ». Elle est la finitude reconnue et aimée, « l'idolâtrie de la vie », l'éternel départ jusqu'au congé final — l'acquittement —, le retour « au pays sans biens », au « pays d'amont » — la levée de la faute.

Que reste-t-il alors? Quelle est cette durée sans corps, ce pays intangible, cet « hôte pelé » vers lequel le poète roule sa chance? L'avenir, la « vie future à l'intérieur de l'homme requalifié », un temps qui n'existe pas, qui ne peut être encore imaginé, mais où « toute fin supposée » est « une neuve innocence, un fiévreux en avant ». L'espoir poétique de la transmutation du temps, le consentement du poète à la fin du règne et à la « levée des jeunesses » est le pari pour la saveur du fruit, pour une lampe qui illumine au loin, pour de lointains berceaux, pour l'enfance recommencée sans nous, et à laquelle, inexplicablement, nous participons par tout notre chemin d'avance et de recul. Comme si l'événement vers lequel tend toute notre vie était le retour du pays perdu, de l'enfant, de la rivière et des prairies. Comme si la rencontre était celle du nouveau jour et du premier jour dans l'unique durée de la présence.

L'homme qui chemine vers la présence, vers l'*ailleurs,* tout près de lui, que la poésie révèle, l'homme qui ne peut s'arrêter de *longer* cette réalité « si énigmatique et fulgurante » est un *Janus bifrons,* tourné vers la « mémoire amoureuse » et vers le « destin suivant ». Il y a un rapport subtil et profond entre le recul et l'en avant; une continuité souterraine relie, dans la parole du poète, les certitudes innommables et incessibles, antérieures à nous et la sève qui attend « pour les saisir et pour les confirmer ».

Si nous accréditons cette démarche et cette espérance, il faut reconnaître, avec Char, que le poète est un *entre-deux,* qui n'appartient tout à fait ni à la société ni à la rêverie, mais « à un destin isolé, à une espérance inconnue ». Ses actes « semblent antérieurs à la première inculpation du temps » et « l'avenir fond » devant son regard. C'est pourquoi il est le plus noble et le plus inquiétant.

Le poète conduit ce double et unique mouvement selon des « repères éblouissants », dont il reçoit la confidence grâce à son « humilité questionneuse » et à « l'insatisfaction nue ». Alors commencent à apparaître son adoption par l'ouvert, son appartenance « au point d'or de cette lampe inconnue... inaccessible », son enracinement dans une saison qui est de nulle part. Alors se dessine peu à peu, sur l'horizon de la poursuite, le privilège de la pauvreté, le lieu de la dépossession, le secours du risque :

« *Le cœur soudain privé, l'hôte du désert, devient presque lisiblement le cœur fortuné, le cœur agrandi, le diadème.* »

La « lyre sans borne des poussières », le « surcroît de notre cœur » a rendu, comme dit Heidegger, une terre natale. La dépense a rétabli la naturalité perdue, la poésie son ordre exorbitant; les mains sont à nouveau libres pour unir « en un nouveau contrat la gerbe et la disgrâce dépassées ».

Appelons sentiment poétique cette résurgence des eaux sauvages, cet en avant vers la visibilité de « l'arbre majeur », que la lumière du rocher abrite. Nommons *droit naturel* la redonnée de l'existence « à l'Ouvrage de tous les temps admiré ».

Refusant, avec Nietzsche, le ressentiment, Char

opte pour la restauration du droit naturel, pour la redécouverte de la durée :

« *Oui, remettre sur la pente nécessaire des milliers de ruisseaux qui rafraîchissent et dissipent la fièvre des hommes.* »

« La loi de la rivière » est reconnue et trouvée bonne, « la pierre du torrent a le contour rêveur du visage enfin rendu ». Plus aucune étamine, plus un gravier d'eau n'est cédé à « l'inquisition des états ».

Que fonde un tel droit? L'anarchie de l'amour. Il oppose à la prudence, à l'avarice, aux bas calculs des lois dénaturées la folle générosité de la fête :

« *La fête... c'est le grand emportement contre un ordre avantageux pour en faire jaillir un amour.* »

Il change l'indifférence en passion, l'ordre aliénant en « ordre halluciné ». Le poète, dit Char, « transforme toute chose en laines prolongées », il convertit la fatigue en fraîcheur, il intègre et requalifie.

Mais cette réconciliation est un bonheur difficile, fait de crainte et d'angoisse, « un pur bonheur », parce que justement mêlé, parce qu'alternant entre l'amertume et la joie, le sang, la boue et la naissance, la nuit et « l'aurore artérielle ». La pureté est cette lutte de la vulnérabilité et de la force qui, pleinement assumée, parfois promet la récompense d'un poème. Alors le mur dit au figuier : « Pénètre-moi... mon apparence est un défi, ma profondeur une amitié. » Alors le poète entend l'invite de cette union et lie sa parole à la muraille qui cède, à la montagne qui s'ouvre, il devient la substance du torrent, le sang « rendu à sa chaleur ».

Serait-ce que la langue est redevenue elle aussi naturelle? Nous le croyons. La parole ne devient poème que si elle entend et renvoie « cet écho antérieur ou à venir qui, seul, fait occuper au poème toute la place dans l'espace ». Le poème est une lecture naturelle d'un paysage qui en lui se lit. Les aveux de Char ici se multiplient :

« *L'aubépine en fleurs fut mon premier alphabet.* »

« *Sorgue, tes épaules comme un livre ouvert propagent leur lecture.* »

« *La vieillesse du torrent m'avait lu sa page de gratitude... la lumière de la terre me frôlait.* »

« *L'écriture du Ventoux...* »

« *La chaude écriture du lierre...* »

La forme de sa parole (sa charge et sa couleur) est souvent l'aphorisme. Parce que, confie-t-il à Edith Mora, « la Provence est toute en paysages aphoristiques ». L'aphorisme est la transparence d'un pays, la poésie l'échange de la vie et du langage, leur coappartenance naturelle :

« *Entends le mot accomplir ce qu'il dit. Sens le mot être à son tour ce que tu es. Et son existence devient doublement la tienne.* »

La vérité de la rivière, comme celle du poème et du poète, est le dévoilement réciproque et unique de ce qui toujours plus loin s'éclaire. C'est pourquoi aval reconduit vers amont, qui à nouveau éclate et étend « le chant des frontières... jusqu'au belvédère d'aval ». C'est pourquoi le poète, comme le peintre, révèle sa parole ou son geste dans sa « gravitation vers les sources » et vers leur envol. C'est pourquoi « l'avènement n'a pas de fin », la dictée n'a « ni avènement ni fin ». Lecteurs et spectateurs sont eux aussi devenus « la Source aux yeux grands ouverts », l'identité première de ce qui, soudain, tel instant, jaillit et fulgure. La poésie a commencé son règne, le fascinant impossible, « degré le plus haut du compréhensible », *existe*.

(1968)

UNE POÉTIQUE DE LA RELATION

Quelqu'un parle, rapporte une histoire, un rêve, un désir. Mais la voix vient de plus loin que la biographie, elle ouvre, semble-t-il, sur nos vies, elle demande le tournoiement de l'échange, elle œuvre — sous la parole entendue — à une communication à venir, à un événement qui, nous faisant abandonner les sécurités du sujet, de la logique, des genres et des catégories du discours, le confort du spectateur, nous emporte communément vers l'arrière-texte, l'arrière-pays, dans un lieu inconnu, encore impensé, toujours au dehors, au cœur de chaque mot, échappant au sens, reliant la clarté à une obscurité plus initiale, revivifiant la question au feu inextinguible de sa nuit.

Ecouter ce qui parle, entendre ce mouvement de dessaisie et de reliement, n'est-ce pas à notre tour passer de l'autre côté du langage, entrer dans ce partage des mots consumés, des formes détruites, dans l'attente dc l'avènement d'un sens, qui à nouveau ruine, approche de la force qui tremble sous l'apparence, origine en route vers l'absence de destination?

Mais c'est toujours une parole. L'*autre* parole dit l'impossible chance d'une diaspora heureuse.

PIERRE DHAINAUT

INITIAL PRÉSENT[1]

> *« J'écrirai toujours un nouveau poème : il sera semblable au commencement. »*

Qu'y a-t-il derrière les mots? Le poète qui les questionne et les capte le demande dans un *poème commencé,* dont l'inauguration est l'incessante action de commencer, comme si le projet de nomination, comme si la question de la langue menait à cette absence de fin, à cette question interminable du commencement.

Qu'y a-t-il derrière ce qui parle, en dessous, en deçà? Comment réduire cela même qui s'énonce et le temps de la diction à l'origine, à la fois première et continuelle, qui est le parcours souterrain et l'insaisissable lumière?

Sont-ce les éléments d'un paysage réel et mythique, regardé et rêvé : la plage, le vent, le rivage, la digue, la vague, le sable et le corps de la femme, le flux et le reflux de l'amour qui comble et qui prive, qui donne et qui retire? Le microcosme-macrocosme de la présence et de l'absence? Ou, plus loin que l'élévation et la chute, l'acceptation et le refus, l'unité de l'entre-deux, le mystère de la mort et de la vie réunis et défaits?

Plutôt que de répondre — toute réponse est présomption, toute thématisation trahison du critique qui ne lit pas comme il faut : sans grille, sans schéma réducteur, sans théorie a priori — suivons à la trace le cheminement de la question dans le poème de Pierre Dhainaut.

Fragments ou ruines nous introduit à cette quête de l'effacement (de la réunion), de la remontée vers les sources — toujours fragmentaire, à partir d'éléments épars, à partir de ce qui n'est jamais un départ, mais l'impossible commencement de la présence (au cœur de nous et au dehors), à partir de l'insaisissable déjà et toujours. Voici les cris, les suppliques, le désir nu, le silence vers la femme aimée qui est devenir de l'aube, « fragile source mais l'unique ». Mais surgir est disparaître, l'amour espéré est imminence et refus. Il faut réapprendre l'exorcisme de la présence, aller au fond de la voix, jusqu'à l'épuisement de l'appel. L'illimité semble ici requis, l'impossible exigé, qui est la mesure de l'amour. Dans la répétition extatique du projet d'épuiser le réel, le moi se régénère et une sorte de commencement absolu (cosmique) s'imagine, qui est le poème, qui est l'acte pur de naître : le seuil. Ou rien? Encore une fois la mer refusée, le mouvement vers la confusion du ciel, de l'oiseau, de la mer qui brusquement retire ce qu'il semblait accorder. Le poète épouse avec une sourde joie ces allers et ces retours, il sait que la loi du commencement demande à la fois de s'égarer et de « reprendre souffle ».

Il est pourtant des haltes salutaires, des heures claires de l'amour sans ombrage où le couple semble invulnérable et le monde figé dans le bonheur :

« secrètement
au cœur des arbres immobiles

nous sommes
la foudre mûre

ensemble
invulnérables ».

Puis l'accord se défait, l'unité se fragmente et les bribes sont les nouveaux possibles pour un retour. C'est alors l'ère diasporique, l'exil des villes, des déserts, des nuits, des solitudes, « les arbres sans sève » et les « pierres friables » de l'absence. Mais l'endurance a raison encore et les mots tel jour s'unissent, le flux reporte, « annonce, donne vie », le jour où « je t'approche » revient, *commence*. Est-ce un éveil enfin à l'être? Est-ce la brèche par où va sourdre la source dans la mer? Est-ce le simple chemin vers la demeure, la nudité de la parturiente? Peut-être, mais le temps même qui porte à ce comble, le « faîte impossible » ouvre la voie à la dérive : le défaut. De sorte que le poète peut réciter sa plainte et sa louange (« toi mon absente ma vivante »), proclamer son acte de foi (« j'attends nous attendons »), la folle disponibilité de l'attente. L'hyperbole de l'espérance dit l'au-delà de la séparation, l'outrepas des dualismes (« l'heure lisière », « l'autre versant de la clarté ») et ce n'est pas le lieu de la sublimation, l'arrière-monde des religions, mais le non-lieu de la quête, l'éternité du désir (« Toujours. Désirer. Chercher autre que soi, autre visage, autre langage »). Comme si de cette recherche de l'autre, de cette dépossession de soi une franchise de la mort devait naître, une libération de l'espace pour l'oiseau, comme si de la faille même du manque et du désir des mots devaient surgir, plus forts que l'oubli, des mots d'amour, de « seuil du temps », des mots d'avènement et de début premier, comme si de cette vaine poursuite la certitude de la rencontre devait jaillir :

« *Tu viens, je n'ai plus de passé, je n'ai plus qu'à dire ta puissance et ta louange et la chance à la fois de tout ce que je vois.* »

Que sera-t-il obtenu enfin? Quel est l'*objet* de la poésie? Peut-être l'absence d'objet, l'absence souveraine de but, la réunion de tout l'être dans une parole dont l'affirmation vide et pleine (se) suffit. Le *sacrifice* du moi est au seuil et à la fin de tout poème, la « naissance épanouie perpétuelle » dans l'acte de nommer uniment, dans la communion du langage. Qu'est-ce qui s'accomplit dans cette genèse (cette régénération)? Qu'y a-t-il en œuvre dans l'œuvre? « Amour à l'orée du poème.../et la parole désormais/jaillit s'ébroue ruisselle ». Nommer, se perdre, rejoindre sont toujours signes de l'alliance — au plus profond des mots et du monde —, signes de communication et d'échange (« nous révélons nous unissons nous donnons à la nuit/l'eau qui ruisselle air vif nos lèvres illuminent »), signes de l'origine, de la ressemblance première.

Comment faire apparaître le commencement? Quel *rituel d'apparition?* Au cœur du vide même, devant l'absence d'issue, quelque chose pousse à l'écriture, force les résistances, transperce le moi fermé, arrive d'on ne sait où dans le dénuement. C'est comme si un autre que moi — l'altérité absolue — renversait l'espace, déplaçait la limite, se faisait reconnaître et me donnait ma reconnaissance, comme si à partir de sa présence commençait la sortie de moi, l'absence, la jetée vers ce qui arrive en dérobant. Au commencement est toujours cette démarche de rupture, d'élan. Par quel *rituel de création* parle la voix de la première fois, la voix de la « présence toujours neuve », que nous attendions, que nous pressentions, que nous affirmions, déjà accordés semble-t-il à son écho et à sa transparence? N'est-ce pas par l'attente même, par la patience au fond de l'inattention, dans ce qui semblait être, de toutes parts, fermeture de l'horizon et silence? Et puis, soudain, tel jour, nous sommes redisposés, quelque chose vient à nous qui est notre image restituée, étrange et familière, différente et semblable, notre commune voix. Au cœur du commencement, il n'y a plus qu'une parole, un seul nom, dont le poète témoigne en voyant dans son chant un *rituel d'adoration*. Le mode lyrique de l'adoration est l'extase, l'affirmation jaillissante, la surabondance, une sorte de cosmogonie amoureuse. Mais nous sommes alors au-delà du poème, au-delà de l'étreinte, « incantation toujours plus juste, union plus vraie, chœur toujours plus libre, généreux ».

Les grandes orgues de la fin du livre ne doivent pas tromper. Nous serons voués une nouvelle fois à la séparation, la diaspora nous reprendra, défera cette union pour la recomposer et à nouveau la perdre. Le jeu de l'exil et de la rencontre n'a pas de fin. La transcendance poétique demande l'obstacle, la faille, l'échec. Se vouer à la parole — l'attendre, se perdre et épouser son abandon —, c'est consentir à l'errance, à la loi de flux et de reflux, du rituel de la réapparition, de la (re)création, de la commune présence. Peut-être notre vie ne se passet-elle à rien d'autre qu'à toujours imaginer le seuil de la *vraie vie?* Peut-être la poésie est-elle cette imagination qui engage, le mythe de l'homme qui tient *parole?*

(1969)

NOTE

1. Pour *Le Poème commencé* (Mercure de France, 1969).

CLAIRE LEJEUNE

SIGNES DU COMMENCEMENT

> « *Dans notre langue, ce n'est ni moi ni toi qui parlons, c'est le verbe qui rayonne.* »
>
> (Le Dernier Testament)

Au commencement était une sorte de latence du cœur et de l'esprit, d'indifférence, d'aveuglement. Il ne se passait rien. C'était la préhistoire. Seulement la nécessité de l'avoir, seulement l'horizontalité de l'espace.

L'histoire commence pour Claire Lejeune avec la naissance en elle de l'autre, avec sa rencontre. Alors s'opère un déplacement de la périphérie vers le centre, du désir d'avoir vers le désir d'être. *La Geste* est le récit de ce long voyage, l'histoire de la déperdition dans l'histoire.

Pourquoi cette perte, alors que s'affirme dès le début de l'expérience intérieure la volonté de se ressaisir : « Aujourd'hui, 15 janvier, 8 heures du matin, je veux être moi! Moi! je veux me ressaisir! »? C'est que la radicalité du projet de se concevoir oblige à la remontée vers les sources, jusqu'à l'origine, avant la préhistoire, au commencement absolu, idéal (« être idée, c'est se concevoir »). C'est que l'apparition de l'autre, de la différence, fait pressentir la source « comme une sourde loi » et force à remonter « le cours périlleux du temps », à la chercher inlassablement, à travers l'opacité du monde et l'apparence de la séparation. Depuis *La Gangue et le feu,* l'émergence de l'origine du fond de la mémoire est affirmée au début de la quête. Claire Lejeune la compare à « une lumière très ancienne, sauvage et fascinante », à une « Espagne inaccessible ». La première démarche de *La Geste* — qui tient de l'exploit, de l'extraordinaire, du pari — est de gagner l'inaccessible Espagne de l'origine, de « remonter le cours jusqu'à sa source ». Elle est obéissance à une aspiration « toute-puissante, irrésistible », à une loi initiale, qui sera toujours plus avant dévoilée. Les images de la *gangue* et du *feu* alors s'éclairent. Claire Lejeune se compare d'ailleurs à une « immense mine », son œuvre est de s'enfoncer vers le cœur minéral de la terre et de le décrypter, sa mission de faire jaillir de la gangue (la préhistoire) le diamant (l'origine). On peut parler ici justement d'une « archéologie du dedans », d'une descente au plus profond du moi, qui est aussi, nous le verrons, une descente aux Enfers.

Le mouvement centripète qui alors s'empare d'elle, lui fait aussitôt éprouver une ivresse, un sentiment de défaite de soi. Le mouvement de concentration s'accompagne d'un sentiment à la fois pénible et exaltant de déperdition. Nous sommes sur le chemin mystique de l'âpre joie, sur le chemin en spirale de la passion :

« *Le mouvement centripète est le mouvement même de la passion, il engendre cette ivresse, cette folie qu'est la poésie. La poésie est création de la passion, création qui implique une mutuelle décréation du monde intérieur et du monde extérieur, une mutuelle abolition du* je *et de l'autre.* »

Ce qui se perd dans les anneaux de la spirale, c'est la différence entre le dehors et le dedans, l'objet et le sujet, le monde et moi, c'est la distinction, la distance. Ce qui se gagne, c'est le vertige de la confusion, la démesure accélérée du mouvement absolu. A ce degré de vitesse et de vide, l'Etre s'entr'aperçoit comme un point, comme la plénitude irréelle de l'Idée :

« *J'ai vécu cette annulation comme une succession d'anneaux se rétrécissant, de cercles se refermant jusqu'à la concentration absolue, jusqu'à se résoudre en point.* »

Réfléchissant sur cette expérience de la concentration, Claire Lejeune distingue — a posteriori — deux états, deux stades d'intégration de la relation amoureuse, du rapport *je-l'autre.*

La première étape, c'est l'*imagination* de la relation. Elle consiste dans l'importation de l'autre en soi, dans l'intériorisation du rapport. Mais elle n'est possible que si préalablement le désir lui-même s'est intériorisé, en renonçant à sa satisfaction immédiate, en ne consommant pas l'objet. « L'imagination alors apparaît comme une inversion de la fonction primaire des sens... une inversion de la fonction perceptive ». Tout le réel est engrangé dans l'intériorité imageante du sujet qui le métamorphose, qui le perçoit à rebours, par référence à son activité imageante. Les différences, les distances alors n'apparaissent plus : « les sons, les parfums, les saveurs s'étaient, en franchissant le seuil de mon imagination, transformés en un unique signe... la Beauté ». La perception, au lieu de distinguer, devient « exercice conscient de la confusion ». Ce qui ne correspondait pas dans la réalité, ou mal, ou pour peu de temps, s'éprouve intime, n'existant l'un que pour l'autre, durable dans l'imagination. Mais il est vrai que les termes de la relation ne sont plus les mêmes, que le *je* et *l'autre* ont été recréés sur l'écran intérieur. Il est vrai qu'ils ne témoignent plus d'eux-mêmes, qu'ils ne relèvent plus ni de l'objectivité ni de la subjectivité, qu'ils évoquent une identité qui les dépasse et qui, les idéalisant, réduit leur existence, leur fait perdre de leur actualité, de leur réalité sensible.

On comprend que la contemplation du rêve ait quelque chose de fascinant, qu'il donne une « frénésie d'ange ». Tout semble limpidité, transparence, le *je* et *l'autre* se découvrent parfaitement destinés. Mais ce temps d'innocence et de béatitude de l'imagination qui s'arrête, ne revenant pas en arrière dans le réel et ne continuant pas non plus sa route vers l'idéalisation, ne peut durer. Il ne peut être que l'ouverture vers l'Etre que l'image évoque. Persister dans le rêve imageant, c'est substantialiser un univers fantasmagorique, c'est déifier l'absence, l'irréel. Si l'imagination est dynamique, « *le rêve d'amour...* devient le signe d'un sens qui le transcende » et qui seul désormais importe. Comme il a fallu briser, en une première étape, la gangue du réel (de la préhistoire), il faut maintenant briser l'image pour qu'advienne l'Idée.

Et telle est bien la logique du mouvement centripète : l'idéalisation, « la dématérialisation absolue du rêve », pour advenir, derrière l'image qui fait encore obstacle, au néant de l'Etre :

« *Ce pourrait être un film. Le film d'une décréation qui culminerait dans la perception absolue de la lumière. Non pas un film qui se déroulerait mais s'enroulerait sur soi. Il ne naîtrait pas de l'idée, il créerait l'idée, dans l'abolition de toute image.* »

Le désir, qui avait pris demeure dans la contemplation de l'image, à nouveau sourd et éclate vers « l'absolue potentialité », vers une sorte de pensée pure, impersonnelle, soustraite à la durée, aux circonstances et qui n'a d'existence « qu'en soi, par soi et pour soi ». Est-ce l'absolu? Est-ce Dieu? Dans la démarche amoureuse du poète, c'est en tout cas le lieu (le non-lieu) de la perfection, de l'amour parfait. C'est la fin de l'histoire puisque les partenaires du voyage ne sont plus que « la nourriture d'une même flamme dévorante ». C'est la dépossession radicale, la consumation.

« *L'amour n'a plus de bras, plus de cou, plus de sexe, plus de souffle : il s'est consumé dans sa perfection.* »

Le feu destructeur n'a laissé subsister aucune gangue. L'être qui est parvenu jusqu'à lui n'est « plus rien qu'une immense brûlure », il a les yeux « brûlés d'évidence ». Et cette évidence est « négation de l'existence », elle est la destination du mouvement centripète, qui a atteint maintenant son centre éclaté, son point culminant. La concentration absolue est un point qui est la négation de soi, l'absence de visage, « l'explosion lumineuse » du rien.

On pressent qu'ici le passage de la mort symbolique à la mort pure et simple tient à fort peu de chose : à la découverte ou non de l'autre versant de l'Etre, à la possibilité ou non de la création, du retour.

Arrivée au point ultime de la concentration, à l'impossible, à l'invivable, Claire Lejeune prend conscience que le lieu de destination n'est pas seulement le lieu d'une fin, mais aussi celui d'un commencement. En lui s'opère le *retournement*. La concentration informe l'avenir, elle investit de son sens le poète destiné, ordonné. Le feu se révèle « porteur de la toute-puissance créatrice », le point se découvre « à la fois plénitude du silence et puissance du langage... à la fois connaissance de la mort et connaissance de la vie ». C'est le début du mouvement centrifuge, de l'exorcisme de l'ivresse, maîtrisée dans la saillie hors du non-lieu, dans l'existence hors soi de poèmes délivrants.

Dans le noyau de l'Etre, déjà fulgurait le silence, l'Idée était « silence irradié ». Et c'est ce silence irradiant qui fonde l'expression à venir. Sur la crête invivable du *Rien,* déjà s'apprêtait la communication de l'ivresse, la distillation de « l'océan de silence ». Et c'est de n'avoir entendu que ce silence inépuisable — l'oreille fermée aux bruits de la périphérie ou aux phantasmes du rêve — que « naît la probabilité du chant ».

Le silence verbal, la puissance ou l'idée du verbe, Claire Lejeune l'appelle infinitif. L'infinitif, né du refus de la durée, de la décréation, du non-lieu, est aussi « la signifiance absolue », le « commun dénominateur de tous », la possibilité de tout et de tous. A partir de lui une nouvelle genèse pourra donc s'accomplir, un temps nouveau se recréer. Ce sera l'être centrifuge de la conjugaison. L'infinitif est « le lieu d'inversion » où s'opère le retournement de la puissance en acte, de l'inspiration en expression, de l'impossible en vie. « S'il est, dit Claire Lejeune, une fin — une destination — par rapport à l'expérience première, à l'inspiration, il est un commencement par rapport à l'expérience créatrice, une mise à l'ordre. »

Dans son second versant — l'extériorisation, le retour —, *La Geste* est désintégration de l'infinitif, fragmentation chaotique de l'expérience intérieure qui cherche sa communication, promesse et réalisation d'un ordre encore indistinct mais qui ne pourra être que conforme à la vérité originelle du feu et du silence, fidèle. La communication (la mise en commun) est une fragmentation de l'Etre, une intégration dans le présent de l'unité jaillissante du feu, une passionnalisation du réel réalisé par l'Idée, mis au monde dans sa quotidienneté même, ordonné dans son ordinaire :

« Je ne suis pas encore revenue de cet extraordinaire voyage vers l'Ordinaire. J'ai encore le souffle court. J'éprouve la difficulté de naître, d'ouvrir mes poumons à cet incroyable oxygène du Pays. »

« Mon cœur s'étonne encore, se cabre. Mon regard peine à s'accorder à ma transparence naturelle, à cette vision nucléaire ordinaire ressuscitée à la croisée de l'espace et du temps. »

« La brusque élévation à l'intégrité ne serait pas supportable. La correspondance radicale doit graduellement s'incarner. Le possible n'a lieu que ponctuellement élevé à sa propre puissance. »

La communication poétique est le plus simple et le plus inouï, et le poète qui a laissé échapper les mots qui témoignent du voyage, du passage, n'en revient pas de sa révélation, de son retour au plus simple, qui était le plus lointain et le plus proche. Mais il fallait d'abord qu'il se perde pour se retrouver et tout redécouvrir. Il fallait d'abord qu'il soit devenu personne, le lieu vide de l'impersonnel, la pure écoute et la vue aveuglante, pour redevenir quelqu'un, pour « conjuguer le verbe dans son cœur et dans son corps », pour donner à voir et à entendre.

Alors — et seulement alors — l'*Intention Poétique* devient *Action Poétique,* le silence parole, l'éclair arc-en-ciel, la lumière son, le feu lait :

« *Etre c'est d'abord être feu. Etre feu pour naître cri. Alors intégrer le feu, l'enceindre, le comprendre. Qu'il se fasse lait afin que le cri s'en nourrisse et devienne langage.* »

La poésie est cette démarche de compréhension, de raccordement, d'intégration. La poésie est « raison plénière » qui ouvre à la vie la totalité de l'Etre, qui établit la connivence des contraires, l'amitié des différences. « Comprendre le feu pour entrer dans l'amitié de l'eau », dit Claire Lejeune.

Mais il faut reconnaître maintenant l'ivresse de cette ouverture — si différente de celle de la concentration. S'il fallait maîtriser la première, en la dirigeant vers la possibilité du langage — l'infinitif — qui le perdait, il faudra céder à cette ivresse-là, se laisser posséder par elle, mener à la périphérie de son être :

« *Une irrépressible puissance d'éclosion se mani-*

feste en chacun des points où je me contenais. Je vois le réseau de relations s'actualisant entre mes lieux de potentialité, se multipliant à l'infini, s'interpénétrant, se mêlant à l'univers des autres. »

L'ivresse est ici communication multipliée de l'Etre, jaillissement de la violence accumulée, du silence venu à son terme, allégement de la gravité, accouchement, création. Une fois venu à bout de son possible, rien ne peut plus retenir le poète de jaillir, de se répandre « sous la plus vaste voûte » et « d'irriguer le jour ».

La parole est, on le voit, nécessairement *excédante.* C'est qu'elle témoigne d'un ordre exorbitant, d'un possible infini, qui, pour se réaliser, demande l'outrance, l'épuisement. L'excès est condition de naissance, condition aussi de révélation mutuelle. *Le Dernier Testament* le répète inlassablement :

« *C'est dans l'épuisement que nous avons lieu.* »

« *La foudre en nous c'est quand l'amour lui-même prend la parole, quand nous sommes à bout de réserve. Alors tout signe devient acte. L'évidence s'exécute soi-même.* »

« ... *nous révéler par épuisement mutuel.* »

Comprenons bien le sens et les implications de cette éthique de l'épuisement, qui est celle du *troisième cœur,* du *Nous,* de la communauté poétique. L'excès suppose la gratuité, le désintéressement, l'abandon de la pensée prévoyante, calculatrice, le consentement à l'inconnu, au risque du futur, à l'innocence du devenir :

« Etre superstitieuse. Ne pas nommer d'avance le pays de destination. Cela fausse la trajectoire. Je suis une information en route vers sa destination; le pays sera nôtre, mais ni toi ni moi ni lui n'existons avant la rencontre. »

« Je suis trop loin encore, je ne peux même pas prévoir le pays. Qu'il me suffise d'épuiser les pas du voyage. »

« Savoir maintenant que le où *et le* quand *se déterminent en moi, pourvu que je sois le chiffre désintéressé de leur rapport ».*

Le troisième cœur — le cœur de la poésie — « se crée de sa propre dépense », le poème vit de l'oubli de soi (du passé, des demeures, du capital), de la seule mémoire de la soif et de la faim, donnés en partage, propagés dans le jaillissement de la parole. Ce partage est la seule mesure de l'amour. Il perpétue la soif, le désir, dans l'eau même qui assouvit, dans la lecture qui accueille. Il ouvre toujours plus largement « sur une soif plus vaste, plus profonde, plus inconnue ».

Mais il n'y a pas de vraie ouverture, de véritable outrance sans profanation, sans outrage, il n'y a pas d'innocence possible sans sacrilège. Le poète prend en effet « figure de transgresseur, de profanateur », lorsqu'il ramène l'Idée à la vie, lorsqu'il fait éclater, qu'il fragmente Dieu dans la recréation d'un temps humain, d'une durée terrestre. Il n'y a plus alors de monopole de la puissance, de la responsabilité, l'ordre se multiplie, le pouvoir est notre affaire à tous dans l'immanence de notre royaume :

« *Roturiers,*
sans ailleurs,

nous sommes,
ayant ici tous lieux de naître, de vivre et de mourir.
...
Perdu l'Honneur du nom,
s'ouvrent les champs du verbe. »

Le prix du sacrilège, c'est « le réel enfin devenu possible », le temps de l'homme approprié à son humanité, de la femme affranchie du visage divin du mâle. Pour elle, la libération du Père, c'est la dénonciation de la « propriété divine », de la « terre interdite », de la « Vierge-Mère ». Claire Lejeune est le poète féminin de l'hérésie féminine : « Qu'enfin soit de l'*inceste radical,* le visage décrypté de la femme! »

Prenons garde cependant à ceci : la révolution ne se fait pas en un jour et méfions-nous de l'impatience de l'idéalisme, qui traduit le manque d'humilité, la trace de l'ombre de Dieu. « Reconvertir l'absolu en relations, incarner le sens dans le langage » implique le consentement à la fragmentation du sens, à sa nécessaire propagation, à son ubiquité, c'est-à-dire aussi à l'imparfait. Car si je ne peux tout dire à la fois et si je ne consens pas au manque, je n'exprimerai jamais rien. L'incarnation, la vie demande le renoncement. L'art est conscience appliquée de la finitude. L'apprentissage de la patience, la victoire sur l'impérieux besoin de tout dire en même temps, rend maître « d'un temps personnel, d'un style, d'un ordre » et engage dans un rythme, dans un espace humain. « L'imperfection, dit Claire Lejeune, cela se dénombre, cela engage. C'est la perfection qui n'engage à rien! »

La communication poétique conduit ainsi celui qui s'y livre et celui qui la reçoit, l'écrivant et le lisant, à une sorte de santé essentielle, d'équilibre entre le manque et l'excès, le silence et le flux de paroles. La dépense poétique, si elle n'est pas l'économie du capital, n'est pas non plus la dépense incontrôlée des forces. Il y a une économie du don, un ordre de la surabondance. Et cet ordre c'est la responsabilité, l'engagement, la poésie *ouvrière,* qui ouvre et qui entraîne, qui fonde la communauté poétique des hommes de bonne volonté.

La Geste se termine sur un constat et sur l'annonce d'un programme :

« *Si le règne de la passion venait d'expirer, le temps de l'action n'existait pas encore... J'ignorais dans l'exaltation de l'idée, l'aridité du cœur et la misère du corps. J'avais à me créer. J'avais à forger l'outil.* »

C'est à ce travail du troisième cœur que s'emploient *Le Dernier Testament* et *Elle.* Le troisième cœur a entendu l'appel des autres et il répond, il y correspond dans le lieu commun de la présence (du présent et du don). Mais cette possibilité de la commune présence demande — et c'est la cruauté du troisième cœur — l'éclatement des deux autres, l'ouverture plénière à l'altérité, la reconnaissance du tiers, la communication de nos différences :

« *Par l'ouverture, par la* circoncision *du cœur, l'amour se fait parole, rayonnement, don, jaillissement. Il se fait permanence, devenir commun,* Magie *bénéfique, non plus captatrice d'énergie, mais libératrice, dispensatrice!* »

« *Aujourd'hui le cœur circoncis. La terre, l'eau*

et l'air reprennent leurs droits : le feu est maîtrisé. »

« *Le cœur se fait arbitre et propose la* responsabilité *comme solution au conflit liberté-nécessité. Il propose le Faire comme lieu commun de l'Etre et de l'Avoir.* »

L'autorité du troisième cœur, du *lui* rétablira la communication entre le *je* et *l'autre,* le monde extérieur et moi.

Ainsi s'accomplit la conjonction de l'esprit et du corps — et de toute séparation — dans la justice de la communication. Le retard de la pensée et du corps sur le sang est comblé et c'est l'écriture qui a annulé leur distance, l'écriture dictée du cœur. Si elle a maintenant atteint sa fin — « la soudure de ma pensée et de mon sang dans l'éclair » — c'est pour ordonner le cœur « pour un nouveau bond », c'est pour « forger la clé du nouveau risque ». L'intégralité du *Nous* le conduit à l'assumer, à prendre sur soi le devenir, c'est son exigence et par là même son innocence :

« *En nous, toi et moi sommés, soustraits, éprouvés et prouvés.* »

« *Nous*
personne à responsabilité
illimitée

sommes
par forfait de moi
chargés
de
preuve

donc
exigés. »

La folle exigence de vivre l'invivable, d' « être la preuve de l'improbable », puis de partager cette folie, d'en faire le fondement de la vraie vie est la sagesse poétique. Ce n'est qu'au prix de cette sagesse séculière que peut s'épanouir la destinée humaine, au prix de la mort de Dieu et de tout dualisme, de toute séparation. Dans la communication de la transgression et dans la reconnaissance du nouvel ordre, l'être s'accomplit, à la fois solitaire et fraternel, adulte.

Ainsi confier à tous sa révolte et sa fidélité, ainsi faire preuve de « l'impudeur radicale », c'est se livrer à la critique, à la parole séculière. Claire Lejeune a plus d'une fois, dans les colloques qu'elle organise, donc dans un lieu de la parole commune, de dialogue, intégré publiquement son expérience poétique, risqué sa dénaturation dans la prose. Ce faisant elle a quitté la frontière sauvegardante du poème, elle l'a porté au bien commun, elle a fait le pas décisif vers la poétisation de la vie, au dedans et au dehors du langage. Sa personne était alors le poème public, l'androgyne, le théâtre où la poésie avait *lieu.*

« Le commencement n'est lisible qu'à la lumière de la fin. Le Sud est au Nord et le Nord au Sud : ils se recèlent », dit *Le Dernier Testament.* « Fin, évidente clé du commencement ». Alors le temps s'annule et se redouble, le lecteur efface et répète. C'est entre le point et le cercle, dans le futur toujours utopique du (re)commencement. Le *lieu* exorbitant commun.

(1969)

ANDRE MIGUEL

SOLEIL AVEUGLE DE LA LANGUE

Regarder. Naître au monde, tout autour de nous. L'épi des champs. La terre immense qui tournoie. Le désir qui monte jusqu'à l'œil et la voix. La circulation de l'extase dedans-dehors, dans les mots qui sont la fable de la relation. Mariage des mots et de l'épaisseur des choses, des sensations, de l'attention minutieuse et de la dérive. « Bien voir, c'est se laisser couler au fond des choses comme une cire. Le fond des choses... est brûlant et net, il nous marquera à jamais ». Mais ce laisser être est leçon de rigueur, rêve travaillé de la langue et de l'œil, puissance de circulation (de circularité), de chaleur. Laisser être, c'est reconvertir le lisible en visible, redonner force à la langue de figurer. Sortir des thèmes, des émotions, des images de la rhétorique poétique pour retrouver le figural qui est, comme le dit Lyotard, une extériorité qui ne peut être intériorisée « en *signification* » (l'humanisme, l'anthropocentrisme de la « belle » poésie), l'intransitivité même de la parole (que le langage toujours extériorise, objective, réduit), l'opacité défaite et restituée. Ou, pour le dire autrement, le langage opaque et événementiel du poète est une sorte de sous-langage qui rythme le désir et le monde chaotique, qui est la fiction-vision d'un réel désubstantialisé, désignifié, la vacance d'espace (et de sens) disponible, dessaisissant, ruinant le monolithisme du sujet voyeur et parleur, le privant comme un aveugle de la vue assignée, comme un sourd de la parole communicante et universelle.

Ce qui est alors à l'œuvre (en désœuvrement) dans cette parole-visibilité est une sorte de mouvement métaphorique et métonymique où le regard se fait l'architecte d'un monde illusoire, où la parole fantasme le bonheur sans fin (le malheur) de l'échange. Et l'on va — panthéisme secret de Miguel — de l'élémentaire à l'immense (« Une seule feuille/et peser dessus levier/Qui soulève le monde »), avec dans la gorge « Un chant touffu/De fougères et de racines », et dans tout le corps « un désir d'œil sans limite, ouvert dans la hauteur et dans la profondeur ». Alors l'opacité s'éclaire (soleil opaque de tout vrai poème), « Les pommiers touchent le ciel lourd » et nous sommes « devant et dans et entre », « L'ombre de l'inconnu borde/La mer qui s'efface » et le mystère est là, matériel, simple comme une sensation sans sujet (« J'ai senti mais puis-je dire/J'ai »). Et c'est, comme entre-deux, intervalle (in)différenciant, un moi androgyne qui est le filigrane de l'espace, l'espacement du langage, la jointure des langues, le pluriel de la nomination qui ne cherche rien, opaque, au cœur de la clarté, de la « présence/Engloutissante », de la dévoration du paraître où la simplicité toujours promet son vide heureux, l'accord du jour et de la nuit, de la passion et du repos — « Bonheur inextricable/Où l'immobile ressemble/A la mobilité ». Et cette promesse est rien (pas d'idéalisme de la profondeur et de Dieu — ou de sens — caché chez Miguel) : « Au centre du feu il n'y a rien. » Rien, sinon « les métamorphoses de la contingence infinie », la perte de sens de tout visible « Pour devenir une neige de formes/Dans un silence léger », la « clarté visionnaire ».

Depuis *Onoo,* c'est toujours le même itinéraire, la même communication physique avec le monde, le même reliement des arbres, des fougères, des insectes, des couleurs et des sons, la même recréation de l'espace engrangé dans la mémoire déformatrice-reformatrice, dans l'œil immense, la même diffusion cosmique et intimiste, le même silence éclaté, la même germination pour faire « fondre les parois » du corps, la même logique de la dépossession où le moi androgyne est l'éparpillement de ces mots (« La vraie figure est hors de nous »), l'utopie d'un corps éclaté (« Nous deviendrons un corps gigantesque... mais plus insaisissable qu'un point »).

Il n'y a pas de rupture entre la poésie de Miguel et ses contes; ils font même la synthèse de ces deux « veines » poétiques : le lyrisme de la métamorphose et le baroque, le mystère cosmique et le ludisme burlesque. Car ses contes sont aussi bien récits d'un autre temps (ou de la nostalgie d'un autre temps) qui déroutent vers quelque pays inexistant (sauf dans les rêves ou les vieux livres d'images) que fables de néant, comptines de l'absurde, fantasmes proches des aventures de Plume et des mascarades de Ghelderode. Récits en tout cas visionnaires, qui sont comme le retour figural du refoulé, la rencontre de nos terreurs et de nos rêves fous dans l'imprévisibilité même du quotidien le plus tranquille et le plus ordonné. La force poétique est ici dans la désorganisation insidieuse de l'identité. Au terme de la lecture chaque fois on ne sait plus qui est qui et si l'on se regardait derechef dans le miroir, on y verrait sans doute l'illisible, l'autre que toute lecture et que tout savoir rejette de notre regard toujours distrait par la réalité culturellement univoque. Et si on prêtait oreille (la troisième oreille de Nietzsche), on entendrait, comme Urbain Vert, le « héros » de « On me parle », quelque chose comme un nasillement, un chuintement, un bafouillement, un grondement, un sous-langage dont les mots à peine perçus excèdent l'audibilité, dépassent le sens ou sont en deçà.

Mais le grand livre de Miguel, le livre-lévitation (qui décolle de la langue) est encore à l'état de manuscrit et — soit dit en passant — sans éditeur [1]. C'est un récit, *L'Oiseau vespasien,* ou plutôt un poème épique, l'odyssée du mot-valise, l'errance joyeuse d'une parole qui est la pulpe du récit, le juteux de l'aventure. Entre Rabelais et Joyce, avec un zeste de Lewis Caroll. On mange des yeux, on est « exorbité » par le chaos chantant et dansant des mots réassortis, rassemblés — réanimés : saveur nouvelle du monde et de la langue, guirlande des choses, louange par la seule nomination. Il y a du vent entre les branches de chaque lettre, une grande santé secoue la forêt des mots, réveille le vocabulaire, la rythmation des phrases, la signification de l'étroitesse du dictionnaire, de la monotonie de la syntaxe, de l'absence de souffle de la diction, de la sclérose humaniste du sens. Il y a de part en part du livre une pétaradante verdeur, un œil immense qui cligne de joie de voir et de dire : « Aux premières clairteurs d'aurjour, je me levai et ouvris inconsciésance la porte de notre minaumière et me trouvai dans la rivière, transparadiance... Je suivais cette vieille femme qui chuchantait : ‘ Je suis forêt, je suis vent, je suis la franchource, je marche sur la lumière de l’œil exaltétrique’... Jamais je n’ai permalangue je n’ai permapère à mon heure de fongre... ».

Alors clain d’ail et boumheur, faîte de la langue, sielence... Le récit vole et emporte, la lecture est sa contagion.

(1973)

NOTES

1. Comme l’est tout son extraordinaire théâtre radiophonique : une dizaine de pièces, diffusées à France-Culture et ailleurs.

DANS LA DISTANCE, MAIS SI PROCHE...

> *« Et l'on finit par penser que toutes les choses essentielles ne peuvent être abordées qu'avec des détours, ou obliquement, presque à la dérobée. »*
> (Paysages avec figures absentes.)

La poésie est peut-être une attention extrême à ce qui est, le souci du réel. Quoi de plus banal, quoi de plus rare aussi aujourd'hui, alors que l'homme a oublié son centre, le mouvement qui anime le paysage, la vie, le langage, alors qu'il parle avec assurance et confusion, maltraitant la parole et le monde, recherchant la maîtrise, le sérieux.

Du milieu de notre temps de machines, de mannequins, de spectres et de monstres, le poète veille à ce que la mesure cachée ne disparaisse pas complètement, il refuse d'abdiquer devant l'oubli (et l'oubli même de l'oubli), il lui oppose, non un savoir, une doctrine, une idéologie, simplement un élan, l'écho parfois retenu d'un chant précaire et toujours menacé, l'entre-deux d'une certitude (qui n'arrive pas à se nommer) et d'une incertitude qui n'est pas désespoir mais ouverture, allégement des obstacles, chance de la présence.

C'est à cerner l'expérience poétique, ce qui la fonde — sans être vraiment un fondement — que s'emploie depuis vingt ans, d'une voix « hésitante et forte », avec obstination, Philippe Jaccottet.

« Il n'est pas aisé d'interpréter sans emphase et sans imprécision une expérience si profonde et si dérobée », lit-on dans *Eléments d'un songe.* Pourtant Jaccottet s'y essaye — éternelle reprise d'une tâche à la limite du possible — avec une justesse de ton qui ne peut tromper. L'expérience qu'il nous décrit dans ses livres (*La semaison, La promenade sous les arbres, Eléments d'un songe, Paysages avec figures absentes.)* a été menée avec rigueur, sans complaisance pour l'illusion des visions rassurantes ou pour la facilité verbale, qui parfois est la sienne (« la dangereuse musique qui vous entraîne si discrètement de la vérité au mensonge »); il est toujours prêt à reconnaître le glissement, soucieux de dégager une certitude éloignée des grands mots, qui n'habite peut-être aucun discours.

Son expérience est des plus communes : l'approche de la plénitude et de son éloignement, le bonheur que nous avons tous au moins une fois connu d'un commencement et la tristesse de le perdre, la banalisation de l'aventure, la grisaille (plus ou moins éclairée) de la durée.

Privés du commencement, de l'instant où le monde et le moi échangeaient leurs mesures — où il n'y avait plus qu'une seule mesure, un seul espace comme hors de l'espace —, où le feu brillait « sans qu'aucune agitation le déporte », éclairant ce qui l'entoure, « immobile foyer de tout mouvement », où tout était proche et présent, où il n'était besoin d'aucune parole, nous pouvons tenter de retrouver les chemins de son retour en lui vouant un culte mêlé de regret (tel celui qui élève l'enfance à l'état de paradis). Nous pouvons aussi consentir à l'usure du temps, nous distraire dans la répétition des mêmes tâches, des mêmes gestes (qui n'ont plus leur signification), au point d'avoir presque perdu le souvenir de leur origine, et nous dire heureux. Nous pouvons aussi singer la violence du commencement, le confondre « avec la frénésie du neuf, le désir de changer à tout moment ». Nous pouvons enfin reconnaître la distance, l'accepter et assumer le changement, sans mélancolie et sans orgueil. Nous pouvons accepter les limites, les obstacles et, à force d'attention, de patience — et disons-le, avec Jaccottet, d'amour — nous efforcer de les rendre transparents et légers — encore qu'il s'agisse plus d'une obstination, d'un espoir maintenu que d'un effort en vue d'un but précis, défini. Nous pouvons garder l'ouverture « jusque sous les coups, les pluies de pierres ou de feu », sous le bruit et la violence, dans le silence de l'écoute de ce qui est lointain, invisible, insaisissable et dont l'autorité est inexplicable, n'a pas de nom, de raison (dire *Dieu* par exemple est réduire l'inconnu, opacifier le commencement, le charger d'un sens qui n'est pas le sien — pourtant Jaccottet parle parfois du pas ou de la respiration d'un Dieu, peut-être pour en montrer son allégement, sa qualité de souffle, d'innommable?)

Au cœur même de la détresse — à cause peut-être de la détresse, qui est l'épreuve du feu, l'épreuve de la résistance de la lumière —, dépassant (sans les supprimer) ombres, obstacles et morts, il se peut que le temps qui semblait désert « lentement se réillumine et se repeuple », il se peut que soudain, avec une « surprenante brusquerie », « silencieusement... irrésistiblement », on soit « comme tiré en arrière », et que « la merveille » nous soit rendue « comme un lointain tout proche ».

Ce qui réapparaît alors — avec d'autant plus de force qu'il était éloigné, que l'écoute seule, attentive et fidèle, le préservait de l'oubli —, c'est un souffle (une lueur, une étincelle) ou, plus tenus encore, un rythme (une musique), une mesure, un battement, difficiles à décrire mais « impossible(s) à contester », *cela,* qu'aucun mot ne traduit, que les images citées égarent même, qui demande pour être saisi l'abandon du savoir, « de l'assurance qu'il nous prête », des mots qui, au lieu de laisser passer l'expérience, la recouvrent, la détournent une fois encore. *Cela,* l'inassignable, est, parce qu'insaisissable, plus irrésistible, « plus certain en un sens », dit Jaccottet, « que tout ce que l'on pourrait saisir ». Il semble tout ordonner, il apparaît comme un ordre — non pas structuré et clair, différent de celui de la science —, l'ordre, non pas d'une réponse, mais d'une question persévérante, qui, à sa manière pourtant, répond en réaffirmant l'énigme, en montrant le mystère de ce qui est, l'ordre de la présence, du monde visible, quotidien — cependant « éclairé, ennobli, fortifié » par l'expérience poétique, rendu à sa visibilité.

La mesure illuminante aide à mieux voir le dehors et le dedans, transporte vers le centre, où les contraires s'accordent en demeurant eux-mêmes, « point de la réalité la plus forte, la plus dense », lieu à la vérité impossible, incompréhensible, qui ouvre — issue infranchissable — vers la vie, multiple, irréductible, immédiate. Lieu non pas statique, mais de passage, d'errance, « suspens vibrant et sourdement sonore au cours duquel le monde se change en une maison dont les ombres mêmes sont pleines de rires », dit le poète, auquel répond en lui le bonheur, l'envie de parler, de disséminer la parole, de partager la merveille.

Parler, non pour expliquer, pour atteindre un résultat, pour convaincre, parler pour ébranler, pour rassembler autour du même centre, pour rapprocher des choses. Parole rare, qui répond à la mesure perçue par une mesure du vers (lente, solennelle, grave, ou alors légère, d'une richesse éteinte), qui le plus fidèlement possible propage la contagion. Parole qui ouvre un chemin, le chemin recueilli de l'écoute, du regard, de la respiration, le chemin humble de l'immédiat, qui est « la plus profonde profondeur », le plus fragile aussi, qui à peine nommé se dérobe, qui toujours apparaît à la dérobée, surprenante nouveauté du même, voix persistante qui dit autrement l'identique, qui découvre le centre vers lequel il faut revenir comme à un lieu, une patrie qui est la trame de l'espace sous le paysage le plus banal, le moins chargé apparemment d'histoire ou de beauté, mais où un souffle ancien et neuf murmure plutôt qu'éclate, où la terre s'ouvre, laissant paraître l'origine, le fond.

Entendre le murmure de ce qui s'ouvre et accorde une terre natale, c'est revenir plus simplement à l'herbe, aux pierres, au réel qui maintenant fait signe de toutes parts — est signe.

Mais comment lire ces signes, comment dire leur sens? En respectant le secret de l'eau, qui ne se révèle pas à qui traduit *fraîcheur* ou *pureté* — bien que ces suggestions soient naturelles —, en ne portant pas l'obscur à la clarté abstraite de l'analysc, en ne l'aveuglant pas avec des formules qui le figent et le vident, en ne séparant pas la chose de ce qui, de l'intérieur, l'habite et l'enchante, lui donnant force de résurgence, la réservant au seul regard attentif, insistant, mais aussi patient, capable à la fois de voir et de rêver.

L'attention du poète se situe entre la vision et la vue, entre la dérive des images (l'amplification poétique) et la rigueur d'une description qui ne se tiendrait qu'aux signes. Entre la saisie de quelque chose et le dénuement des formes essentielles qui échappent à l'ornement du langage. Entre le discours et la parole pauvre, presque silencieuse — distance jamais résorbée, parfois rapprochée dans l'éclat inespéré du simple.

Nous voici donc encore dans la distance, et pourtant, si elle est reconnue — reconnue et aimée — près de la proximité. La couleur, il est vrai, se dérobe, mais aussi appelle, parle « dans une langue étrangère ». Ce retrait et ce murmure sont comme les preuves d'une *vérité* qui maintenant seule compte. La poursuite, sans doute vaine, sans victoire, va s'engager; des images surgiront, accueillies, puis écartées. Nous serons conduits vers l'intériorité du visible, vers le « suspens » de la chose et son mouvement d'évasion, vers l'intervalle d'une présence et d'une absence qui exalte et qui comble.

Les couleurs de ce bosquet ne sont plus alors la parure des choses, mais leur rayonnement, la montée du centre, du fond, immobiles et en mouvement, à la frontière du visible et de l'invisible, jetant le trouble et la joie « d'une annonciation à peine saisissable »... Pourtant, le bleu résiste — « le bleu de la mer entre les troncs et les verdures » à Majorque, le mot *bleu* ne suffit pas. Il faudrait montrer sa concentration, sa richesse, son intensité calme, immobile, sa présence bleue, « une, sans détails » — et effacer, bien sûr, toutes ces images —, il faudrait ne « rien expliquer, mais prononcer juste » (« vert, noir, argent... comment dire, comment toucher la note juste, la note intérieure? »), il faudrait vivre justement, dans le détour et l'approche du plus simple, dans le mystère réaffirmé de l'entre-deux, dans l'errance, l'exil du poème, essayant des paroles pour ouvrir, pour frayer.

Parfois la parole est « passage », « ouverture laissée au souffle », parfois elle est mouvement de la lumière ou du vent, mouvement de l'espace, témoin presque transparent de la présence massive et légère, lieu « où trouvent accord non pas paisible, mais vivant, légèreté et gravité, réalité et mystère, détail et espace. L'herbe, l'air ». Parfois elle nomme ce qui est entre terre et ciel : la fête du pré et de l'air, de l'arbre et du vent, la nativité de la lumière.

Ce qui alors est accordé est une sorte d'*éclaircissement,* « le sentiment qu'on avance vers quelque chose » qui ne peut pas ne pas avoir de sens, qui n'est pas possédé, donné, circonscrit par la connaissance, mais dont la présence, énigmatique, s'impose avec tant d'immédiateté que la question, toujours ouverte, répond. Comment cela? En laissant parler le monde, avec « sa part d'obscurité irréductible », avec sa source, son foyer d'*inconnu,* dans sa *lumière,* qui est à la fois le plus haut et le plus bas (une « simple chanson », « le sourire d'hommes effacés qui s'oublient et ne s'en prévalent pas »). En allégeant la question, plus près du souffle, « présence chantante, mesurée » que le poème « traduit ou simplement répète ». En ne supprimant pas l'énigme, mais en montrant sa beauté — qui est peut-être aussi sa vérité.

Une telle parole, *poétique,* requalifie le monde et les hommes, leur réapprend la passion de vivre. Elle nomme les fleurs et les arbres, « témoins », « garants muets d'un mystère surpassant toute connaissance », elle célèbre ce mystère. Elle ne délivre pas du doute, de l'ignorance, de l'obstacle de la laideur et de la mort. Elle dit la profondeur de ce *rien,* le vertige de l'homme non protégé par un savoir, par une révélation, qui doit risquer le sens, à partir du rien — à peine un murmure insignifiant, incompréhensible —, à partir de la hauteur d'une exigence irraisonnable qui porte à refuser le vacarme de l'heure (le désespoir aussi bien que l'euphorie, le nihilisme que les nouveaux cultes), à partir du lointain, qui ne relève ni d'un lieu, ni d'un temps.

Ce qui est ici commandé au poète (à tout homme s'il prête oreille à cette expérience commune, s'il ne se laisse plus distraire par des certitudes, l'autorité, la voix des autres, s'il reste dans la distance du vrai amour), c'est d'élever « ce tenace murmure », de parler — porté sur « l'aile du non-savoir » — « contre le vide », d'affirmer — de tout le poids d'une merveilleuse incertitude et d'une inexplicable mémoire — « une possibilité inouïe », parfois presque réelle : « fragments, débris d'harmonie », puis de nouveau le silence, l'échec... le possible.

Est-ce la foi en la vie, toujours réanimée par les vraies œuvres, qui « éclairent loin de peser », qui « nous aident à vivre mieux », plus près de la lumière? Est-ce la louange de la réalité? (« Je dis ici ce qui est peut-être ma seule certitude : que ce lieu doit être en dépit de tout loué, parce qu'en dépit de tout il existe. »)

La poésie serait alors — selon la grande leçon rilkéenne — la « simple nomination des choses », une sorte de prière (mais sans objet extérieur, sans certitude, qui ne demande pas de récompense). Une activité qui nous détache de nous-même, qui efface de nous la lourdeur, le sérieux, le froid, nous délivre peu à peu du souci de la *réussite,* du *nom,* de « l'expansion démesurée de la personne » (« C'est le triste souci de ma peau qui m'empêche d'être un vrai poète », dit — comme son ultime vérité — la dernière phrase de *La promenade sous les arbres.* Ou encore, dans le même texte : « La moindre impureté du regard viendrait gêner la vision du monde où ces lueurs sont enfouies, le moindre souci de réussite en entacherait l'expression. ») Une activité qui détourne le poète du chant lui-même — du sérieux de la création (« Quand j'aurai appris à m'en détourner, peut-être s'ouvrira-t-il de nouveau? ») Un *mouvement* qui se sert de sa personne, une scintillation du désir qui parle — sous les arbres, les montagnes, sur les lèvres, les visages, dans l'air, dans le passage du jour à la nuit, à l'aube, sous les paroles —, qui ne dépossède pas celui qui est mû par lui et ne refuse pas cette *émotion* qui, au contraire, le rend plus simple, plus commun, plus ordinaire — proche de la rencontre avec l'Etre (« cette fin de journée d'août », quelques oiseaux tournant « au-dessus des toits », « ce vent qui anime les feuilles légères des acacias sur la place », les hommes, l'amour et la mort), de sa métamorphose dans la lumière.

(1972)

SANS PLUS [1]

« L'être *est la vibration sans plus, à l'extrême avancée.* »
(L'Instant.)

Parole inhabituelle de Roger Munier, qui nous sort du savoir, du commentaire, de la sérénité, qui nous ouvre à l'insu, à l'insensé, au dehors de la présence fermée sur soi, qui ne signifie pas, qui est « recul du signe,/hors de toute désignation », hors du langage. Parole qui n'identifie pas, qui s'efface comme parole, qui est dé-nomination des choses, pauvreté jamais assez pauvre pour arriver au sans nom, au sans-abri, à « ce qui s'annonce,/s'avance en sa figure abolie », à l'apparence qui s'ouvre, déserte, dans son éclat, au rien qui règne, voulant n'être rien, qui est pour nous vertige et suspens, emportement et risque, instance et instant — puis rien à nouveau que cela même, sans plus.

Comment parler de cette parole qui va en retrait du discours, qui oublie le nom, le réseau intelligible et rassurant des mots, qui ne déchiffre pas un sens mais se défait devant les signes, qui se tait — sous la parole — devant ce qui n'a pas de parole mais oblige? Comment parler de cette obligation qui invite, pour qui répond à l'insu par « une tacite entente », à s'excentrer, à se dé-placer pour rejoindre? Comment penser « cet impensé latéral », éprouver le vide du *il y a,* penser le non-sens comme ce qui n'a pas de sens, éprouver le sans fond, la « nudité terrible » toujours recouverte, habillée, masquée, tenue à distance « pour subsister »? Comment accepter le danger de cette parole outrancière, de cette pensée ignorante (qui se déleste en non-savoir, qui s'aveugle jusqu'au visible « non vu, jamais atteint ») qui ne cherche pas à comprendre, mais accueille sans rattacher, préluder, justifier, qui laisse « la fleur s'exhiber hors du sens » et « le merle chanter pour rien », qui célèbre « l'insensé,/la fièvre » — car « La pensée est le danger,/la forme même, vibrante,/efficace,/du danger »? Comment redoubler ici l'insolence de cette approche de l'excès, de l'infime que seul éprouve celui qui fait l'épreuve de ce danger, qui se détourne de la fausse maîtrise du concept et du mot pour entendre « L'énigme d'un signe/dans la langue inconnue », pour agréer l'extériorité de l'énigme qui n'est signe que de soi, qui ne se traduit pas, qui habite l'opacité menaçante, étrangère, qui pourtant s'ouvre à la fascination, à l'amitié de l'instant?

Mais l'immédiate certitude « se dissipe aussitôt », renvoie au non-savoir qui est la loi. L'ouverture se referme, vouant chacun à sa solitude, la chose elle-même ne coïncide pas avec son sens, comme il pouvait sembler, car cela est trop dire encore :

« Ne parlons pas de « rose ».
Il n'y a pas de « rose ».
Hors-sens et seule,

la rose est soi-disant *la rose.*
Tout au plus soi *disant.* »

La tautologie du *il y a* nous offre son impossible appropriation, elle met outre-soi, à tous les points de vue et dans tous sens. Elle exige la sortie, l'engagement de tout l'être dans un mouvement qui n'apporte jamais de réponse, qui est sans fin (que la thématique même de l'errance, que n'importe quelle forme culturelle ne peut caractériser), que Roger Munier suggère, dans la force de la discontinuité et de la soudaineté de l'aphorisme, mais qui même suggéré ne dit rien s'il reste au niveau de la parole. Penser est ici convoquer, se détourner de la voix — de toute voie —, se dessaisir et oser l'impensable, le préservé, l'oublié. Prendre mémoire du refoulé millénaire et vivre, en dehors du savoir, le sans-pourquoi.

La parole de Roger Munier, sous les mots que le mouvement de la pensée ruine, nous conduit au plus près de ce chemin sans guide et sans méthode où l'impossible parfois se lève comme le paysage simple et inexplicable, la chance de l'infime, le bonheur du « vide aimé », l'inassouvissement du désir. Sa parole est le dit d'une expérience que chacun peut faire, à la lisière de l'instant, dans la nudité des mots qui ne font pas obstacle, qui affirment l'incompréhensible, ce qui, relu, résiste à l'appropriation d'un sens. Une expérience que les mots employés ici ne rendent pas, qui, pour être non possédée mais vécue, un bref instant, nous porte dans l'avant-mot, en-deçà et au-delà du livre, là où l'arbre apparaît, plus caché, dans son apparaître, où il n'y a plus de mots mais, vite, vite, cette relation vraie, intense et juste, qui sera après rétablie dans l'ordre mensonger du discours, voilée par l'existence de l'arbre à nouveau, jusqu'à la faveur d'une vitesse nouvelle, d'une brièveté qui est la chance de l'instant, qui, fugitive, infime, apparemment anecdotique, est le tremblement de l'éphémère, la passion discrète et secrète du pays.

Parfois — j'en ai fait l'épreuve — tout cela ne parle pas dans la parole qui se livre, parfois aussi le blanc de la page convoque, les mots s'ouvrent et les choses les plus humbles (« Des nuages sur la mer, au loin », des « Feuilles mortes en tourbillons/ soudains, au ras du sol », la neige qui tombe, l'orage proche, une jeune femme qui court sur la route « Vers quoi...?/Le soir tressaille ») surgissent, quittant la gangue du discours pour nous vouer à l'absence réelle, à l'insignifiance innommable de l'être.

Parole contre l'air du temps, dans la marge, en marche, comme une respiration qui défait l'espace. Pensée vibrante, loin du concept, loin du poème — de cette double sécurité du logos —, qui ne nous donne plus l'envie du savoir, de la glose, mais le bonheur d'un chant, d'un rythme que soulève l'originelle mémoire, d'un rien qui « nous emporte et nous risque/et nous abuse et nous sacre,/dans l'élan bref,/dans l'élan nul,/impérissable et foudroyé ».

(1973)

NOTE

1. Aux côtés de *L'Instant* (Gallimard, 1973).

INVENTAIRE, MYTHOLOGIE [1]

> *« Pour savoir qui nous sommes,*
> *Nous essayons le chant. »*
>
> *« Quand le chant n'est plus là,*
> *L'espace est sans passion. »*
> (Sphère.)

Guillevic, poète des séries comme Dubuffet, grand inventorieur du réel, poète interrogeant notre monde quotidien. Une sorte de phénoménologie poétique préside à sa démarche : découvrir des réseaux entre les choses et les êtres, des rapports d'abord évidents, puis plus secrets, un fond des choses qui n'est pas l'essence mais leur apparence, voilée, dissimulée, faute d'un regard assez attentif, d'une attention et d'un amour assez forts.

Apprendre à voir avec Guillevic, apprendre à lire, à entrer dans l'espace de la question, à nous réapproprier la présence. Par exemple s'éprouver à la ville en interrogeant son mystère, en allant plus avant vers sa question — la nôtre. Voir les choses d'un peu haut, à un certain niveau, à une certaine distance (poétique, amoureuse) :

« Lorsque je vois
D'un peu haut les champs, les prés,
Les bois, les eaux qui glissent, les routes,
Je crois savoir les lire un peu. »

Comme si le délire était la condition de la vraie lecture — le préfixe *de* marquant le mouvement de haut en bas. Lecture alors cette plongée sur le réel et aussi ce soulèvement du réel vers son vrai niveau. Une telle lecture sur la hauteur demande une autre vision, une autre vue. Il faut peut-être y mettre « un certain oubli ». La poésie, qui naturellement oublie, naturellement retrouve la mémoire du vrai niveau. Comment accéder à ce niveau, à la hauteur de soi-même — d'un soi retrouvé, authentifié? Grâce à une ouverture, que permet l'audace, la volonté de transgression de l'espace clos et du temps qui aliène :

« ... oser
Tenter cette ouverture
...
Qui les rétablira
Au niveau de leur ville ».

Mais une sorte de timidité, de peur retient les gens de la ville d'abandonner leurs « jeux inutiles » et d'ouvrir « ce chemin/Qui la traversera,/Qui la révélera » — et les révélera à eux-mêmes.

Le poète qui écrit, qui parle de la ville force à voir, il rétablit la vue, l'ouverture à ce qui est, il ajoute aux choses en repos, méconnues dans leur inertie, le mouvement qui les redispose pour nous à la vie :

« *J'écris pour ajouter*
Au monde quelque chose

Qui l'augmente et le force
A se voir maintenant... »

Le monde n'a pas besoin du poète bien sûr pour exister, la ville est là. Il n'y a qu'à la regarder. Mais est-ce si simple de regarder? La parole poétique peut-elle forcer un regard qui n'a déjà vu, qui n'est pas disposé à voir?

Apprendre à regarder cela veut dire d'abord que l'inventaire ne suffit pas. Il ne s'agit pas de quantifier, d'additionner, il ne s'agit pas davantage de qualifier (les adjectifs, dit Guillevic, « ont l'air d'accueillir » et ils « vous diluent »), mais de découvrir sous les chiffres et les mots, sous l'opacité et la masse, des réseaux aériens et souterrains, des visages multiples et irréductibles, qui s'échangent et qui se refusent, humains ou inhumains, des différences, de rendre la ville à son pluriel non quantitatif. Quelle ville alors? Celle de la technique, des hommes-machines, celle aussi des bureaux, où l'on « retient la ville/D'aller à l'aventure », celle des « bâtiments démesurés » qui à la fois nient les hommes et témoignent de leur désir « de plus grand qu'eux-mêmes/Et de plus durable », de l'usure, de l'espace fermé, ville non idyllique mais qui en même temps apprête son départ, sa sortie hors d'elle-même (« Elle voudrait partir/La ville, se quitter ») pour gagner des espaces, pour retrouver des temps d'avant la clôture, pour redevenir mythologie, légende encore à venir :

« *Tu es depuis longtemps,*

Tu es jour après jour
Dans la mythologie.

Et c'est aussi pourquoi
Tu es vivable, ville,

Pour des millions qui savent
Vivre aujourd'hui cette légende
Que tu seras. »

Ainsi l'inventaire s'ouvre sur le mythe. Décrire en poésie, c'est dévoiler, c'est découvrir un autre espace sous l'espace, un autre temps dans le temps — mais toujours dans l'immanence de l'ici-bas, dans la chance du seul séjour terrestre. Rien de moins religieux que la mythologie de Guillevic, rien aussi de plus proche du sacré. La ville « en superficie » est révélée dans son irréalité face au temps hors du temps de la mer (« Face à cette eau qui n'est pas dans le temps »), confrontée à la préhistoire des temps mythiques qui habite encore le vent ou la mer.

Retrouver le mythe, le réinscrire dans le cours des choses, c'est « commencer/A parler au présent ». Et parler au présent, c'est consacrer. La parole du poète qui raccorde à la dimension mythique, consacre, célèbre, justifie. La ville alors devient comme une offrande de la ville au couple ou du couple à la ville, comme un échange souverain entre deux espaces (l'extérieur et l'intérieur) confondus dans le temps de l'amour, dans le non-lieu de l'intime. Mais ce non-lieu (qui est une ouverture, un point de fusion, d'assimilation qui jamais ne se résorbe) n'est promis qu'à ceux qui poussent jusqu'aux limites ce qu'ils hasardent, qu'à ceux qui ne sont pas « à l'aise/Tout à fait dans les caves » et prononcent un mot pour « ouvrir l'espoir » : *frontière* ou *source* ou *goéland* ou « des mots plus lointains/Comme acte ou dispersion ».

L'espace de la ville est accepté, est reconnu « tissu syntaxique/De pierre, de ciment,/De grisaille et de bruit », partie de soi-même. *Je* et la *ville* ne sont plus deux :

« *Elle est entrée en moi, la ville,*
Elle est en moi, me ronge,
Me corrompt, me nourrit. »

Je n'est plus « tangentiel à la ville », n'est plus séparé, solitaire mais, par une sorte de pouvoir d'osmose, est devenu la ville, l'a intégrée en lui, confondant contenant et contenu. D'où cette analogie entre la ville et le corps :

« *Il faudrait, je crois,*
Pouvoir circuler à travers la ville

Comme un globule rouge
A travers un corps. »

L'intimité est donc notre extériorité même, réapprise, restituée. La ville est notre question, notre mystère et notre savoir :

« *La ville est comme un mot*
Que je ne connais pas. »

« *Apprends-toi*
Dans la ville. »

Rien, dit Guillevic, « N'est plus nous-même que ça. » D'où le désir de la posséder — de nous posséder :

« *J'écris sur toi*
Comme j'écris toujours :

Pour posséder. »

« *Fais de la ville*
Ta chose. »

Cette démarche de l'avoir peut-elle réussir? Quelque chose peut-il être ma chose qui ne soit pas dans le même temps « le mouvement lui-même », ma fuite?

Impossédée mais mienne, la ville me renvoie à mon impersonnalité, au non-lieu de notre commune présence, au mystère même de la présence. Mais il faut que j'ai découvert son creux — sa faille — pour transmuer le vide en plénitude, il faut avoir vécu l'absence, la solitude, la séparation — le froid des villes — pour saisir l'intime du non-lieu. Est-ce alors un espace dans l'espace, une autre dimension du temps? Une quatrième dimension, qui est peut-être bien celle de l'accueil? Et si la poésie, en effet, était cela : la dimension de l'accueil, la disposition du regard, du cœur, de la pensée, du langage, qui convertit ce qui est à l'ordre impersonnel du désir, à l'ordre extatique du vrai dialogue :

« *Il me faut t'inventer*
Ce qui te fera femme

Pour demeurer en toi
La durée d'une extase. »

Retrouver l'accueil, c'est chercher la terre — le peu de terre des villes — « Sous les revêtements/ Des trottoirs, des chaussées », qui n'a pas de « repli de silence », qui est « Hors du circuit de l'eau,/ Du circuit de l'attente » et lui réaccorder l'espace, c'est faire voir à la ville ses campagnes qui lui « offrent leur écoute », c'est lui montrer la complémentarité nécessaire du pays et de l'arrière-pays, du temps et de l'arrière-temps afin que la ville des hauteurs soit aussi « centre recueilli/Desservant les campagnes », visage pour elles du dimanche, afin que « Le bruit fait par l'eau/Dans les conduites » rappelle que « le silence aussi/A ses chemins/ Qui viennent de la préhistoire,/Avec les pierres,/ Avec l'écoulement de l'eau ». Ainsi toujours la ville d'ici est comme parcourue par la ville d'ailleurs (de plus loin, d'avant la ville), l'histoire est habitée par l'origine, ainsi toujours une profondeur est devinée en filigrane sous les choses, au cœur des choses. Une profondeur? Un excès d'être, une surabondance qui voue au langage, qui chante et enchante, qui s'affirme dans l'acte étrange de nomination.

Mais accueillir n'est pas facile, recréer l'espace de la surabondance est rare. Il faut compter avec les cloisonnements, avec les réticences des objets. Ainsi nous sommes renvoyés à la fermeture, à l'obstacle de l'opacité :

« Encore des murs,
Encore des toits.

Tout est fermé
Autant que nous

Qui regardons
Pour qu'on nous ouvre. »

C'est pourquoi depuis *Terraqué* la poésie de Guillevic s'affirme comme un combat contre ce qui résiste à l'accueil, comme un coup de force pour que tout soit habité, habitable, pour que tout ait sa place « Dans la sphère qui dure ». Dans *Art poétique,* qui termine *Terraqué,* on lit déjà :

« *Il s'est agi depuis toujours*
De prendre pied,

De s'en tirer
Mieux que la main du menuisier
Avec le bois. »

Depuis *Terraqué,* Guillevic assigne au langage, à la langue pourtant toujours étrangère, la tâche de s'apprivoiser à un ton qui ait avec les choses une commune mesure.

Mais comment parler sans mentir? La parole du poète peut-elle reconnaître la naturalité des choses? A moins qu'à force d'attention, qu'à force d'épreuves, quelque chose se prouve du monde dans le chant, à moins qu'une communication indirecte, toute de spirale et de courbes, apporte un début de réponse.

D'où l'inlassable question au prunier (« Je t'écoute, prunier./Dis-moi ce que tu sais/Du terme qui déjà/Vient se figer en toi », au pin, au tilleul, au groseiller, au noisetier, au genêt, au bleuet, à la fleur de géranium, à la luzerne. Et si l'on quitte l'herbier pour le bestiaire, aux oiseaux (merle, mouette, mésange, coucou, hirondelle, alouette, perdrix), ou pour quelque lapidaire, l'écoute des métaux (plomb, zinc, fer, cuivre, or, aluminium, argent, étain), du ciment (« J'ai essayé/Avec le ciment »), des rocs, des pierres de Carnac, de la mer et du vent. D'où ce regard obstiné et enjoué sur les figures de la géométrie (droite, cercle, angle, sphère, spirale). Pourquoi cette interrogation répétée des éléments? Sinon pour faire parler ce qui n'a pas de voix, pour donner voix à un silence qui ne peut être un oubli ou une indifférence.

Qu'y a-t-il au terme de la question? Pas de réponse (claire, explicite), pas de savoir, mais la présence souveraine. *Avec* dit peut-être, plus qu'aucun recueil, cette *vérité* de la présence, qui est celle de la poésie. *Avec* esquisse le chemin à suivre pour gagner le lieu qui s'ouvre « A celui qui s'avance » — chemin toujours recommencé, chemin de fidélité, de solitude et de communauté, chemin qui rassemble tout entier dans la parole, toujours plus avant, toujours plus près, qui disperse dans l'errance (« Chercher le lieu, partir/Errer encore »), qui veut épuiser l'inépuisable ici et témoigner d'une sorte de passion de la poursuite qui ne saisit pas mais épouse, qui ne contraint pas mais accueille, qui excède l'avoir

« *Aussi la fleur sans nom*
...
Dit que parler c'est pour donner
Ce que l'on croit ne pas avoir. »

et ouvre à l'impossible (« Se voir debout, tenant/ Ce qu'on ne peut tenir »), à la folie du monde (« Ma folie/Est de ce monde »). Folie qui n'est pas un espoir — encore moins une certitude — mais l'hyperbolique pari du simple, le risque illimité du oui.

L'hyperbole du oui n'est pas la fermeture d'une foi, la transcendance ne conduit à aucune synthèse. La négation, l'absence n'est pas dépassée dans une sorte d'*aufheben* hégélienne. Dans la simplicité de l'affirmation poétique, les contraires cohabitent, tragiques et heureux, contents de leur différence. Le oui de Guillevic accueille le mystère des inconciliables qui accordent leur étrangeté et qui maintiennent leur pluralité, leur question jaillissante, leur centre toujours déplacé dans le mouvement de mutuelle approche. Le lyrisme lucide de la poésie est de sauvegarder ce mouvement de la question, qui n'a ni commencement ni fin, qui comme la spirale promet à une destination toujours perdue, ouvre au non-être, à « l'abîme vers le haut ».

(1970)

NOTES

1. Dans et autour de *Ville* (Gallimard, 1969).

UNE MÉMOIRE DE L'OUBLI

Heidegger critique, on le sait, la *pensée-représentation* et le langage-instrument responsables de l'oubli de l'être. Cette critique est destinée à ouvrir un chemin vers une pensée sereine et un langage transparent qui nous accorderaient à la dimension de la totalité et seraient commémoration. Elle veut substituer une pensée originelle à une pensée altérée et sauver de l'oubli.

La représentation, l'image caractérisent la science, l'histoire et aussi la métaphysique; les choses sont, pour les sciences de la nature, devenues des objets avant même « d'avoir atteint leur état de choses », l'homme, pour l'histoire et la philosophie, devenu égoïté « avant que l'être de l'homme eût pu revenir à lui-même ». La pensée est, à ce niveau, saisie « sous la forme d'une représentation transcendantale, liée à un horizon », l'horizon étant « la ligne qui encercle notre champ visuel » qui « surpasse l'aspect des objets », la transcendance ce qui dépasse leur perception, et tous les deux étant appréhendés « à partir des objets et de notre activité représentative », non en eux-mêmes. Voilà bien le défaut des sciences, de l'histoire, de la métaphysique :

elles ne sont pas assez régressives, elles ne pensent pas assez originellement. Et il en est de même du langage. Nous ne voyons dans la langue qu'un instrument de compréhension et d'information qui sert « pour les rapports habituels de la vie », mais il est d'autres rapports plus essentiels et plus originels qui ne sont saisissables que pour qui interroge plus initialement, derrière l'usage et le sens commun.

Une fois libérés de la représentation, nous pourrions advenir à une pensée plus initiale qu'Heidegger appelle le *laisser être (Gelassenheit).* Décrivons-la sommairement et demandons-nous si elle cesse d'être fondement de l'oubli, si elle peut davantage encore : nous en sauver. Le laisser être n'amène pas ce vers quoi il est tourné à se tenir devant nous, mais le laisse ouvert. Il est à la fois volonté et non-vouloir : inclination à entendre notre appartenance « à ce vers quoi notre laisser être est tourné », à reconnaître l'horizon en soi, le *Rassemblement* (die *Gegend*) ou, comme le dit encore Heidegger, la *libre Etendue.* Laisser être veut dire « se laisser engager dans l'ouverture de la libre Etendue », retrouver son appartenance originelle. La *Gelassenheit* est le contraire de la pensée représentative, elle ne réifie pas la libre Etendue mais est prise en elle et réappropriée. La pensée est cette fois définie « à partir de ce qui est autre qu'elle-même, à savoir de la libre Etendue » qui se l'assimile. La relation entre la libre Etendue et la sérénité n'est « ni un rapport causal d'effectuation ni la relation transcendantale à un horizon »; elle est la *mise en présence (Vergegnis).* Et de même la relation entre la libre Etendue et la chose ne sera ni causale ni transcendantale mais la *Constitution*

(Bedingnis), ce qui constitue la chose comme chose. Cette démarche de pensée refuse, on le voit, l'expérimentation fondée « sur la relation de l'homme comme 'moi' à la chose comme objet » pour nous disposer à la mise en présence et à la Constitution, c'est-à-dire à l'Histoire de la libre Etendue. Si l'on comprend maintenant cette dernière comme l'être caché de la vérité, la pensée sereine sera alors « la *'résolution'* s'ouvrant à l'être de la vérité ». Le retour à la libre. Etendue (ou à la vérité à laquelle nous sommes appropriés) nous rapproche de ce qui, par essence, se dérobe. « Penser, ce serait alors arriver à proximité du lointain », rétrocéder, aller plus initialement vers ce qui se retire. Or cela pour quoi on se résout, pour quoi on se met en « instance » de sérénité, la libre Etendue, la vérité, l'être, est une sorte d'unité rassemblante et éclairante qui, « mettant toutes choses en présence les unes des autres... les rapporte les unes aux autres et les fait revenir à elle-même, à leur propre repos dans le Même » et cela « par la magie... de son appartenance ». Penser, ce serait se mettre en route vers cette unité, qui est une unité d'absence, s'ouvrir à la dimension, ou plutôt répondre à l'ouverture historiale de la libre Etendue et entendre la voix de l'absence, correspondre à l'Etre en rétrocédant vers son absence, et répondre au langage en régressant vers le non-dit.

On saisit ce qu'une telle pensée a de circulaire et même de tautologique. Retrouver en effet la disposition, gagner la sérénité qui nous retourne à ce qui demeure, n'est possible que pour qui entend l'appel. Nous lisons dans *Commentaire à* Sérénité : « ... elle (la libre Etendue) est la contrée de la parole, qui est seule à répondre d'elle-même... Il ne nous reste plus qu'à entendre la réponse appropriée à la parole... L'entendre suffit — et suffit alors même que notre dire n'est qu'une répétition de la réponse entendue... » et dans *Qu'est-ce que la philosophie?* : « Est φιλοσοφία... la correspondance qui parle, dans la mesure où elle prend en garde l'appel de l'être de l'étant. La correspondance prête oreille à la voix de l'appel. » Entendre cet appel signifie être déjà converti.

La conversion est celle de tout notre être : ouïe (ou regard), cœur et esprit, accordés dans une attention et une patience qui ne sont pas sans rappeler l'intention phénoménologique. Un des aphorismes de *L'Expérience de la pensée* dit : « Dès que nous avons la chose devant les yeux et que notre cœur est aux écoutes, tendu vers le verbe, la pensée réussit. » Tourné vers la parole, tourné vers l'Etre, le moi s'efface pour correspondre, pour laisser advenir l'Etre à la parole et cette dernière à l'oreille, aux lèvres, pour répéter en laissant transparaître [1]. La conversion apparaît ainsi comme une dépossession, un éclatement du moi : « Il importe peu que quelqu'un soit le premier à la répéter (la réponse entendue) et qu'il soit celui-ci ou celui-là. » L'Etre est d'ailleurs la dépossession elle-même : « Le don de soi dans l'ouvert au moyen de cet ouvert est l'Etre même. » Ainsi à l'effacement du moi comme égoïté, au renoncement répondra le retour à l'appartenance, à l'origine :

« *Le renoncement ne prend pas, mais il donne. Il donne la force inépuisable du Simple. Par l'appel en une lointaine Origine, une terre natale nous est rendue.* »

A ce niveau, la pensée comme le langage est exaltation, qui dit la métamorphose et qui montre que la philosophie heideggérienne est une poiétique. Poiétique qui, restituant toutes choses à partir d'un habitat plus originel, rend l'habitation possible. Poiétique qui, exaltant la langue « jusqu'au simple », ne prétend pas à une poétisation du réel mais à un retour au Réel pensé assez initialement, c'est-à-dire assez simplement. Poiétique qui prétend donc enfin nous sauver de l'oubli en nous tirant de la déchéance, de « l'oubli de la vérité de l'Etre » pour nous ramener à la mémoire de cet oubli et nous retourner à partir d'elle vers la commémoration de l'Etre :

« *L'Etre attend toujours que l'homme se le remémore comme digne d'être pensé.* »

Si nous sommes d'accord avec Heidegger pour voir dans la *pensée représentative* un des fondements et peut-être même le fondement de l'oubli, nous nous demandons si la *pensée poétique* ou *remémorative* ne conduit pas, elle aussi, à l'oubli. De sorte que toute pensée porterait en elle l'oubli, que l'oubli ne serait pas séparable de l'activité de penser [2]. La représentation mène en effet à la réification ou à la sublimation, qui altèrent la Présentification et la Constitution en causalité explicative, l'Histoire en historique, la pensée de l'Etre en « étant non pensé dans son essence ». Quant à la remémoration, elle conduit à une réorigination de l'homme et du monde accordés à une vérité d'absence et de silence. D'où une véritable mystique de l'écoute et du retrait, de la résolution (qui est plus un non-vouloir qu'un vouloir) qui devrait, si la pensée vient à nous, nous permettre d'appréhender (c'est-à-dire de correspondre, non de saisir d'une façon théorique ou pratique) la simplicité cachée, l'Etre. La folle espérance est ici de croire au pouvoir d'une pensée (en partie au moins extérieure à l'homme) qui nous rendrait une terre natale, de croire à une origine transindividuelle qui donnerait un sens à chaque vie et aussi à chaque objet — indépendamment de la perception et du jugement de l'individu comme égoïté — et de sublimer tout de même ainsi l'homme de la finitude.

L'homme que nous présente l'imagination poiétique, est-il encore l'homme et non plutôt sa néantisation, son éclatement dans l'absence de figure, dans l'impossible désir de l'Etre? La pensée — fût-elle pensée de l'Etre — peut-elle transfigurer l'homme, la poésie l'élever jusqu'au rêve de la transcendance quotidienne hors du temps, jusqu'au retour du non-oubli?

(1966)

On ne croit plus aux contes de fées (fussent-ils situés sur des chemins de campagne, dans un pays qui donne un corps à la pensée). On a perdu (aujourd'hui : 1976) le rêve heideggérien, avec quelques autres — mais non sans nostalgie et peut-être pas sans rechutes.

NOTES

1. De plus en plus aujourd'hui (1976) cette idée m'inquiète. Relisant cette phrase de Heidegger « Mais l'Etre — qu'est-ce que l'Etre? L'Etre est Ce qu'Il est », je me demande si cette tautologie ne rappelle pas, du moins dans sa forme, cette autre tautologie du déclinement de

l'identité de Dieu à Moïse (Je suis Celui qui suis) et quelle est la différence. Autrement dit comment et en quoi diffèrent la présence de Dieu et de l'Etre comme tautologies, comment et en quoi diffèrent les dépossessions poétiques et religieuses. Comment se jouent la proximité et l'éloignement et si, d'une certaine façon, — malgré toutes les dénégations de Heidegger — l'Etre ne ressemble pas à un Dieu, sans fondement, sans lieu, sans pouvoir, mais égal dans son déploiement à Ce qu'Il est et qui nous convie, dans la distance, à l'appartenance et, dans la proximité, à l'absence — au Royaume et à l'Exil.

2. La pensée voue peut-être toujours à une part d'indifférence, de partialité, d'abstraction. Peut-être sommes-nous sans cesse portés à la possession ou à la dépossession qui faussent les rapports et mésusent de nous. La lucidité passionnée ne peut que rétablir de temps à autre la pensée qui *dévie*. C'est que la lucidité, comme l'amour, comme la mémoire, n'est qu'intermittente. La mémoire fonctionne dans les intervalles et si même elle voulait durer, elle ne le pourrait car elle rendrait la vie invivable. Ceux qui ont prétendu vivre dans la lucidité, la mémoire et la fidélité n'ont-ils pas dû revenir sur leur promesse? N'y a-t-il pas là comme une dérivation qui marque l'échec — et cela même chez les plus purs? Ainsi chez Nietzsche, le cheminement résorbé dans la nomination de l'Eternel Retour, chez Breton, le surréel compromis par la magie, chez Camus, l'absurde pacifié dans « la pensée de midi ».

Cette dérivation de la mémoire en oubli, de l'intuition silencieuse en paroles explicatives, révèle la mixité, le mouvement de navette de la lucidité au divertissement, de l'abandon à l'abstraction, du souvenir à l'abandon. De sorte que l'on pourrait dire que l'oubli comme la mémoire sont les organes-obstacles de la vie, que grâce à eux la vie est et n'est pas possible. Pure mémoire, c'est la folie qui nous guette : la folie de l'obsession létale d'un Poe, d'un Baudelaire ou d'un Trakl, la folie de la répétition d'un Lenau (cette folie mène à l'immobilité et de là à une sorte de vide qui, à la limite, est oubli. Tel est le paradoxe de la pure mémoire, elle rejoint l'oubli, comme le montre le si beau livre de Peter Härtling, *Niembsch ou l'immobilité*). Pur oubli, c'est le solipsisme... Entre le Surhomme et l'innocent, il reste une place pour l'homme de l'oublieuse mémoire, pour une demi-pensée, un demi-amour, un demi-courage. C'est peu et c'est beaucoup. Ce n'est jamais assez, et le combat inutile est de se dresser sans cesse et sans fin contre cette limite. Bataille d'avance perdue, mais qu'il faut livrer (sans raison, sans extériorité ou intimité signifiante). Et peut-être que livrer ce combat est notre seule victoire : celle de la conscience de l'oubli, qui proteste contre l'oubli en oubliant et contre la mort en finissant bien par mourir. Une mémoire sur fond d'oubli, une parole sur fond de néant, tel est l'homme paradoxal qui s'affronte à ce qui l'écrase, le « bel homme déconcertant » qui dresse la création et l'espoir contre la résignation et le mensonge. Espoir « sans issue », à réinventer (Bonnefoy). Poésie, *erreur* poétique. Seule *raison*...

VERSANT OUEST

« *Invisible soudain l'après-midi.* »

La lecture délie, rouvre l'espace au blanc, remplit le temps d'une rumeur. La lecture est une musique : silence et bruit échangent leur démesure. John Cage est là, jamais pareil à son visage, ne répondant pas aux questions qu'on lui pose, inventant des réponses à côté. La lecture est à côté. Elle est la discordance, le désaccord — la dispersion de nos sens et leur reflet vers quel centre qui est nulle part?

« *J'entends dedans ce que je vois dehors*
Je vois dedans ce que j'entends dehors. »

Pas de réflexivité, pas de retour à soi et de domaine où régnerait le sens (« Je ne peux pas m'entendre entendre ») mais un mouvement de « Sons qui marchent sur le silence », la musique — silence et pas silence, la présence imprévisible des « pas de cet après-midi/Parmi les arbres et les maisons », qui n'est pas la visibilité de cet après-midi, de ces arbres, de ces maisons, mais le glissement entre le sens et le silence de l'immobile après-midi qui avance, où soudain les contraires s'échangent, se déplacent, reviennent, s'annulent :

« *Soleil et neige ne sont pas même chose :*
Le soleil est neige et la neige est neige
Ou
Le soleil n'est pas neige, la neige n'est pas neige. »

Et un mot fraie le silence, l'écarte, le tombe, le hisse, s'épuise au leurre de l'être/ne pas être, et soudain l'après-midi n'est plus visible. Au terme de la musique et du poème, il n'y a plus que ce tournoiement qui relie et délie comme vertige, comme vide, comme savoir-non-savoir, comme l'aveuglement et la surdité, le soleil et les cymbales.

« *Espace dans l'espace* »

Que ce soit le pluriel ou le singulier — espaces ou espace — il n'y a pas de centre, pas de haut ni de bas. Seulement des remous, ce qui s'ouvre — corolle — et se dissout, ce qui se dévore et s'engendre, ce qui n'a pas de cesse. Spirale de tout dans tout et de rien en rien. Eclat. Non-lieu absolu de l'impalpable rapport.

Le même en son absence. Le même en sa fuite. L'identique en sa ressemblance. Miroir du vide dans l'infini de l'espace (et le visage de Webern dans un jardin de nuit de cristal de roche). Echo du silence dans l'illimité de la voix.

Et — ce glissement, cette joie — « moi./Je ne sais où je m'en suis allé... »

« La mémoire de moi en ta mémoire »

Cette joie. Entre l'immobile et l'avancée des arbres. C'est la clarté et les oiseaux gîtent sur la lumière. L'entre-deux du fixe et du vertige. La trace amnésique de ton corps. L'ouverture de tes yeux. Eros de jour et de nuit — l'éparpillement du fleuve, l'écriture qui dénude et revêt d'énigmes, l'arbre charnel du recouvrement. La luxuriance et la pauvreté. La fable des signes plantés sur la spirale du parcours et la page dissoute, la mort qui nous pense. La croyance avec des points de suspension. La berge de la transparence et la résistance de l'opaque.

« La spirale chantante
Dévide la blancheur »

Avec nos mots, avec nos rêves, entrer dans la nuit de l'esseulement, voir aux faîtes des barrages l'autre versant de la dispersion, l'autre face de l'immobile. Inventer la rencontre. Et la rencontre nous délie, nous réunit en ce non-lieu, est le relais de la dépossession, où nous avons un sexe, une bouche, une pensée en perte de frontières, en perte de séparations, où la solitude est vivace dans le pluriel de l'avant-arrière, du haut et du bas, du centre et de nulle part, où la légèreté succède à la pesanteur, où la mémoire rit de sa blancheur.

« Les choses sont et ne sont pas
Tout se défait sans bruit
Sur la page »

La lecture délie, la parole impaire « sans nom sans voix/Monte et descend ». La fiction brûle. Voici notre route et notre absence de chemin, le commentaire privé de sens « sur l'absence de sens de l'écriture », l'effacement de ce qui fut écrit (le palimpseste) et la configuration nouvelle de l'inachèvement, l'air volatile de la parole. La fidélité et l'adieu.

L'adieu à Paz : le regard et la dissolution, l'emportement et la retenue, l'espoir creusé du doute et la dissémination des lettres, des gestes, et les signes à perdre et à réécrire — plus loin vers l'Occident du vieux monde nihiliste, où le poème ne sera plus poétique.

« *Visage en blanc de l'oubli* »

Où sont les mythes de l'Occident? Seule nous reste une poésie blanche, l'effacement des images. Un autre imaginaire — non universel? Une réserve inintelligible — inextinguible? Hors sens, plus près du bonheur de la détresse — laconique ou baroque, inflatoire ou surchargé —, de la démesure des majuscules éventrées et des prophètes en congé sans solde.

En ce sens encore, Paz à la croisée de deux mondes, partagé entre le mythe et le vide, la transparence amoureuse et la faille de la mort, du génocide planétaire. Mais cicatrisant instantanément dans le cercle de la mémoire poétique la rupture qui se rouvre sans fin pour se refermer. Sauvant toujours le retour, le tournant d'un au delà de l'histoire, qui est justement l'histoire poétique.

Où sont les mythes de l'Occident qui a perdu le sens du cercle et de la spirale transfiguratrice, qui ne voit plus la présence et qui ne peut entendre sans rire le mot *Etre,* qui tombe parfois dans le piège de la scientificité du langage, de son auto-suffisance de Dieu (on dit *producteur*) repu, qui parle encore, rature, détourne, répète, affirme, dans la désublimation progressive d'un monde en deçà des figures de la métamorphose, dans la nomination toujours plus basse du jour et de l'arbre?

(1974)

TROIS PAS VERS LE LIVRE

1. *Demeure de nulle part*

Le danger d'une lecture rétrospective — relire aujourd'hui *Je bâtis ma demeure* à partir des sept livres du *Livre des questions* —, c'est que l'on parte d'un savoir, que l'on aille, comme l'archéologue, retrouver un site déjà situé, des pierres, des fragments solidaires d'un ensemble dont on ait avec soi l'image, le sens constitué. Démarche peut-être inévitable de lire ce livre ancien comme une préhistoire, comme la tête chercheuse du cycle des questions. Menaçante clarté.

Pourtant ce livre (cette anthologie de livres échelonnés de 1943 à 1957) est, réédité, aussi bien l'avenir que le commencement, le cercle du retour que la discontinuité du dehors. Il est son époque et la distance redistancée de nous à cette époque, de l'auteur même à son livre. L'autre livre d'un livre déjà autre.

Comment se retrace aujourd'hui cette altérité? Comment se rebâtit ce livre de la ruine, cette demeure ouverte sur son change? Se retrouvent d'abord en lui l'arabesque des écritures, les voix mêlées à la voix indivise encore de Jabès et déjà propre, défaisant la trame de la poésie de ce temps-là (Max Jacob, Eluard, Breton, Char et même, m'a-t-il semblé, parfois Prévert). Se retrouve, mais comme rumeur diffuse, la lèpre de ce temps-là, le génocide. Se retrouvent, traversant voix, genres, Histoire, la peur de l'enivrement des premiers pas osés vers l'inconnu. Et ce retour est notre métamorphose, le miroir des risques de l'écriture et de l'écriture des risques où se décrypte aussi notre modernité. *Je bâtis ma demeure* est alors, exemplaire, hier et aujourd'hui, le livre du passage de la poésie traditionnelle (élégiaque, géorgique, nostalgique) à cette « œuvre qui n'entrerait dans aucune catégorie, qui n'appartiendrait à aucun genre, mais qui les contiendrait tous... que l'on aurait du mal à définir, mais qui se définirait précisément par cette absence de définition... qui ne répondrait à aucun nom, mais qui les contiendrait tous... qui ne répondrait à aucun nom, mais qui les aurait endossés tous... qui serait le point de ralliement de tous les vocables disséminés dans l'espace... le lieu, au-delà du lieu... un livre enfin qui ne se livrerait que par fragments dont chacun serait le commencement d'un livre ». Le passage de la poésie à son infinition, à ce qui en elle — désert de la parole — ne peut être entendu, qui dénomme pour décrypter le silence de tout nom, l'imprononçable du nom, l'absence de Dieu de Son Nom, à la disparition du lieu, au nomadisme de tout lieu, à la métamorphose du mot (lieu-Dieu-yeux).

Or que dit la « vieille écriture »? Déjà la parodie de la poésie (comme le remarque dans une préface presque « prophétique » Gabriel Bounoure), la tristesse (nostalgique-ironique) de la chanson d'amour, l'ailleurs de la personne nommée, du paysage, des éléments célébrés, la faille de l'être-là, l'exil du visage, du pays, de l'œil, de la langue, le recours contre cette perte à une autre alliance, à une autre perte, à une « allégeance à d'autres assemblages de lettres » (que révèle aujourd'hui Jabès, dans un très remarquable numéro de *Change,* comme son itinéraire juif, son exil et sa rébellion). L'appel à « l'espace sensible entre le vocable et le vocable, entre la lettre et la lettre » (la non-identité du mot, sa musique d'échange de syllabes, son démembrement-remembrement de l'espace, sa force d'élection qui écrit le poète erré par ses mots, par leur rythme, supporté, avancé par le vocable). L'adresse à l'illisible (l'altération de l'ordre de la « belle poésie », du « beau monde », du *logos*).

Dès le premier texte qui ouvre *Je bâtis ma demeure,* on lit — désir de sauver dans la soif inextinguible et le désert différé : « Ouvre l'eau du puits. Donne/à la soif un moment/de répit; à la main/la chance de sauver ». Puis, on découvre — absence de lieu — une demeure d'insomnie, le ciel « toujours à traverser », des « jours de racines », une « page obsédée », un « chemin... sans indulgence pour qui/s'en détourne », des souvenirs d'une « chanson liée à l'enfance » pour défaire le malheur et la mort, pour traverser désert et sang séché, des légendes belles et dérisoires, proches des cantilènes d'autres temps, des refrains populaires, proches des chansons d'attente de Maeterlinck et des « lieder à fond d'angoisse » de Max Jacob (où l'on voit « Malakou » le Roi noir », « la Princesse malheureuse », « la belle Reine morte », « Deux éléphants qui ne dormaient pas », « Sept poissons dans l'eau claire », « Trois oies grasses et laides », « Trois poupées de sucre »). Mais aussi, déchantant, comme malgré soi, digues écroulées, irruption dans la désuétude de ces contes à contre-temps de l'ogre qui « fait le vide autour de lui », qui « fait la nuit » et qui cette fois — adverse de la légende — mange aussi ceux qui ferment les yeux, ceux qui dorment. Alors route « jonchée de morts », « Saison des mille naufrages », mer « devenue l'eau glacée des tombes », calendrier du désespoir, notes de cendres, femmes en robes de sang, hommes uniformes de nudité, froid, faim, soif, anonymat, laideur, mère glissant avec le fleuve, père « pendu à l'étoile », galop de cavaliers dans le sommeil, oasis sans palmier, sans brin d'herbe vivant, sans insecte, sans homme, mort à perte de noms, de paysages, mort anonyme.

Et pourtant, digues refermées, à travers rondes et refrains les mots se multiplient, les images, les rythmes portent l'espoir, l'humour relaie la naïveté lyrique et la douleur est traversée par un chant dérisoire plus fort que la dérision. Ailleurs le chant se module et c'est le dialogue des voix (la circulation du dis-cours entre les voix), le dialogue des solitudes, des « cœur à personne » de la voix, où les morts décomposent « nos phrases d'errants », s'acharnent « sur chaque lettre », où la solitude est le signe de la solitude de tout signe, l'élément toujours de l'élément, le rocher, l'irréductible, où le pluriel (le chœur) nie et affirme l'entre nous deux, le seul. Et pourtant, chœur de soif asséchée, de ravage et de voix obstinées pour l'avenir, maintien du *nous,* d'un écho, d'une bouche et d'une oreille sans frontière, d'un partage de syllabes du cœur.

La parole rouvre — contre le temps de la détresse — une route « et l'espoir rayonne », les mots tracent, non pas des idées, mais d'autres sens, plus audacieux, des feux éblouis, « d'incessants envols et de vertigineuses chutes ». « Les mots démontent la mémoire », surprennent, déchirent, ouvrent la « paupière du secret », marchent « à vif jusqu'à l'homme ». Et c'est leur spectacle, leur loi, leur jeu (grave et léger), leurs questions auxquelles il faudra désormais s'efforcer de répondre en écrivant, en glissant d'une question à l'autre, en n'ayant plus de halte, de repos, de quiétude, en ne sachant plus quel objet (« Les mots m'ont appris à se méfier des objets qu'ils incarnent »), quel sujet étranger et propre (« Je suis à la recherche/d'un homme que je ne connais pas,/qui jamais ne fut tant moi-même/que depuis que je le cherche »). Alors la dédicace du sable, « l'écharpe du devenir », la vacance des fenêtres, la brèche de l'espace, la perte de demeure. Entre le blanc des mots et le noir des signes, là où s'épelle un nom toujours étranger, où les lettres s'arrachent au vent, où le mot hante le mot, le défait, le déplace — anagramme déjà de tout mot, de tout poème, de tout livre.

Mots obscurs, mots ajournés, mots « à voix basse sous la peau », mots longeant l'abîme, soif en route vers une plus large soif, livre bâti hors d'haleine jusqu'au manque de souffle du mot fin, sur le suspens de la mort, effondré, rebâti contre l'ultime lettre jamais écrite, prononcée. Encore du désir, de la peur, de l'ivresse, infini noir, « lueurs de mots » et page toujours blanche de l'exil, « tourment du vide », trou appelant du noir. Miracle toujours rejoué, déjoué. Alphabet de la ruine, dépense de la salvation. Cercle de l'entre-deux, point du centre (de cendre).

Comment lire « une mort qui se fait livre »?

« Qui entrera en sa *demeure* ruinée à flanc d'abîme?... Qui s'exposera à la noire *fécondité* de sa mort? », demande Joseph Guglielmi, dans une postface qui échappe au commentaire et préserve, « au paroxysme de la crise », comme le veut Jabès, la question. Lire, c'est s'exposer, entrer dans la dépossession de l' « intime entente », dans la demeure solitaire où se dérobe le sol, dans la communauté de la consolation perdue, dans l'absence de pays du peuple de l'exil, où la solitude s'étoile, où la répétition désapproprie (identifie le juif, l'écrivain, l'*évide*nce nomade). Lire c'est devenir la folie des mots, l'errance de ses propres mots, la mort littérale où la maison nomade croît et décroît (épreuve de l'avenir, réponse aux mots « du fond des âges ») vers le non-dit, vers le non-lieu, vers la défaite et la promesse, la ressemblance en différer du même. A ce mouvement éperdu n'échappe pas l'auteur (en témoignent encore « La réponse esquivée » et « Le plus haut défi »), toujours devant sa propre lecture (déceptive ou réactive, réengageant le même dans l'altération du même), devant la réécriture qui débaptise et rebâtit la demeure en papier des mots, qui déchire le vide qui est la déchirure, cerclant encerclé, se dégageant — spirale — par retour et à venir imprévisible, répétant l'anagramme, le vertige de personne — « (Je) EST VIDE EN CE (mot) » —, rapprochant la mort (l'écroulement de la lettre dans la mort, la fin de l'r du mot), gagnant le nulle part de la ressemblance, l'extrême, l'obscur, le blanc, la langue qui s'efface au faîte du retour.

2. *Introduction à une lecture aveugle*

L'extrême écoute. L'extrême du visible. L'abîme le plus haut. La loi du livre. La justice. La pratique de l'innocence. Et aussitôt le double (la double absence, l'oubli toujours dédoublant, « L'œil de ce qui ne fut pas »). Et ce regard — absent — me voit, moi qui ne peut le voir, œil de l'absence, aveuglement. Et l'illisible dicte ses lettres que je ne pourrai lire qu'après coup, dans l'engagement déjà du retour dans l'espace de la lecture, dans le recul de la lisibilité.

Mais au septième livre, le retour vers le premier n'est pas le cercle fermé du sens. Seulement — dans les étages reparcourus de la répétition — la certitude d'un n'a pas de cesse, le livre rouvert et refermé, le parcours oblique de la traverse.

A trop aller et à trop revenir, vertige des vocables, des voix qui racontent l'histoire inachevée, les strates d'un temps, l'inexistence du temps, de l'histoire, de la voix. A trop lire, l'illisible, là sous la lettre, l'aveugle. Ce « regard détaché de tout œil » — « outre-attente, outre-chance, outre-abandon » —, le pouvoir anonyme, « Le regard du Rien et du Tout », l'Un et le Nul.

L'accompagnateur du récit — l'inénarrable sous la narration, l'innommable sous le nom, l'invisible dans l'œil ouvert —, l'accompagnateur de la mort :

« *(Regard de Sarah, regard de Yukel et regard de l'enfant mort-né Elya.*
D'ouvrage en ouvrage j'aurai, avec lucidité, cédé à ce regard;... désemparé, seul dans le champ rétinien d'Aely.) »

Entre le Tout et le Rien, le visible, entre, avant la dissolution, en route vers l'aveugle clarté qui est l'œil et la Loi, Dieu absent de Dieu, le juif, la question juive, le regard du juif :

« *Adorateur du Dieu invisible, le juif a porté le regard à son apogée où la parole impérative se voulut commandement lisible.*

Dieu nous enseigna que l'écriture est éternelle, au bout du regard. Le livre voit pour tous les vocables. »

Sa « promesse du regard » dans le désert — Dieu, parole pour se voir, extrême de l'écoute, pour que le visible arrive, pour que le vocable soit la vision du livre.

Voyant cela qui toujours résiste à la vue, être vue. Voyant et vu dans le néant. Mort regardant la mort. Ecrivain dans le regard double — actif et passif —, dans la mort double — vie et mort, vue et aveuglement :

« *Si vivre est voir, mourir serait, alors, être vu.*
Vie et mort ne seraient ainsi que la double aventure vécue de l'œil. »

« Voir jusqu'où le monde cesse d'être vu », jusqu'au désespoir de ne rien voir. Mourir, « pour soi-même, déchiffrable? » :

« *La mort, disait Yaël, est un regard déserté du regard.* »
« *La mort est dans la vue...* »
« *La mort, disait Yaël, est lecture.* »

Mais quel celui qui lit? Quel et de quelle perte? de quelle progression de perte, œil cillant de la mort (« O mort, questionnante quête!... L'éducation des yeux n'est pas une utopie. Je vois toujours plus loin... plus loin où je me retrouverai à mon point de départ... Nous ne dépassons jamais nos pas »), de quel désir de se perdre et de se sauver — d'être lu —, ressuscité *« dans le regard d'un autre »?* « ' *Œil pour œil./Exigence du regard.* ' », risque de l'œil engloutissant, risque des mots qui *« seront nos pupilles »*, notre effacement, la blessure de nos rétines, l'au delà du monde, de la mort qui est le delà, l'ouverture de l'ouverture de l'ouverture de l'ouvert.

Voir. N'avoir « de regard que pour ce que je ne vois pas et qui va bientôt, je le sais, m'éblouir », aller vers l'aveugle, l'éclair, le livre. Ce risque — les yeux ouverts, qui nous ouvrent et notre solitude de la vue, de l'écoute, devant la surdité, la cécité de Dieu. Notre charge de Dieu (peuple du Livre, écrivains du Livre), notre solitude dans le livre où se lit la Loi, notre mort, où se figure l'exil, où se murmure une prière un souhait — l'impossible (« ' Aely, murmurai-je, enfant, vide, monstre, ombre, main, montre-toi. ' »), où se répète, dans le néant, cette offre, cette supplique (« montre-toi ») et ce qui se révèle est « signe sous le signe », imposition d'Aely, lettre pulvérisée, infini dans chaque vocable, éclatement des limites du livre.

« *Le vide du cercle, l'œil d'Aely, l'œil de la mort* », les noms propres défaits, l'anonymat de l'absence de tout vocable et Dieu, *« désir inaltéré de la lettre »*, refait défait contre cette défaite, absent resplendissant dans le vide et la plénitude de la lettre. Dieu mort « sur la route de la blancheur », trace divine faite « lettre effacée aussitôt qu'apparue ». Dieu, linceul blanc, inhabitable mort — dehors même de la mort, de l'œil, du livre, œil mortel de la Loi, nom imprononçable, aveuglement. Seuil, clé, point d'interrogation. Déception et retour. Dernier seuil et commencement. Blancheur, page blanche, effacement de noms, d'images. Trou (« L'œil est l'abîme le plus haut./La loi du livre est loi d'abîme »).

Voir, voie dévoyée. A perte de lisibilité, à perte de livres. Trame de désert et de soif, route de sel et d'exil, silence. (« *Le livre est détruit par le livre. Nous/n'aurons jamais eu de biens.* ») Que ce refus — si juif — de l'image, que l'image alors sous l'image, que le point, le point dans l'absence de point. Que la mort (« *Un point,/englouti/*dans le point »), que ce futur-utopie, où « tout sera vu », que ce balancement inlassable, répété, passé d'avant passé, futur d'après futur — ni origine ni fin —, que ce passage par la mort, toujours plus loin avant, toujours plus loin jamais.

Brassage d'un même sang, respiration-étouffement d'une même lutte éperdue au plus vite de la vie-la mort. Parole du vocable au vocable, du point au point. Parole vide contre le vide et témoignant du vide de Dieu, du « vide d'une vie d'yeux », « coup de sabre dans le vide » :

« ' Je ne vois plus rien. Je ne vois plus rien '. *Tel est au terme imprévisible de sa quête dans le livre, l'épouvantable cri poussé par l'écrivain, disait-il encore.*

Immense est le mot obscurité. »

La question aveugle, persévérante et oublieuse, toujours autre. Augure inaugurante, ignorante. Distante, espace distendu de l'impossible. Epellation, nomination de ce qui brise (« *El./Ailes brisées* »). Brisure-renaissance, égalisant naissance et mort, indifférant le lieu, les signes, les mots, perturbant la voix et les sens. Aveugle blancheur. Visibilité d'encre. Ratures. Ratées. Rejet de l'achèvement. Foi répétée du leurre, dans le retour de tous possibles, dans l'entre-deux du Nul et de l'Un. Vocable de l'extrême écoute. Paupière du dernier battement (« ' Sais-tu, dit-il, que le point final du livre est un œil et qu'il est sans paupières? ' »)

Désert ou *juif* ou *Livre* ou *mort,* disait-il, répétait-il, obstiné comme un enfant, comme un mort-né, comme la lèvre de l'exil, comme un juif errant, un é-cri-vain.

3. *La ressemblance*

La répétition (Dieu, son pouvoir, sa perte du pouvoir), l'illisibilité, l'image de tenter un livre (*Le Livre des Ressemblances*), le miroir du corps qui échappe. Retour. Avant. L'absence transparente *de.* Le devenir de « l'écriture de sa mort ». Le « prétendu auteur », l'expulsé, le juif. Perpétuer la ressemblance. L'autre livre, l'autre, le visage entre nous et la mort, la « raison de toutes les ressemblances », la vibration, la vie, le livre sans fin (« Le même, là même où, dès l'origine, il fut autre »), l'immémorable déploiement du livre. Le rien édificateur (sable, mort, langage à blanc).

LETTRE-BIOGRAPHIE

(à Roger Laporte)

... Je savais que vous lire est dangereux, je veux dire que tout le temps serait pris, qu'il faudrait tout délaisser (les tâches, les travaux en cours, la tour d'ivoire), que l'urgence serait déplacée et que seule votre machine d'écriture occuperait la place. J'avais raison. Je me suis fait et défait avec elle. J'ai lu *Fugue* et *Supplément,* crayon en main, soulignant, complétant, désintégrant et réintégrant le texte dans la marge du livre (votre texte : la page de gauche; la marge, la page blanche à remplir, à investir). Car votre livre, par l'exigence même qui le déploie et qui le ruine, s'offre au lecteur à la fois comme une tâche stérile (ressasser le ressassement, revivre l'épuisement) et la promesse d'un vivre avec et sans l'écriture, d'un nouveau projet, d'un autre déportement/débordement, la loi (non positionnelle, non limitée par un concept, des métaphores, un livre) de l'ajournement, de l'inachèvement « constitutif d'écrire ». Le vivre, dans son ressassement et dans sa nouveauté, c'est déjà l'écrire, subir la contagion, être contagieux, scripteur et non plus seulement lecteur, l'un et l'autre : la double page, la rétroversion et la proversion, le détour de l'avenir jamais immédiat, évident, clair, mais différé (différent), obscur, opaque. Et pourtant le désir de la transparence est toujours là, le désir de la lisibilité, de l'intelligible. Et ce qui est vécu ici comme une passion est cette obstination (tantôt patiente, tantôt rageuse) de rendre intelligible aux autres et à soi le pourquoi écrire, le qu'est-ce qu'écrire, le fonctionnement de la machine d'écriture. Exigence qui la mènera — en un sens c'est toute l'*histoire* de *Biographie* — à se repenser comme exigence d'intelligibilité, à poser la question de la volonté de vérité et à découvrir sous elle — ruine et levain de l'économie — le désir de sécurité (Eros le constructeur, le rassembleur) qui ne peut très longtemps servir de digue contre le désir de se perdre, de ruiner l'édifice (Dionysos, le démembreur). De sorte que le je devient l'instance sans instance de la lutte de l'écriture, qui, à force de s'autocomprendre, perd le privilège du référent unique, de la métaphore ou figure absolue et abandonne une à une les grilles de lecture-écriture qui étaient pourtant son parcours.

J'ai aimé ici, avec une joie triste et irritée, l'abandon progressif des métaphores du portrait chinois, du Traité du jeu, du fonctionnement réel de la pensée, du noogramme, du scriptogramme, du mobile d'écriture, du tisserand, du tissage et du tissu, de la marionnette, de la chasse et du chasseur, du travail, du réseau, de la machine, de l'investissement, du je, de la biographie..., le dévoiement de l'écriture en route, le mouvement par ce ratage même, plus proche chaque fois du « cœur sans cœur » de la contre-écriture, du non-lieu et de la non-position de cela qui la déplace, ne tombant pas dans le chaos, dans le nihilisme du rien à faire ou dans le mysticisme du rien à dire, mais faisantdisant l'expérience centrale (et pourtant toujours dans la marge) de l'écart. D'où cette affirmation qui peut-être vous fera sursauter — tant elle est réductrice, je le sens bien — ce livre est une *preuve* de ce que c'est qu'écrire, une preuve que l'on ne peut énoncer autrement qu'en écrivant (qu'en désarticulant-réarticulant, relisant-réécrivant), qu'en reprenant à son compte (à son conte) l'exigence de précision et de rigueur — le risque du « fonds perdu » si contraire aux privilèges du savoir — qui aboutit (?), de glissement en glissement, à accuser toujours davantage l'ambiguïté même du projet, l'imprécision de chaque code de lecture, ouvrant à une cohabitation des espaces pluriels dans le non-lieu de la « systase », à l'indétermination, à l'illisibilité, au non-déchiffrement, c'est-à-dire au mouvement de relance, au cercle (ou peut-être à la spirale) du recommencement. Comme si — vous le dites avec force — le fonctionnement était lié à l'inachèvement, à l'indétermination, qui n'est jamais acceptée comme un fait, comme un donné terminal, mais comme la précipitation de ce qui ajourne, l'incessante reformulation qui, par le dédale des variations, incertitudes, contradictions, cassures, déplacements, contre-interprétations, modifie l'équilibre du livre, le livrant par là même, avec une évidence pourtant opaque parce qu'irréductible, à son déséquilibre, au branlement (ou à l'ébranlement), à la « mobilité effrenée d'écrire », nous redonnant mémoire d'un savoir toujours oublié (par la volonté de répondre, de trouver le système définitif, le dernier mot) : l'équilibre fragile de tout système, l'illusion de tout référent unique. De sorte que la rupture semble bien la seule constante en effet — pourvu qu'on ne la substantialise pas, qu'on fasse d'elle aussi une variable. De sorte qu'écrire est toujours dissident, excentrique, est un jeu qui déjoue toute définition (qui pourtant sert à l'économie du livre et dépossède le scripteur), une « dimension insurrectionnelle de la vie » — inséparable de l'écrire même.

Il a fallu passer par l'enfer et le purgatoire de *Fugue* (qui est très oppressant) pour arriver à ce *post-scriptum* qui, sans renier les repentirs, les ratures, les surcharges, les redites, les malfaçons, aboutit à une sorte de légèreté grave : à un commencement qui me semble plus dégagé de la référence au projet initial de la coïncidence, qui me semble comme guéri de cette nostalgie, plus près de la fiction qui traverse les noms sans nommer, de l'intransitivité de l'écriture, qui n'est pas son autosuffisance, mais la non-appartenance (ni le dehors ni le dedans, ni l'ordre ni le désordre) de la pure scansion du renversement perpétuel (qui n'est pas non plus une fin en lui-même), de l'inépuisable texte écrit-à écrire, à dé-lire, de la perte du sens.

Et nous voici devant le corps étranger, devant le retrait du déchiffrement, le dehors de la description — dans le texte, qui est cette altérité (cette altération), dans l'indivision inclusion-exclusion, transparence-opacité, qui est un savoir-vivre (ni science pure ni non-savoir) qui ne peut être l'objet d'un cours, d'un compte rendu, d'une lettre (excusez, je vous prie, cette caricature de ce que vous avez tenté), dans le « non-traduisible », le « non-transposable » en un discours méconnaissant (méconnaissance qu'entretiennent les termes même de « biographie » et de « genre nouveau »).

Disant cela, je reste en dehors, exclu de l'évidence. Ce n'est qu'en rejetant le commentaire, qu'en détruisant votre dangereuse machine à la logique implacable qui ruine toute logique (tout logos), que j'aurai une chance de survivre. En ce sens encore, vous avez raison (et vous ravivez comme une plaie en moi un soupçon) : « Pourquoi ne suis-je pas biographe, ne puis-je dire que j'écris lorsque je rédige une étude sur un livre? J'ai alors l'impression de jouer sans risque... » Je ne me sentais plus « essayiste » ou « critique » (quels mots misérables), votre livre me fixe plus encore dans ce malaise. Je ne voudrais plus que rêver en écrivant, que rêvager (car écrire n'est pas penser, vous le dites aussi), qu'entrer toujours plus avant dans l' « espace » de la fiction, dans l'intransitivité de l'histoire qui s'écrit. Cela mène très loin, je le sais : l'université (l'instance) à laquelle j'appartiens, les cours que je donne, mes articles, mes livres même, tout cela était et est mensonge par rapport à cette seule exigence de communiquer-incommuniquer, de briser la maîtrise par le bouleversement de l'écriture non-positionnelle (pas de message, pas de savoir).

De quoi s'agit-il? De cela même qui s'écrit, loin de celui qui signe, qui souscrit, étranger, à ce qui lui échappe, car le livre produit n'est que la mort, le malentendu — et la renaissance possible quand l'écriture à venir (dis)continuera la passion vaine, vivante-mortelle que vous vous employez, avec une rigueur et une grâce qui me troublent, à déplacer toujours plus avant dans le mouvement même de revenir et d'advenir.

Soit alors, signe de relais-déraillement, ma propre biographie, mon écrire qui brisera mes limites, qui — si j'en ai la force, le courage et la rigueur — m'emportera vers l'impossible communication à autrui, en dehors de l'écriture qui l'agrée, de l' « acte nu, toujours inaugural », de l'impouvoir écrire écrit.

Que dire qui ne soit déjà dit? Dédire. Aller vers la bouche qui s'ouvre et qui profère les mots. Entre la glotte et la langue. Dans la salive des sons et de l'encre. Mouiller ça en transhumifiant ici, où c'est sécheresse et confort. Maculer la page à force de ressourcement. Sucer. Saliver. Asperger. Etre sans voix, avoir la gorge sèche, être absent de son corps. Refluer vers tout ce qui gargouille, serre et déserre. Retrouver mots, être ces rythmes qui viennent et qui partent. Le passage de la présence et de l'absence, le milieu d'un événement qui toujours échappe, l'advenue d'un mouvement qui a raison de nous, qui déjoue le sens, la langue et le moi.

Dire cela qui n'est pas un dire, mais un appel, une parole — désir et manque et plénitude — qui épuise tout objet sans le circonvenir, qui traverse sans prise et renvoie le plein au vide. Dire sans message, sans contenu. Cette fulgurance et cette lenteur, cette pénétration et cet évidement, cette joie et cette fatigue. Dire en réservant le bruit du dire, le silence du dire, en désignant obstinément le dehors de cette parole — là-bas vers la caverne du corps, vers l'illimité du monde —, en suggérant le filigrane du non-lieu, l'unité discontinue de l'être, brisé, pluriel, obscur, opaque dans sa transparence même, dans l'apparaître aveuglant de sa non-position.

Dire, ou plutôt écrire, car rien de tout ceci n'est parlé, mais vient selon le mouvement de la plume sur le papier. Selon le confort ou l'inconfort de la chaise du scripteur, son appui sur la table, la lumière du matin ou la lampe du soir, le croisement d'un pied sur l'autre, le moment de la digestion, l'influx de ces rencontres sur la main qui gratte le papier, non pas pour dire, mais pour écouler cela, laisser passer ce trop-plein (et aussi combler ce vide). Car tous ces mots vident et remplissent, assurent le (dés)équilibre de l'influx, ne donnent ni gain ni perte, mais une sorte de provisoire, de possibilité de recommencer, de ne jamais s'arrêter, de n'en avoir jamais fini de dire, d'écrire, sans raison, pour ne rien dire. Pour l'inconnu qui creuse et qui effondre, pour le vertige et l'assise, l'un et l'autre et ni l'un ni l'autre, pour dire encore et toujours. Dire. Ecrire. Continuer. S'écouler. Durer, mourir dans cette fiction inutile et souveraine...

(1974)

FIGURES DE LA DÉSOLATION [1]

> « *Mais la poésie a un rapport essentiel à la déception, dont la plupart ne surmontent pas l'épreuve.* »
> (La poésie dans la deuxième moitié du XXe siècle.)

> « *Je veux parler de l'expérience que ce mot devenu interdit évoquait de son doigt ganté sur la lèvre : 'transcendance'; du moment d'inconsolation pure... La 'poésie' n'existe que poussée par le dessaisissement, mise à nu de la pulsation.* »
> (Tombeau de Du Bellay.)

Ceci n'est pas une étude...

Peut-on remettre un poète en lecture après presque deux siècles de « conservatoire éducatif », de réduction scolaire, qui succèdent eux-mêmes à trois siècles d'oubli pur et simple? Peut-on le délivrer de l'ornière des anthologies, de « la platitude des synopsis littéraires », en évitant l'érudition du musée qui thésaurise tout, insensible au dit du poème?

Peut-être « notre ouïe poétique » (accordée à Baudelaire, à Nerval et Mallarmé comme à un rythme d'enfance) décèle-t-elle « en ante/écho la passion et le ton de Du Bellay », permettant de « retracer une expérience poétique » et de redisposer à son impulsion, à son appel de recherche de la poésie, à la transposition de son illustration et de sa défense?

Peut-être que sa leçon de survie au temps de la détresse, en rupture d'âge d'or, est à accueillir d'urgence en notre temps de crise (de la poésie et du monde) comme la répétition et la différence du destin poétique — de notre destin méconnu?

Peut-être que parler de Du Bellay n'est possible (faute de bavardage ou d'académisme) que dans la réactivation de ces questions, de la question *qu'est-ce que la poésie?* Et peut-être faut-il alors pour mener à bien cette tâche autre chose qu'une étude, un livre qui nous approche du non-savoir, de l'errance, de la déception, qui ouvre, retraçant le chemin de dépossession de Du Bellay, à la poésie comme à la chance toujours loisible pour notre siècle de sens clos, de pensée calculatrice, de métalangage et de réponses normalisantes?

Le livre de Michel Deguy n'est pas une étude mais la passion lyrique et lucide d'une reprise en charge, la logique poétique même, son courage et son amitié. Mesure-t-on l'importance d'un tel projet, peut-être le plus décisif pour la poésie, depuis *L'Improbable* d'Yves Bonnefoy?

Dérivation du symbole, non-lieu de la poésie

Il y a dans l'œuvre de Du Bellay, pressent Deguy, un virage du tout au rien, du rapport macrocosme-microcosme (le monde symbolique et cosmique de la poésie) à la perte de ce rapport, ou plutôt à son repli de la verticalité sur l'horizontal, au rabattement de l'hyperbole (la relation entre les deux foyers Dame/Soleil) dans la quotidienneté du désenchantement, de l'absence. Ce tournant serait le passage d'*Olive* aux *Regrets,* mais aussi celui-là même du passage à la modernité poétique, de la positivité, du plein, à la négativité, au vide, à l'absence d'état, à la futilité, au rien. Reconnaissons ici la trame des textes de Mallarmé qui sont, pour Deguy, rétroactivement, la lisibilité possible des poèmes de Du Bellay.

Cependant, ce passage n'est pas une rupture, la continuité persiste dans la discontinuité, négativement, comme un espoir leurré, dans le décalage, la catastrophe; le mouvement de la louange, « *l'honneur* du monde », le « service de la Muse » survit dans son « étrangement », dans sa désertion, dans la dérive du symbole. La louange est d'absence, la mesure manque (est le manque à et de), la relation n'existe plus que dans le regret où se montre, dans la dévêture même, dans le retournement, « ce qui fut assemblé », les deux côtés du symbole sont renversés, « pris dans le mouvement centrifuge de leur déboîtement », ils offrent le lien négatif et évanescent du décevant et du mirage, de la dérision et du monde défaillant. Ainsi le perdu se fixe encore dans le moment même de la désymbolisation, dans la dépossession et dans la ruine, maintenant dans le désaccordement « quelque ajustement symbolique », s'obstinant au leurre d'un espoir de plus en plus vide dans l'exil et la déchéance du sens, maintenant l'écart, l'antithèse du regretté et du déplorable, rythmant le vide entre ces deux extrêmes, faisant de l'absence-présence, de cette oscillation irréelle le « *loyer* imprévu de sa ' fraude ' », découvrant — Amérique et non Inde — le lieu inhabitable de la poésie.

Chemins de la déception

Peut-être ne rencontre-t-on la poésie que dans la déception? Dans le désœuvrement (ce qui nous retire de l'œuvre mondaine ou littéraire en cours avec le sentiment d'une expropriation, d'un rejet de l'instance légitimante et justificatrice), dans « l'oisiveté de toute condition » (Leopardi) soudain découverte, dans l'absence d'état qui déplace le besoin de reconnaissance : des tâches à la poésie et de la poésie aux tâches, « travail deux fois annulé ». Et bientôt, à ce cercle de l'expropriation (la perte de la considération, de la maîtrise, du savoir, du sérieux) et du dessaisissement, de regret en regret (car ce n'est pas de gaieté de cœur que l'échec se voit répété), la déception se radicalise, devient le Regret, le Manque. De sorte que chaque expérience d'un manque précis « se lève en figure, étrange synecdoque, du manque de tout » et que l'espace devient la spaciosité « du monde où j'échoue à vivre », l'éloignement même, « *l'étendue de la perte* », « une sorte d'anti-espace, d'anti-matière » toujours plus ouvert à son vide, à son désert, à son non-lieu — à la déception de l'ici. De sorte que pour en sortir, il faut inventer le Pays qui est là-bas (l'Anjou, Paris) ou l'utopie du temps (la Rome antique). Inventions, utopies qui exaspèrent le déplorable et aggravent la désolation, confiant au poème cet écart, cet entre-deux d'un espace-temps de la vacuité et d'un monde absent qui « appartient à ce qui n'est pas », que ne regagnera aucun retour, car « ce à quoi on retourne changé a changé ». L'obsession du retour ne reconduit pas à bon port, l'espoir est gagné lui aussi par la désolation, la visée du là-bas détonne et déchante, bien que le chant demeure comme s'il était le seul lieu désormais, le seul espace et le seul temps (pourtant vide, pourtant insituable en dehors de la durée et de l'espace sur la page du sonnet) où la fidélité se manifeste (trouvant justement son sens dans ce non-sens, dans ce hors-sens), fidèle au seul élan (puisque « tout ce dont il procédait et se soutenait » a fui), à « la pure résolution de ne pas délaisser de ' chanter ' ». Et ce chant-là est chant nouveau, chant de rien (champ du rien) qui s'écrit de ne pas écrire, qui, « faisant le vide, se conforme à son désir et s'accomplit », qui, filtrant le vide (la fuite, la défaite) « en la vannerie langage... qui en vibre », ne laisse trace de lui « en autre lieu qu'au poème ».

On voit où mène, sans le savoir et sans le vouloir, la déception : au poème — au poème qui n'était pas poursuivi, prévisible, qui semble même être (et qui est) l'échec, l'humiliation d'une certaine poésie et l'échec, l'ennui certain d'une vie, au poème qui n'est pas « le rendement » de la dépossession mais sa dérivation logique, le dit de son vide et de sa désolation.

Renonçant (contre son gré, comme déforcé peu à peu jusqu'à cette humilité) à « l'exception (du) poétique », aux « *grands* thèmes », au « temps privilégié », acceptant « la perte du temps commun », Du Bellay fait entrer la poésie « dans une nouvelle égalité à la vie ». « ' Tout ', frappé d'absence, s'unifie sous ce retrait », sous cette dérivation, le « désespoir à ' tout ' » est le sujet du poème (non pas un thème, un contenu, un objet séparé, mais l'être-parole indivis du poème, « l'entier du vivre en tant que déserté de la muse »), « qui fait des vers de tout ce qui ne consiste pas à faire des vers », qui est « une nouvelle manière de tout dire », inventée par manquement, à cause de l'expérience du manque. « J'escry naïvement tout ce qu'au cœur me touche », dit le sonnet 21 des *Regrets.* L'être-parole du poème est cette naïveté, cette totalité où le sacré n'a plus de place à côté du profane, où il n'y a plus d'à-côté, où *tout* entre dans le poème, s'y égalise, où bientôt — tournant une fois encore de la modernité — la prose et la poésie se ressemblent (se rassemblent dans le poème), « ryme en prose » ou « prose en ryme » (sonnet 2), proches des textes de Cendrars qui ne différencie pas le poème du journal.

Poésie plus familière, appauvrie, plus près de son indivision (« Le sujet de la poésie et le sujet du poème se sont rapprochés », « parce que le poème parle de l'impossibilité de la poésie », parce que « disant le défaut de poésie, et la perte de vie blessée au défaut de la vie, le poème a lieu ») et pour cela plus proche de (et plus propre à) « l'inquiétude de l'interrogation de ce qu'elle est », à la recherche dans le milieu de la langue et de l'histoire de « sa propre identité errante », se chargeant et se déchargeant de noms, identifiant et, à la fois, en même temps, désidentifiant l'être et le paraître, ouvrant ainsi le monde au langage et le langage au monde — uniment dans leur différer, leur rencontre, leur configuration.

Prête-noms, tautégorie

Remontons à *Olive,* car dès le commencement, selon Deguy, s'opère un déplacement par rapport au pétrarquisme. Le mouvement initial est de retrait, ouvre à l'expérience de la négativité, de la « fuite de la Muse ». *Olive* s'avoue déjà comme prête-nom pour la poésie, comme « identité *voilée* » (plus tard nommée *honneur* ou *vertu, Rome* ou *Marguerite* mais sans savoir clairement que ces mots ne trouvent leur sens et leur lieu que grâce au poème qui les nomme), est l'extériorité du poème « au plus proche de la poésie », son point d'appui « à la fois hors du poème et représenté dans le poème », son allégorie.

Allégorie de quoi? C'est justement cela qui fait question en poésie — dont la question est la modernité de la poésie. Allégorie de l'allégorie. Mais quel sens a ce rapport à soi, cette réflexivité qui pourrait sembler vide, purement formelle, qui apparaît bien ainsi au regard formaliste du technicien de la poésie qui n'est pas poète? Le sens de la polysémie poétique, de la convocation à la configuration, à la comparution, c'est-à-dire à ce qui re-présente l'identité de la poésie.

Ainsi Deguy peut-il éclairer l'allégorie d'*Olive,* sa « puissance figurative » — comme celle de n'importe quel mot qui, comme jadis *étoile,* prête son nom pour la poésie — en reconnaissant que l'allégorie est peut-être « allégorie de l'allégorie pour pouvoir l'être d'autre chose », qu'elle est « rapport à soi, pour pouvoir l'être, transitif, de quelque chose », qu'une chose est « allégorie de son nom pour pouvoir l'être d'autre chose par son nom », qu' « elle est médiatisée de soi à soi par son dire autre que soi », qu' « elle retourne en son nom en emportant sur elle ce pouvoir de dire autre chose qu'elle ». Ce qui revient à dire que la poésie « ne peut se saisir d'elle-même », qu'elle doit rechercher sa semblance, son équivoque qui la (dés)oriente, son sosie « qui relance son désir de sa vérité », qui reconduit la *tautégorie* [2].

Mais, de figure en figure, à quoi mène le déplacement de sa semblance, la recherche obstinée de l'impossible coïncidence avec une positivité qui n'existe pas? Au double soupçon de « l'identité inidentifiable » (non positive, non déterminable), de la différence (inassignable et irréelle) hors du poème et dans le poème de la poésie et à l'impossibilité peut-être de sortir de la perspective, de la re-présentation toujours là avec le poème. Au double soupçon du *monde* et du *comme* auquel déjà, avant Mallarmé et avant Valéry, conduit le chemin erratique de Du Bellay.

Poème/Poésie

Poème : consumation de la circonstance qui se défait, qui, par ce détour dans la langue, se retourne et s'invente. Poème : opération de méconnaissance, de transfiguration en langage. Poème : à partir de ce qui le porte, le déportement même, l'aventure (de la vie et de la langue) de la désolation (de la perte du sol), de l'illisibilité (méthode de lecture, si l'on veut, plurivoque, équivoque, illimitante).

Ce qui ne s'épuise pas dans le poème, c'est la poésie. Le travail de la déception et le leurre de la semblance (du « quasi-réel qu'elle prend pour chiffre ») relancent le poème « à la conquête de la poésie », inépuisable, donc toujours à remplir (« Je rempliz d'un beau nom ce grand espace vuyde », dit le sonnet 189) par le langage, par les chiffres, visages ou emblèmes qui sont masques de poésie, plénitude pour le vide, (dé)voilement de poésie. De sorte que l'apprentissage de la poésie (la déperdition) est « épreuve du “ simulacre exigé ” », épreuve du « leurre », dit Mallarmé, de la substitution, du relais, de la (dés)identification. Epreuve aussi du non-savoir, de l'improbable, de la croyance en ce rien toujours déplacé (qui déplace de poème en poème sur ce chemin qui ne mène nulle part et dont la seule trace est le poème « achevé »). Epreuve donc — pour résumer l'improuvable — d'un écart maintenu par le défaut du poème (dont les *Regrets,* ici exemplaires, sont aussi bien le sujet que le dehors, le rejet), d'une différence irréelle et non positive (sans position, sans fondement), entre poème et poésie. Deguy cite cette phrase de *L'Ange* de Valéry : « Et pendant une éternité, il ne cessa de connaître et de ne pas comprendre. » Cette phrase dit qu'après le *connaître* (la saisie, l'objectivation) il reste le *comprendre* (le saisissement, l'indémont(r)able), que ce qui résiste au poème (s'y soustrait dans son déploiement même), c'est « le à-comprendre, c'est-à-dire l'incompréhensible » — la poésie.

Pas d'instance (philosophique ou scientifique) qui réduise ce différer et traduise le dit du poème en concepts. Pas de métalangage, de représentation qui soit « le jugement dernier du langage de la poésie ». Seule demeure pour le lecteur la possibilité (qui est le contraire d'une instance, d'un pouvoir) de restituer le poème à la poésie, de le retourner à elle (par son détour même, semblance obligée), de le rendre « à l'inéclaircissable », à son « énigme sans réponse ». Possibilité qui n'est ni le chemin de la science (les techniques d'explication, le discursif) ni celui de la mystique (l'illumination de la coïncidence poème-poésie, la pureté du poème qui ne dit « “ ésotériquement ” que le secret, “ à soi-même ", de la poésie »). Ni science, ni initiation, reste un rythme qui « enrôle les choses et les êtres et les mots pour leurs noms », qui « les reconduit à la désolation » pour « qu'à contre-jour de la ' parole ', le *sauf,* trame du visible, soit entrepensé », reste la mesure de « la distance à *ce* dont nous ne nous rapprocherons pas, que nous ne pourrons pas reproduire ». Reste le « bâton d'aveugle » du poème, qui ne montre pas, qui ne voit pas, qui seulement parle, « tâtonnant avec des questions sans réponse de perception », qui *figure* un monde inassuré qui vient s'y comparer, qui en est la fiction (la fable, l'attestation mensongère), le recueil(lement). Et lire est alors croire, « prendre-en-vision », déliter le poème jusqu'à son (in)figuration, c'est-à-dire, vouer à l'impossible, à la désolation, prendre le relais du hors livre qui « passe de livre en livre », parler, méconnaître, manquer le réel « dont la réalité affleure en se dérobant ». Reste le lieu du poème, par où passe la poésie (ce qui n'a pas de lieu mais qui trans-figure), le poème inséparable de la poésie qui l'habite et qui le déserte, le signe mémorial, le consigné, le « " ce qu'il y a " en son comment », le comme quoi d'un comparant qui ne peut être dit que dans son comparaître, dans le théâtre du comme qui est son épiphanie et son retrait, sa présence et son absence, l'inajustement du même au même.

Que cette différence poème/poésie soit difficile à saisir, Deguy en convient. C'est que « nous pensons par dualités, couples, et en même temps dans une géométrie plane, ou à peine volumineuse : par les schèmes du côte-à-côte, et du passage, et de l'échange dans le plan », que « notre imaginaire intellectuel euclidien nous hypothèque », que « la métaphorique géométrique qui sous-tend le formalisme contemporain est le plus souvent plane bi-axiale », que ce partage (qui est aussi platonicien) ne permet pas de penser hors du dualisme le rapport poème/poésie. Ce qu'il faudrait, ce serait « instruire la pensée du *même*, ou unité non séparable de la diversité en quoi elle consiste ». Deguy indique, avec raison, que la démarche heideggérienne incline vers une telle pensée, il rappelle que le préfixe *ge* est « l'indice de cette unité qui ne résulte pas du multiple mais l'assemble *a priori* en la diversité qu'il est » (par exemple le *ge* du *ge-dicht*).

C'est pourquoi chaque livre de Deguy revient sur l'espace du *comme* [3], sur le (non)-lieu de l'(in)division poétique, comme sur l'(en)jeu de la poésie, sur son risque de résonance ou de réduction, d'écoute ou de malentendu, car la logique binaire (et primaire) est toujours — et plus que jamais — à l'œuvre, car les poéticiens sont là, avec leur partage taxinomiste, avec leur désir de régulariser, de dénombrer les figures dans le poème ainsi rendu, pensent-ils, à sa lumière, à la simplicité d'un mécanisme qui, pour n'être pas faux, n'en est pas moins sa caricature, son identité symétrique.

Défense, invective

En deçà (ou au delà) du savoir, de « la tranquillité neutre du théoricien », du « discours maître de l'intelligibilité », de l'exact, de l'efficace, il y a, « poussée par le dessaisissement, mise à nu de la pulsation », la poésie, qui n'est ni l'objectivité scientifique ni le subjectivisme, mais peut-être une objectivité plus antérieure, plus originelle — dont ce livre (comme tout langage « homogène à la pensée poétique du poète ») est le mémorial. Ici, « le désir de l'intervalle, du dis-poser, se fait entendre », la distance redonne place, un espace commun semble habitable, un être ensemble possible. Pourvu que les formules cèdent la place, que l'intolérance batte en retraite, que les « gros sabots de néo-concepts, paille-foin des « ismes » et des « èmes » ne se fassent plus entendre. Pourvu que le poète (chacun de nous en puissance) *exige,* passant au combat, des théories « qu'elles ménagent la part de l'inthéorisable », que la poésie « ne se rende pas aux croque-morts de la poésie ». Pourvu qu'il refuse « l'asservissement à l'étant », qu'il flanque « corrections aux slogans », entrechoque « par la tête les stéréotypes », repose « les questions des quadrisaïeux », supprime « l'apartheid de la beauté », rapproche « la bouche de l'oreille » et parle (« que le mutisme se mutine »).

Parole de défense et d'invective, dont Deguy — avec un courage si rare aujourd'hui — donne l'exemple. Parole pour la poésie « en période critique » et pour ce monde qui étouffe. Parole d'urgence — pour nous tous. Mais quelle menace, dira-t-on, dont cette parole doit nous avertir, nous donner conscience et nous sauvegarder? Menace de la culture en ce temps de mass media, de statistiques, d'acculturation. Car « la culture ira jusqu'au bout de l'objectivation commencée », elle deviendra, elle est déjà objet (aplani, mesuré, rentabilisé) d'instruction [4], de reconnaissance sociale, de prestige, de loisir, car le sens est déjà clos (stocké, programmé), « la technique a *déjà* gagné ». Et la poésie? Elle n'échappe pas à la fascination de « l'intelligence technicienne » — ici à la linguistique, à la poétique, dont la pertinence n'est pas en cause, mais qui, dans l'idéologie de la consommation et du profit en cours, peuvent, inquisitions techniciennes de la science, absorber et résorber le poétique, chercher « à tout prix à régulariser la différence poétique », encourager la poésie à se prouver à elle-même « qu'elle n'est pas en reste, qu'elle est disposée à ce monde moderne déjà constitué en technique ». D'où un « nouveau leurre pour le sérieux », un « soyons-modernes » qui « ne débouche souvent qu'en un suivisme des retombées de la technique ». D'où le danger d'abstraction du *produit* (et du discours sur le *produit*) « sans rapport avec le sens pour-soi de cette production », coupé « de son secret de fabrication », du « SECRET se produisant », le danger de l'oubli de la référence qui n'est ni le seul dehors, ni le seul jeu textuel mais « le faire-monde », la « réponse de l'entente poétique à ce qui est; à ce qui *paraît être;* au " il y a " en général; au " monde " dans la figure de laquelle, et l'agencement des figures duquel, ... ' l'être ' se dispose en se réservant... ». Sociologues et poéticiens échangent ici leurs erreurs, leurs simplifications réductrices de l'intervalle du poème. Sans doute le structuralisme a-t-il dénoncé « les formes éreintées d' " humanismes " » (« l'idolâtrie de l'auteur, le pathos romantique » — l'idéalisme) et Deguy reconnaît que « c'est bien, pas de regrets », mais il ajoute — lucidité de sceptique qui est défense de la poésie et de l'ouverture au monde — « mais les idoles se métamorphosent et se reforment ailleurs ». Nous tombons d'accord avec lui, notre époque est bien celle du nihilisme incomplet annoncée par Nietzsche, l'époque des ersatz de Dieu (de Vérité et de Bien) qui masquent le vide de sens donné et le sens à créer en voulant tout ramener à des structures, à des lois qui, rendant compte de la totalité du monde, suppriment le *monde*. De sorte que, si tant est que quelque chose est encore laissé à la poésie, c'est « la marge du non-sens ». « Le calcul du sens clos n'attend plus rien de la " poésie " », le dogmatisme méprisant — beaucoup de poètes-producteurs de textes semblent possédés par un « insatiable besoin de mépriser » —, le pouvoir normatif « diminuent pour la poésie la chance de coopérer à l'ouverture de nouvelles mesures pour l'être-ensemble des hommes avec la terre », le « fanatisme des mots d'ordre » ne laisse plus entendre la poésie, exténue sa possibilité « de parler énigmatiquement son endurance de l'incompréhensible et de l'invisible, la portée de l'obscur, la réserve d'oracles ».

Le lieu même où le poème était « 'acte' inaugurant » — le langage — semble fermé sur sa suffisance « comme si le poème n'avait plus de 'service' qu'à proposer à la science du langage la prouesse de la 'poésie de la langue', « comme si la poésie était tautégorie de la langue, et non plus parole d'un dire [5] ». Que la langue soit aujourd'hui *Marguerite* (ou *Olive* ou l'*étoile*), qu'elle soit la semblance et le sosie de la poésie fait sans doute question, qu'outrepassant l'écart, elle efface la différence du poème et de la poésie, est le danger — parangon de tous les dangers. Elle est alors sa suffisance, la vérité réduite à ce qu'elle est et non le lieu du manque [6], la figuration de ce qui manque, la réactivation (en de nouvelles figures, par l'invention d'un nouveau langage) du désir et de la continuité de l'errance, de l'être-avec au monde et à la parole.

Une manière évidemment de ne pas ouvrir à la surprise d'un nouveau langage et d'un rapport nouveau au monde (discontinuité de la continuité, révolte de la tradition), c'est de ne pas voir la crise (de la poésie et du monde), d'être pris par le leurre du modernisme, d'être hébété par les Sirènes de l'avant-garde, par l'optimisme idéologique de la bonne cause : liquidation des mythes, « lumière » toute textuelle du matérialisme, « triomphe » de la science. Ou bien de se réfugier dans les Paradis artificiels de la « revendication anarchique » : « spontanéité de la vie », « sortie hors des ateliers et des livres », « happening consumé au feu de la fête ». Ou encore dans l'illusion d'un avenir (qui n'est peut-être qu'une régression), d'un espoir en la vitalité de la poésie à l'Est, « en aire dite du 'tiers-monde', qui nous réinjecterait la vie, alors que c'est le nihilisme, le désert qui, comme toujours chez nous « en de la poésie à l'Est, « en aire dite du 'tiers-monde' », « la désaffection croissante de la (et pour la) poésie ». Ou bien encore — dernière fuite et peut-être la plus aveugle — le refus de penser à la crise, l'insensibilité au changement, la station au révolu (qu'aucune réflexion et qu'aucun courage ne vient rejeter), à une manière d'écrire dont la désuétude semble ignorée. La poésie est alors — et « encore trop souvent » — le nom justement moqué et récusé sous lequel se publient des pensées et des formes toutes faites, ce qui « ne défait rien, ... ne décompose ni ne compose », qui s'offre au narcissisme du public qui s'y reconnaît, qui aime et approuve cette absence de surprise, ce ronron poétique des vers bien faits, bien sentis, cette bienséance moralisatrice, ce civisme de distribution des prix d'auteurs honorés et honorables, toute l'insipide petite propreté de milliers de poètes, adolescents attardés ou vieillards nostalgiques, qui poétisent. On comprend avec Deguy que « de plus jeunes réclament traîtrise par rapport à tout cela ».

Langage de la surprise, mémorial de l'invention.

Ni savoir objectif qui restructure tout phénomène « dans une même unité de mesure », discours de « l'efficacité mortifère », ni spontanéité infantile, ni régression d'ethnologue, ni « projection de la pensée dans un monde-moule déjà fait... dans les ressources de la langue acquise qui emporte avec elle le monde dont elle est faite », la poésie est une « pratique [7] » (« voyages, inscriptions locales, lectures..., baptêmes improvisés de choses et de circonstances »), un faire-poésie, un milieu, un recueil de gestes dans « la vannerie du langage », une lecture fabulatrice [8] (« à la faveur du dire-mots de la circonstance, de la 'fois', de la phase »), un pas quelque chose « exhibable à part » (« sans pour autant être purement et simplement 'rien' »), une illisibilité. Car ce qui est à lire, à montrer ne peut être incité — et transporté en langage — que si une audace ou ardeur (dit Pindare) y dispose, que si un retranchement (Mallarmé) ouvre à la pratique du dé-lire, à la disposition à *passer* de l'œuvre (ou de toute chose à lire), à l'écrire, que si un rythme produit le déplacement, la circulation du même en son différer, que si un espace s'ouvre — espace du neutre, ni réaliste (empirique) ni irréel (métaphysique) —, qu'un « geste préalable » inaugure, auquel « le geste poétique » dispose.

Un neutre donc, « ni chose-objet ni (simple) mot, ni dans les choses ni dans les mots », qui « se confond pourtant avec le langage », qui « n'a pas d'autre abri ou « existence » qu'en le poème », qui demande, pour se perdre et pour se sauver, pour être de ne pas être et pour n'être pas d'être, la parole, la figure de la diction, se montrant en filigrane, en retrait du langage qui l'accueille, laissant sillage d'illisibilité dans ce qui est, multiple multipliant, donné à lire. Un neutre qui est — cœur vibrant de la poésie — l'*autre* de tout discours et de toute théorie, dont le dire n'est pas fallacieux, qui a raison de dénoncer le privilège exorbitant de la poésie à ne pas rendre des comptes, pourvu que la part de l'exclu reste ménagée, que l'inthéorisable ait droit à son retrait, que le savoir ne méprise pas « l'élément reculé et imperceptible de toute synthèse », « l'insoumission poétique » qui ne peut à son tour être mépris pour le savoir, qui ne gagne pas contre lui le droit à la raison, à la sentence logique — procès deux fois millénaire dont a vécu et dont vit encore l'Occident —, qui revendique seulement la mise hors représentation, hors ressentiment, hors proposition : l'utopie de la non-évaluation, la sortie de la métaphysique.

Et pourtant l'utopie a un lieu, c'est la langue, ou plutôt l'espacement du langage, le déploiement poétique de la langue. Déploiement toujours à surprendre, à éveiller à son jeu de dissémination et d'échos, à sa disjonction du même. D'où le travail incessant du poète qui doit se surprendre en sa langue, qui doit inventer le réveil et la métamorphose, refigurer chaque fois la nouvelle configuration monde-langage. L'histoire de la poésie est l'histoire de la répétition du geste d'ouverture, de recueil(lement), de collection, la réinvention de « l' 'acte' augurant » et de sa correspondance en poème, de son répondant poétique.

Répétition qui ne va pas sans risque, puisque la pratique poétique, qui se dessine en ce retour comme réponse à l'incitation des œuvres vraiment lues (« faites-en autant »), est — dans l'espacement de la tradition qui parle — « goût du risque d'innover », suspension dans le poème, dans la constellation des « thèmes » et des mots qu'il élit (à cause de leur consonnance, de leur résonance, de leur de leur consonance, de leur résonance, de leur manifestation d'un nom (qui soudain rend manifeste, désigne l'imminence déjà évanouie de l'événement). Répétition qui est le risque du style, le rythme du « transport de l'être au langage », l' « interpénétration du vivre et de l'écrire en cette activité de métaphoriser, en cette infinitisation d'un parcours pourtant fini — dont la mortalité marque l'écart, « octroie le comme », (r) ouvre à la figuration. Répétition qui rejette chaque fois hors du discours (à la logique duquel « *rien* n'échappe »), qui, tissant la toile de la déception sur la mémoire même de l'erreur (de l'errance à égaler et à reperdre en de nouveaux labyrinthes), invente la parole injustifiée de la dévotion. Répétition dont témoigne le livre de Deguy, mémorial de l'invention cherchant « à redisposer une expérience poétique sous les angles où elle apprend qu'elle épuise un héritage 'Du Bellay' », essayant de transposer l'audace, le risque, de relever « l'impulsion [9] », d' « inventer à nouveau la 'langue' poétique » — qui est toujours à réinventer — « comme un nouveau *secret* [10] », de retrouver « la pulsation d'une violence 'première' », qui « se joue à tous niveaux de figures, du prosodique au mythologique, du phonétique au syntaxique, du lexical au rhétorique », essayant — audace et ardeur — d'user librement de la langue, *déplaçant, écartant,* donnant au moindre tour, au moindre mot mouvance et licence (« Violence éruptive, géologique de la langue en formation de langage, qui invente sa coulée, son forçage... », le court-circuitant pour le rendre (surcharge ou vitesse) à son incomparable, puis de nouveau à son à comparaître.

D'où l'ampleur de la « désarticulation syntaxique », l'invention du lexique (où « le redondant idiome techno-publicitaire » et « le subtil scientifique discours » se rejoignent dans le même ordre de la nomination) et sa mémoire (« ne pas davantage laisser en déshérence... les mots [11] du trésor immémorial »). D'où l'auscultation des temps (ainsi la Grèce) — et du lexique — où fut ce geste poétique qui fascine, ce fraiement de l'espace (« monde virtuel du sacré », « langage de la nostalgie », dit Meschonnic), l'attention aux lieux (au local) : chronique, journal de voyage, défilé de la terre, biographie (la plus singulière et la plus cosmique) écartelée entre les pôles du poème, figure de « nulle-part », du quotidien et du monde, de l'ailleurs partout, ici et là-bas. D'où l'incitation (au nom de rien, de tout) aux poèmes (ré)inscrits, à l'occasion de ce qui ouvre et convoque au retour et à l'invention, à la solitude relationnante de la désolation. Ici tels poèmes — déjà publiés ou non, peu importe — qui s'inscrivent « sur les faces du trièdre baroque d'un *tombeau* dédié » et qui ainsi entrent par cette conjonction dans l'inactuel — présence plus active —, dans la possibilité nouvelle de l'écoute [12].

(Dis)continuité ou fin de la poésie?

Poésie-collage? Ne voit-on pas que le collage est encore acte de symbolisation dans sa déconstruction [13] (du livre ou du vers, qui est, pour Mallarmé, « *un mot total refait* », « défait, refait » dit Deguy), affirmation obstinée de la continuité par surprise du fabuleux? Ne voit-on pas que le rassemblement de la poésie et de la poétique (pratiqué dans chaque « essai » ou « étude » de Deguy) pose la question de leur unité indivise [14], qu'elle précipite — demandant l'attention à l'*autre* — « la lecture la plus décisive », qui va jusqu'au seuil du non-lu, du non-lisible, jusqu'à l'accueil de *ce* qui est nommé et qui toujours fait signe (hors de la désignation) aux hommes dans le langage (ce lieu commun des poètes et des poéticiens, qu'ils peuvent frayer ensemble, dans la distance sauvegardée d'une expérience et d'un savoir [15])?

Mais sauvegarder l'écart en ce qui rassemble, préserver en ce *même* (en ce *Seul* dit Roger Munier), en ce *il y a* ce qui soutient la « possibilité de dire quoi que ce soit », remonter à l'originaire, qui est dé-mesure, inévaluable, qui ne peut assigner de place parce qu'il est la spaciosité, l'échange possible de la parole et de l'espace, n'est-ce pas, avec d'autres mots, affirmer encore le privilège de la poésie? Non, si tout devient privilégié, si tout (poétique, métalangage, prose) entre « dans la *circulation* métaphorique généralisée », si tout s'écarte de ce qu'il est devenu (oubli et banalisation) pour retrouver figure d'événement, si tout se démembre pour se remembrer, si la séparation idéaliste de l'exorbitant privilège poésie-prose, élite-masse est congédiée comme falsification du poétique, comme méprise sur le sens du propre et du figuré. Non, si la poésie refuse une place dans un sacré qui déréalise le réel et ne se laisse pas non plus « remettre à sa place », réduire « au texte entendu » parfaitement limitable et entièrement sous la main (ou sous la grille qui le découpe et l'explique). Ni de l'ordre de la métaphysique [16] (idéalisme), ni de l'ordre de la science (avatars du positivisme) — c'est-à-dire chaque fois de « la téléologie » —, la poésie se tient dans la clairière qui déjoue les clartés faciles, qui est la réserve — fragile et toujours risquée — de ce qui ouvre à l'inéclaircissable, maintenant l'ouverture de la reprise pour celui qui réannonce (« tel jadis le veilleur médiéval »), dans le passage du « monde » (« le même et changé ») « qui n'a lieu que d'être attesté et transmis utopiquement ».

Qu'est-ce que ce relais poétique, que cette (dis) continuité de la poésie? Et n'arrive-t-elle pas aujourd'hui à son terme? Au degré zéro de la désymbolisation (où une chose est une chose — une pipe une pipe, contrairement à l'allégation de Magritte — et un poème bien entendu un poème)? Ce qu'il s'agit de relayer est une certaine entente qui « tourne » tout en « poème », un geste qui — leçon mallarméenne — peut changer « la phrase d'usage en mot-unique-refait », « le galet en grimoire » — et dont le poème est « la trace », « son inscription de circonstance ». Il s'agit de prendre « d'une autre face dans l'accueil », d'offrir à chaque chose, à chacun « le superflu... de son « même », de son ‘ nom ’, d'ajointer « un ici à lui-même », pratiquant l'ouverture en sa semblance et en son différer. Ouverture inconsistante (sans fondement, sans épaisseur, sans pouvoir), qui « a besoin d'être reprononcée, repromise » par celui qui « accepte la disposition qui rassemble ». Que ce pouvoir de relayer, de (dis)continuer (de frayer à nouveau l'espace, d'ex-poser, de juxta-poser) soit perdu aujourd'hui ou en voie de perdition, comment s'en étonner? Si tout est enrôlé « au service de la technique », si la pensée calculatrice efface le « monde *de* la poésie », si la rationalité technocrate-policière nous vide de tout aveu et de tout secret, rendant la question même de la poésie (autre part que dans un catalogue du savoir ou de l'idéologie) naïve, infantile, si « l'acculturation, 'mass-médiée-mic-mac luhanée' » désuète « le rôle d'épitaphe du poème, de bulletin, d'entaille au fronton, et de trompette », si « la culture, ou objectivation de l'art, retire à la poésie son rôle de subvenir au besoin de mémoire, au désir d'épigraphe, de subsumer sa 'vie' sous les citations possibles » — s'il ne reste plus que « l'idéologie » (toutes les instances réflexives du pouvoir) « et/ou la névrose ». Ajoutons ou le « bonheur » du Dernier Homme, qui, dit Zarathoustra, ne se pose plus de questions et cligne de l'œil en riant de tous les inquiets, de tout ce qui se transfigure dans le changement, du Dernier Homme qui n'a plus besoin de nom ni de mémoire.

Cependant l'oubli n'a pas encore tout balisé. La jeunesse qui a oublié et refoulé avec ressentiment l'expérience et le besoin « d'un langage excessif, anomique, écarté », qui a oublié « sa deuxième langue natale, ... lui garde coin de tendresse et mémoire », le peuple, indifférent, est « peut-être capable de réserve ». Et cette mémoire, cette réserve peut se réactiver un jour hors de la production strictement littéraire du « texte poétique » qui « engendre le texte », atteignant — travail aussi de la poésie sur elle-même comme contagion et reconnaissance de sa force de décalage, de déplacement — « ce qui est 'poétique' dans tout ce qui n'est pas seulement poème », communisant le privilège à tous ceux qui veulent entendre leur vie comme rythme et pulsation poétique [17], poétisant la politique même [18], révélant qu'il suffit de réinventer la vie, qu' « un 'rien' peut changer l'ordinaire », que « bien 'placé', il révèle », réaccordant au geste qui scelle la coappartenance et fait réentendre les différences, l'attention à l'*autre,* reparlant — même dans l'absence de poèmes, dans la haine de la poésie, dans son oubli ou dans son mépris — « d'une expérience difficile, secrète et incessante », montrant en son retrait la langue qui cherche son langage, qui — bouche soudain rapprochée de l'oreille — nous fait briser « la glace du mur » et dicter « à la pierre », car « un écho ami » nous attend, car « les murs ont des paumes ». Espoir encore de la poésie en ce temps de la détresse — à cause même de la désolation...

D'où cette alternative, cette question en forme d'alternative : ou bien Michel Deguy est ce nouveau, ce dernier poète du temps de la détresse qui clôt un temps où la poésie déserte le monde [19] voué à sa stricte identité (à son fichier scientifico-judiciaire) ou bien la poésie n'est rien d'autre et toujours que le rituel du jour viable qu'il répète [20].

NOTES

1. Dans la marge de *Tombeau de Du Bellay* (Gallimard, 1973) et de *Une pratique de la poésie* (entretien avec André Miguel), *La poésie dans la deuxième moitié du* XXe *siècle* (entretien avec Jacques G. Benay) (Courrier du Centre international d'études poétiques, n° 90).

2. Deguy définit ainsi ce mot de Schelling : « le dit du poème est en même temps *tantégorie :* manière de dire aussi à lui-même ce qu'il est, à travers ce qu'il dit explicitement de ce qui est autre que lui ». Sur la préfé-

rence du mot *tautégorie* au mot *allégorie,* plus dangereux à cause de sa connotation dualiste, cf. *Une pratique de la poésie.*

3. Plus qu'un thème, le *comme* est la respiration même du poème (son articulation et son sens en mouvement), ce qui le dessaisit et le relie à l'indicible, à « ce qui ne peut être dit 'lui-même', n'étant rien de même, c'est-à-dire rien d'autre que toutes les autres choses composant ensemble un 'monde' ». Henri Meschonnic écrit avec raison : « La pratique de la poésie... révèle en *comme* le 'sésame' d'un rapport nouveau, du mystère possible, le mot qui signifie 'poésie', depuis le *Comme* de Desnos... jusqu'au livre de Marcelin Pleynet intitulé *Comme...* et au vers de Michel Deguy : *Ma vie/Le mystère du comme.* »

4. La culture, la poésie ne peuvent être l'*objet* d'un enseignement : « défiance envers les éducateurs »! La mise en garde de Deguy rappelle ces mots de Mallarmé : « J'abomine les écoles... et tout ce qui y ressemble : je répugne à tout ce qui est professoral appliqué à la littérature »; « Narrer, enseigner, même décrire... l'emploi élémentaire du discours dessert l'universel *reportage* dont, la littérature exceptée, participe tout entre les genres d'écrits contemporains » et de Blanchot : « il est à pressentir que le poète est dans un ordre qui ne demande rien au savoir ». Interrogé par Jacques G. Benay sur la place réservée à la poésie dans les nouvelles facultés de « sciences humaines » et sur le savoir (la possession) de la poésie, Deguy répond que la place de la poésie y est « de choix », qu' « elle est le plus pressant « challenge » pour la science du langage et de la littérature » et il ajoute : « n'ayons pas de crainte, on s'occupe d'elle; on va lui faire son affaire ». Si la poésie est normalement « un *objet d'étude* » à l'Université, si « l'objet-poème » est « traitable et traité », si la « poétique » est « enseignable », la compréhension de la poésie reste en suspens, est le suspens du savoir, le « rapport essentiel à la déception » — et par là la mise en question du savoir, du lieu du savoir, du langage et du monde, la différence même où se joue la pensée, où il y a pensée et non plus savoir, c'est-à-dire ouverture, configuration possible (rencontre du monde et du langage), espace. On notera aussi avec intérêt et adhésion — mais non sans un certain scepticisme, car échappe-t-on à la désolation? — l'acte de foi de Meschonnic en une poétique qui « devrait mener vers une pédagogie nouvelle

de la littérature »; « un enseignement matérialiste du dire et du lire comme forme du vivre ».

5. C'est bien là le mythe d'aujourd'hui, la rhinocérité de notre avant-garde : « Aujourd'hui, le mythe de la scientificité dans la perspective du travail-de-texte : le 'texte' annonce ce qu'il va produire, tautologie de son 'anagramme' dispensée à ses différents plans, 'monde clos', système d'échos de l'inanité de sa répétition sonore-graphique. Nouveau leurre pour le sérieux? »

6. A propos de ce manque surgit à nouveau le malentendu poésie-poétique. Le manque n'est pas dans le poème, à une place limitée, mais « tout dans l'ordre du langage est manque », le poème est dans le manque qui l'aspire.

7. Pratique qui est le sosie de la théorie (du « voir-comme »), « identité qui se recompose dans et contre sa dissymétrie » — « pratique théorique ».

8. «...lire les livres en tant que poèmes (le voyage de Pigafetta, les lettres de Descartes, Hérodote, Bacon..., les premières *physiques*), et non pas pour le savoir, l'information, l'érudition, la recette... La pratique est lecture errante, *attention flottante...* aux choses qui *associent librement...* ». Lecture qui ne prétend pas se réduire à des lois, qui produit à la fois son illégalité et son ordre, sa surprise, qui vit le fabuleux et ordonne en poèmes.

9. C'est dans cette perspective qu'il faut comprendre la lecture que donne Deguy de la *Défense et illustration de la langue française,* livre qui, exemplairement, convoque à l'invention, où la langue française se désigne comme l'audace, la nouveauté du plus usité renouvelé parce que transposé dans la langue. Transposition qui retrouve « le même dans un autre élément », qui le force « à s'inventer l'homologie qui ... le révèle comme le même », qui, « perdant l'ancienne fermeté poétique en ce déplacement », déporte la poésie vers une autre pe(n)sée, un autre rythme, un autre ton plus commun, plus banal, plus proche du manque, que le langage « noble » du tuteur antique — du Père — ne masque plus. Ainsi la dérive du symbole (déjà ici évoquée) accompagne la dérive d'une langue. Quittant — pour les transposer et bientôt les perdre en ce change — le monde et la langue de Rome, c'est le point d'appui même hors du poème que Du Bellay perdait et dont le récit ou la fable fut son histoire en sa langue (« Le sujet de la langue et le sujet de l'histoire s'identifient »), le

seuil découvert de la modernité qui répète, en le déplaçant toujours, *ce* qu'il expérimenta.

10. Les pages 111-112 de *Tombeau de Du Bellay*, tentent d'esquisser la différence — sur laquelle il y aurait beaucoup à dire, à objecter et — entre la « crise » de Du Bellay et celle, symétrique et inverse, de Mallarmé.

11. « perdre par négligence », dit Du Bellay.

12. « ...cette 'imitation' en ébauche de tombeau... inciterait (j'en userai parcimonieusement) au repiquage de tels poèmes déjà publiés mais qui, de pouvoir entrer dans la préparation baroque du mémorial, auraient chance d'être réentendus, c'est-à-dire entendus ».

11. « lire en symboles, pratiquer des brèches dans les séries linéaires qui nous convoient du haut en bas du jour... »

14. « *Ce* dont le poème est l'expérience, et que nous pouvons appeler le poétique, et le langage de cette expérience (*la* poétique), ne sont pas *deux*. Telle est la difficulté. »

15. C'est le sens de la réponse de Deguy à Gérard Genette : « nulle autre pièce à conviction que l'expérience poétique elle-même ». Cette expérience ne se connaît pas comme un objet, comme sa possession, elle est seulement dans son déployer, sa « pratique théorique », elle laisse le poème irrécupéré, franc d'un savoir de lui qui lui fermerait sa licence, qui encerclerait sa transfiguration, empêchant le fraiement de l'espace, l'imprévisible surprise du recommencement. « Le poème ne s'achève dans aucun savoir, surtout pas un savoir *sur* lui ».

16. Ce qui ne veut pas dire qu'il n'y ait pas un rapport poésie-philosophie qui, très souvent aujourd'hui encore, est un « mauvais rapport », se présente comme un malentendu, d'autant plus grave qu'implicite au discours critique il fonde la perversité de l'interprétation. Deguy donne comme exemple la querelle Picard-Barthes, où l'on « voit s'affronter et se méconnaître (mais la méconnaissance est ici surtout unilatérale), un certain type de discours littéraire traditionnel, ventriloqué par une philosophie insciente..., qui croit posséder la vraie philosophie, et d'autre part un discours qui se réclame d'un acquis philosophique moderne. » D'où l'importance pour le discours poétique (poésie et poétique, écriture-lecture et enseignement) « de ne pas être en retard d'un âge philosophique ». Ce qui ne veut pas dire non plus que la poésie doit

rechercher dans la philosophie son fondement, son instance, mais plutôt, à la frontière toujours remontable jusquà l'indivision, une pensée-langage qui se donne à lire aujourd'hui au point de rencontre de la poésie et de la philosophie. En ce sens, on peut dire avec Henri Meschonnic que « la poésie ne cesse de déplacer la philosophie », mais aussi que la philosophie, avec des « concepts opératoires » comme *différance et supplément* — pour prendre ici, exemplaire, la démarche derridienne —, aide à ce déplacement, que, depuis Nietzsche, elles font route (et cause) commune vers la mémoire de la métaphore première (que le concept dissimule, permettant l'oubli de la différence, faisant basculer le monde dans la fabulation métaphysique, conduisant de la *Vergesslichkeit* à la *Verstellung*) et remontent conjointement — dans l'amitié de leur configuration propre, dans la marge de la scientificité et de l'idéologie (la théorie normative) — du mensonge de l'idéalisme « véridique » et moralisateur à la mémoire métaphorique (l'espace de la fiction et de l'air).

17. « Or la poésie n'est pas que dans le poème. Par exemple, dans l'homme d'action, elle atteint (agit sur), à côté de ses motifs, mobiles, quelque chose qu'on appelait jadis le *courage*. Du côté de la colère, c'est la parodie; du côté du théâtre, c'est l'éclatement de l'interlude; du côté de la perception, c'est l'astrophysique; du côté de la politique, c'est l'accélération; du côté du colloque, c'est le non-savoir; du côté de la marche (disait Valéry), c'est la danse; du côté de la linguistique, c'est la chasse au technologisme... ».

18. « Qu'y a-t-il de poétique *dans la politique*? C'est la phase d'ouverture, de rupture; non de continuité-conservation. Quand il ne s'agit pas de prendre ni de garder ni de passer, ni de perdre, le *pouvoir*. L'affaire de la poésie n'est pas le pouvoir. Quand est-ce, alors? Quand le social, après tant d'usure et de sclérose, entre en convulsion, qu'il est besoin de se ressaisir, un certain rapprochement est alors exigé avec tout ce que la routine, le discours, l'institutionnalisation recouvrent, amnésient, occultent.

La crise de l'être-ensemble ne cesse de couver : il s'agit de la déclarer, dans le ressaisissement (la revirginisation par le mythique, la consolidation du destin terrestre) des liens de l'être-ensemble avec les choses, la langue, la justice, la fraternité; alors, à côté des problèmes de l'articulation politique du social, l'inventive activité poétique peut, en mots, en œuvres, en silences, en allégories, refrayer, réindiquer des modes de rapprochement de l'essentiel — qu'il ne faudrait plus appeler 'l'essentiel'; réoriginaliser l'appartenance cosmique, historique, langagière, éthique ».

19. « Que puis-je encore faire, demande la poésie? Je suis avec vous jusqu'à la fin du monde... Or, précisément, un monde peut finir »; « La science en général et... les sciences humaines, invalident-elles, condamnent-elles au désuet cette vue du « merveilleux », cette merveille de la vue? Une telle pensée du merveilleux... s'éloigne... peut-être de nous — ou nous d'elle... et c'est de cette épreuve dont nous avons encore à nous acquitter, en nous redemandant : *pour quoi* la poésie aujourd'hui? »; « Notre époque, de quoi a-t-elle besoin? De quelle ouverture? »

Plutôt que de parler de la fin de la poésie, on pourrait imaginer aussi une poésie de rupture, une modernité qui ne comprendrait plus la lecture que donne Deguy de Du Bellay, pour laquelle la poésie serait autrement illisible, serait une autre ouverture.

20. Répétition qui n'est pas — est-il besoin de le préciser? — répétition monotone : « Certes, le mode de la désignification, le contexte historique, le drame de la transformation, le procès déterminé de la transformation... n'est pas identique d'un poète à l'autre, comme une répétition monotone. »

LE ROI, LE RIEN, LE DEHORS

MANDORLE

« Dans l'amande — qu'est-ce qui se tient dans l'amande?
Le Rien.
Le rien se tient dans l'amande.
Il se tient là, il se tient.

Dans le rien — qu'est-ce qui se tient là? Le Roi.
Il se tient là, le roi, le roi.
Il se tient là, il se tient.

Boucle de Juif, tu ne deviendras pas grise.

Et ton œil — où se tient ton œil?
Ton œil se tient sur l'amande.
Ton œil se tient sur le rien.
Il se tient à côté du Roi.
Ainsi il se tient, il se tient.

Boucle d'homme, tu ne deviendras pas grise.
Amande vide, bleu roi. »

Comment lire ce poème de Paul Celan qui ce matin m'atteint partout comme une é*vide*nce? En sachant peut-être que *Mandorle* signifie « Gloire ovale en forme d'amande dans laquelle apparaît le Christ de majesté du Jugement dernier » (Le *Petit Robert*), qu'amande rappelle ce sens (« Encadrement elliptique autour de la représentation du Christ, notamment sur le tympan des églises romanes ») et que ce sens traverse le poème, comme le confirme Yves Bonnefoy, le témoin, l'ami, le lecteur (« dans la *mandorle* qu'il a sondée, ayant vu une fresque presque effacée, où Dieu manquait à son trône »). En réemboîtant ces mots l'un dans l'autre : Roi, rien, amande — amande vide —, en songeant à l'extériorité de l'œil, en fixant l'énigme du cheveu frisé de Juif, du cheveu d'homme qui semble soustrait à la vieillesse — promis plus rapidement au vide? En rapprochant, en espaçant ces mots brefs, elliptiques : amande, rien, Roi, œil, Juif, homme, en posant la question de leur lieu, de leur rencontre, de leur langue. En jetant ce poème dans la prose de Paul Celan, qui autrement fait poème, qui vérifie le poème dans sa marge, près du dehors vers lequel il appelle, sous-tendant la perte, accompagnant le chemin hors livres et hors lettres du poème (« Ne lis plus — regarde!/Ne regarde plus — va! ») Alors pour ne pas s'arrêter au concept, aux images, au langage fermé du commentaire, à la traduction pacificatrice, au confort du bien-assis, lire un texte qui résistera (comme le poème), qui entraînera peut-être plus décisivement encore vers l' « Amande vide », vers le « bleu roi » : *Le Méridien*. Et aussi, autre écho, autre détour, autre traverse, le terrible et merveilleux *Entretien dans la montagne*. Et enfin le *Discours de Brême*. Oui lire ces textes jusqu'à ce que l'œil et le sens et la parole perdent la suffisance de la conclusion. Après revenir au poème, au Dieu manquant sur son trône, au Jugement sans juge, au rien, au Roi de rien, au dehors de l'amande vide et de l'œil.

Si devant la mort de Danton, de Camille (racontée par Büchner) Lucile, « celle qui est aveugle à l'art » s'écrie « Vive le Roi! » c'est là, dit Paul Celan, « une contre-parole », « un acte de liberté », « un pas ». Non, politiquement, l'affirmation contre-révolutionnaire d'une nostalgie et d'une volonté de retour à l' « ancien régime », à « quelque monarchie », mais « allégeance... à la majesté de l'absurde », mais poésie.

Autre figure : le *Lenz* de Büchner encore qui voudrait marcher sur la tête, avoir le ciel pour abîme ou qui, parlant d'abondance de l'art, de la littérature, « s'était lui-même complètement oublié ».

Autant de signes pour indiquer que « L'art déporte le moi au plus loin », plus avant, sur un chemin excentrique, peut-être nécessairement sans issue (« Je ne suis pas ici en quête d'une issue; je questionne seulement, dans cette unique direction... plus avant »), où s'avance le « moi oublieux de lui-même vers ces régions de l'insolite et de l'étrange ».

Quel est ce lieu? ce pas? Sans doute le moi, dans son saisissement de l'étranger à soi, la *personne* qui tient ce pas, ce dégagement y approche. Mais en ce pas, sa solitude redoublée, son altérité reconnue, le poème parle « de telle cause *étrangère* », d'*un autre,* du *tout autre,* supposé « à même d'être rejoint, dégagé », qui fait face, qui est face à lui, le poème rencontre.

Rencontre en la circonstance, à travers ce détail,

cette couleur, cette coupe, cette date, où son attention se voue à « l'objet de la rencontre », non pour l'observer, le contempler, l'affirmer en sa séparation, le traiter en objet de connaissance, de contemplation, de savoir, d'émotion, de jouissance esthétique, mais pour en prendre, comme dit Buber (dont Celan est proche mais comme en réserve d'espoir) « *intimement connaissance* », c'est-à-dire pour, tourné vers l'autre, répondre, non pas à ce que lui me dit mais à *cela même* qui est dit de lui à moi, au delà de nos personnes égotiques, possessives, à la langue qui ne nous appartient pas, mais qui nous traverse en la circonstance, dans le concret de la rencontre : « Car le poème n'est pas intemporel ». S' « il élève une exigence d'infini, il cherche à se frayer passage à travers le temps, à travers lui et non par-dessus », car le poème, parce qu'il est « une forme d'apparition du langage » peut être recueilli (espoir « certes souvent fragile ») « sur la plage du cœur », il est « en chemin », il fait route vers « quelque lieu ouvert, à occuper » (« un toi invocable, une réalité à invoquer »).

A travers l'histoire (même le génocide, même les « mille ténèbres des discours meurtriers », même le « mutisme effroyable »), la langue traverse ce pour quoi elle ne peut plus avoir de mots et resurgit, sauvegardée. D'où l'acte de foi poétique : parler pour s'orienter, pour s'enquérir du lieu *où,* du lieu *vers,* pour « se projeter une réalité », pour être concret, vivant, en marchant avec elle, en allant vers le possible en elle, par elle de la rencontre.

Partant du local (la Bucovine, Vienne, Brême, une rue de Moscou où l'on découvrit Lenz inanimé), partant d'une date (la nuit du 23 au 24 mai 1792, le « 20 janvier » où il « allait dans la montagne »), préservant — « nouveauté des poèmes, de nos jours » — « en pleine clarté... dates telles », nous transcrivant « pour quelles dates, à venir...? », parlant de « la circonstance unique qui, proprement, le concerne », le poème va, de remémoration à remémoration, de commencement à recommencement, ouvrant « à quelqu'un un chemin en montagne », se transcrivant « sur un tel pas », nous rencontrant. Car en ce cercle du revenir, du repartir, la *biographie* s'écrit dans une langue qui bientôt n'est plus référentielle, gardienne d'un avoir été et d'un présent identifiables, substantiels, mais qui déparle le moi, l'entraîne, mémoire, présence, futur, vers ce qui apparaît et qu'il interroge, interpelle, le constituant comme face du dialogue, qu'il nomme pour qu'il se rassemble, que converti en toi, il introduise « dans la présence son altérité », convertissant à son tour — bien qu'ici il n'y ait pas consécution, mais mutualité — le moi en autre, en « temps de l'autre ».

Et cela a *lieu* en poème (ponctuellement), dans la langue qui n'est ni *ma* langue ni *ta* langue, sur la terre qui « n'est pas pour toi » ni « pour moi » :

« ' ... *une langue, de toujours, sans* Je *et sans* Toi, *rien que* Lui, *rien que* Ça, *comprends-tu,* Elle *simplement, et c'est tout.*'

' *Je comprends, oui, je comprends. Je suis venu de loin, oui, je suis venu comme toi.* '

' *Je sais.* '

' *Tu sais, et veux me questionner : Et, tout de même te voilà, te voilà, tout de même, venu jusqu'ici — et pourquoi, en vue de quoi?* ' ' *Pourquoi, en vue de quoi... Parce qu'il aura fallu, peut-être, que je parle avec quelqu'un, avec moi ou avec toi, fallu que de ma bouche même je parle, et ma langue...' »*

Cela a *lieu* dans la montagne, dans la langue (ou plutôt près de, devant la langue) qui ne leur appartient pas, cette rencontre, cet entretien, ici de deux Juifs, Klein, qui s'en fut, « dans l'ombre, la sienne et l'étrangère », « comme Lenz par la montagne », « s'en vint de là-bas sur la route si belle, incomparable », vers celui — pouvait-il le savoir? — qui s'en venait, « lui aussi dans l'ombre empruntée » (« car le Juif, tu le sais bien, que possède-t-il, qui lui appartienne vraiment? »), à sa rencontre, vers le Juif Gross (ou le Juif Gross vers le Juif Klein). Et ils parlent, « cousins issus de germains », dans ce paysage qui n'est pas le leur, manquant d'yeux pour voir le martagon fleurir « sauvage... comme nulle part », le campanule raiponce, le Dianthus Superbus, « l'œillet splendide », ayant « parole en défaut ». Car n'appartenant pas, car entre eux et le visible et la langue, un voile qui suspend l'image dans la trame, qui l'enrobe, « moitié image et moitié voile », car à côté, en retrait de la terre, de la langue qui est « simplement, et c'est tout », ni pour toi ni pour moi. Comprenant peu à peu cela, questionnant, devisant, Klein et Gross, avec leurs noms « imprononçables », avec leur ombre, l'étrangère, et le disant (ou, Klein, Celan, s'imaginant l'avoir dit à toi, Gross ou tout autre, ne le disant pas) sur « ce chemin ici menant à moi, dans le haut ».

Comme si ce détour dans la montagne, la rencontre de l'autre (cousin issu de germain, homme ou chose) avait ouvert notre altérité, avait désigné ici notre *lieu,* le dehors que cherche « je crois » le poème, « ce lieu où toutes tropes et métaphores nous pressent de les conduire à l'absurde », qu'incarne le poème, « cette présomption inouïe » d'avoir *lieu* (d'être le poème absolu). Comme si ce détour du local jetait en ce détour de soi-même (où engage « la route si belle, incomparable » par la montagne et son retour « dans l'ombre, la sienne et l'étrangère ») « à ce lointain qui accapare », visible (entre-visible) qu'à travers « cette attention portée à la créature comme aux choses », au voisinage de l'ouvert, à la proximité de l'utopie.

Et de ce *lieu*, à partir de « la clarté de l'utopie », retour peut-être possible « à l'endroit natal », « exploration topologique du départ, du lieu de la provenance insituable (mais *possédé* comme une carte d'enfant) comme absents mais devant « surgir, enfin », faisant sur moi retour, me retraversant, « chose ayant forme de cercle », *Méridien* « immatériel mais terrestre ».

Ainsi, « de ce sol », comme un rien, comme un Roi, comme un dehors, liant, amenant la rencontre, Il traverse et retraverse, efface, réespace le poème, mais de qui, de quel moi désormais, qui pourtant parle pour qui, pourquoi, jusqu'à quelle retenue excessive, comme pour être le Roi, le rien, le dehors, le poème absolu (qui n'existe pas, qui ne peut exister), la campanule, le martagon, l'œillet splendide, l'autre, le simple et c'est tout. Et Il n'existe pas, « mais terrestre, de ce sol », circulaire, « passant de pôle en pôle », intersectant « toutes tropes », remuant toute langue, presque effleuré « à nouveau », « tantôt », « auprès de vous, dit Celan et de Georg Büchner et du pays de Hesse », auprès de Klein et de Gross, deux Juifs aux noms imprononçables, près du poème de Celan — nous y voilà, à nouveau, portés par le *Méridien?* — où le Juif qui ne vieillira pas et ses cheveux bouclés (l'imprononçable, n'est-ce pas?) et l'œil, en forme d'amande, en forme de vide devant le lieu vide du sacré, du sens, devant l'absence du Roi qui n'*est* là que dans le rien, que dans le *lieu* vide, se tiennent là, nous attendent, promesse de solitude redoublée, de dépossession — de rencontre enfin du poème absolu (qui n'existe pas), de la poésie (« conversion en infini de la mortalité pure et la lettre morte »), du Roi de rien, du dedans vide de la langue où on appelle sans nom, sans voix, par dessus toi et moi, où se tient *personne,* où l'on vient :

« *NOIRS,*
comme blessure de mémoire,
les yeux fouillent jusqu'à toi
dans le pays de la couronne
d'où les dents du cœur éclairent en mordant,
qui demeure notre lit :

par ce puits, tu dois venir —
tu viens.

Dans le sens
du sperme
te constelle la mer, tout au fond, pour toujours.

Le don du nom a une fin,
par-dessus toi je jette mon destin. »

... vient au plus près, si loin encore de la remontée, de l'imprononçable et de la rencontre, loin de la montagne et du fleuve, du vide de la mandorle, du dehors royal de l'intérieur.

(1976)

SIX OU SEPT NOMS QUI POUR MOI FONT TILT

ANNE-MARIE ALBIACH

ACTE D'ENGENDREMENT DE LA PAROLE [1]

> « *Un élan vers l'action propose une semblance*
> *De choses données en équité de dosages,*
> *La mesure tout usage est temps glacial en son effort*
> *Dans lequel l'abstraction et ses choses ne gardent nulle ressemblance*
> *Quant aux produits conçus...* »
> (LOUIS ZUKOFSKY, « A » — 9)
>
> « *la trajectoire est la matière autre* »
> *(Etat)*

C'est une géométrie, du moins le mouvement, l'espace semblent connaître « un développement géométrique ». C'est « *dans le désir du passage* », l'agencement l'un dans l'autre de la ligne, du cercle, de la sphère, du cube, « une relation de spirale double ». Cela veut concilier, élaborer le mythe « où il importe deux termes//conciliables//seulement », la compatibilité. Cela veut — « logique communicative... logique de récupération factice des objets inconciliables » — l'analogie (« seules les/analogies pourraient approcher//deux termes en linéaires, les surfaces/et cubes, les sphères et le mouvement »), plus encore l'identité, la résorption de l'espace, la dépossession de l'histoire et de soi, la perte de la pronomination — l'unité de la déchirure (« l'impartition/en deux du soi »).

(Ainsi une double exigence fraie l'espace du « livre » : nouer-défaire, combler-arracher, trait d'union-césure, interférence-isolement, juxtaposition-décomposition, compacité-vide, jointure-désintégration, opposant, déchirant, déterminant l'édifice et sa ruine, l'apparition d'un couple, d'une unité suspendue, portée, tombée, revenante, différée.)

C'est « UNE INCONNUE POSEE//*Etreinte par la suite* » (ou cet espoir de toucher, de rencontrer, ou du moins sa blancheur), c'est la rétrospective, la parenthèse, le trop tard du récit, sa répétition, son double, sa mémoire. Mais (opposition) le double est le change, la reprise l'écart. Double rôle donc du double : redoubler, absenter, multiplier la fiction et imposer la loi par la visibilité du leurre de la répétition, écarter le même du même, être la césure de l'identité, le blanc de l'espace — « la liaison et/ce *point* ».

C'est en tout cas « l'acte d'engendrement de la parole », sa loi, le mouvement de revenir, de survenir (« *Refus de causalité* », courbe de gratuité) vers l'impossibilité de nommer :

« *Le dernier de ces cercles*
et les sphères des stages
de la fiction le commencement
qu'il contient
Or cloisonné il n'est
tandis que
actives aspirations

jamais identiques ni répétitives
descendance
ascendance vers

qui est contenu   mais ne sait nommer »

C'est la continuité, « la répétition de la/première *énigme* » (mais aussi bien *E*tat, *E*popée, *E*ntrée, *E*space), la persistance d'une lettre (le *e* de loi) — comme si tout se jouait entre visible et non-vu, entre mouvement de frayage de la langue et immobilité, entre l'œil sans et avec paupières :

« *la loi est imparfaite de par l'œil. la loi(e) est avec paupières où elle accuse une impossibilité d'engendrement de l'un qui ' regarde ' au lieu ' regardé ' — non vu, le* e *est sa paupière et ainsi serait-elle applicable.* »

Rapport de la fiction et de la loi dans le livre qui « assigne la fiction », ou plutôt perte de la fiction — et du livre — dans la loi qui la désintègre en semblant l' « élaborer dans sa ' déchirure ' nécessaire », dont il ne reste que le *e* (« l'aléatoire abstraction » du pronom « elle », la division en quatre (lettres) de son volume »), l'absence et la réitération d'un pronom, d'une loi, le corps absent, reprenant corps « pour une *apparition* ». Effacement, respiration, perte, souvenir-survenir, simulation du paraître (apparition de l'apparition, déploiement du carré, gonflement de l'espace, chiffres et gain de la fiction), de la répétition (« répétitif, et équation de toutes relations innommables ou imprononçables... ») — « en fait une absence qui nous mène à l'absence ».

Si l'on veut un théâtre, un jeu de personnes, de

pronoms (« ‘ elle simule une authenticité ’ » où « *il n’a pas de rôle* », où « ils simulent l’extase », où le chœur intervient « Après le *MYTHE* », représentant « l’Adhésion », répétant « CINQ » (référence? mémoire? gratuité?), où (« *Réponse* ») « il à il/ *et je répète je* », où « parlant il augmente les obscurcissements/qu’il rénove », où lapsus, censures, césures, « image inadéquate au geste », « déportement de syntaxe », « mesures/indiscernables », « langue :/incommunicable si ce n’est de/la double forme », reprises, mouvements, musique, absence de commentaire (« blanc//de force majeure »), « grammaire/optique », graphismes, « impondérables du désir ».

Que dire de plus devant ce qui est déploiement-effacement, soulèvement chiffré-graphique, linéaire-circulaire, ponctuel-infini de la parole, *passage* de la langue où nous nous retrouvons sujets poétiques, fascinés, appelés-appelant l’obscur, l’épique, la puissance? Que dire devant l’opaque, l’énigme, « le vide du propos », « *l’imprécisable/l’inépuisable roman* », « la nudité blanche de la lettre », l’antécédent, la trajectoire, la métamorphose, la genèse, la « DEFAITE DE SOI », les couleurs (« blanc de l’être/noir de la pulsion »), la limite, l’infini, « la LIQUIDITE », « les règles de l’énoncé//inaccessible », « *la signification de son aridité logique* », la pureté et la luxure? Sinon désir, éphémère, récidive, absence de centre, de sens, périphérie, éclosion « et blanc de la marge ou du souffle », tréteaux de l’histoire, de la loi, de l’œil avec et sans paupières où l’étreinte, dans tous les sens, rétablit et redistribue l’unité, la génération et le creux.

Anne-Marie Albiach ouvre aujourd’hui pour la poésie une théorie-poème, un poème-théorie (pratique et réflexivité, écriture et savoir indiscernables), un espace dans la langue qui est récit, épopée, graphisme et souffle — programme en tous sens, en tous lieux, manifeste de la pulsion, du non-commencement, de la répétition, de la disparition, à perte de moi, de signes, de mesures —, un espacement où *apparaît* (surface, volume, point, retrait — trajectoire du retour et de l'altérité) « quel pronom// du futur », quelle autre identité, quelle violence génétique, quel avènement poétique, quelle lisibilité active?

NOTES

1. Dans la marge de *Etat* (Mercure de France, 1971), « HII » *linéaires* (Le Collet de Buffle, 1974), *Loi*(e) (« Change *Monstre* Poésie », in *Change,* n° 23, 1975), *CESURE : le corps* (Orange Export Ltd, 1975), *Répétition* (*Première Livraison,* n° 2, 1975).

MATHIEU BENEZET

LA MALADRESSE POÉTIQUE[1]

« ne se fit mentale ne décèle en
l'image que l'image inadéquate au
geste »
« refuse les syntaxes
la justesse
du geste
nous forme infirme »

(ANNE-MARIE ALBIACH, *Etat*)

C'est un récit, c'est « comme dans un roman », à la distance d'un comme (l'ironie de l'histoire, du héros et de l'héroïne, d'une pratique de la narration et du sens), c'est, d'emblée semble-t-il, l'hésitation de la langue — le poème. Ce qui parle dans ce décalage, dans ce défaut (bégaiements, lapsus, inversions, perturbations typographiques, zézaiements, blancs, parataxe), c'est une langue resegmentée, réarticulée, redevenue corps multiple, visibilité du geste, écoute de la voix, dont le dysfonctionnement est l'histoire, dont le ratage est le commencement de (je ne trouve pas d'autre mot) la poésie.

Il fallait la scansion complice de la page, le passage par les lésions, la position de (se) raconter, dans le redoublement et la perte du « (face) à l'article de la mort ». Cet *événement* traverse les lieux les plus communs, qui sont transport de la langue, déportement, nourriture et inassouvissement de la fable.

L'attention aux mots est évidente depuis *L'Histoire de la peinture en trois volumes*. Le mot y est l'objet de l'histoire, le « réel » une collection de mots (« Nous demeurons assis sur le mot chaise/à regarder la lune »; « ce mot porte mon nom »; « une branche pousse à l'emplacement du mot cœur »; « Le fil (celui qui passe par le mot cœur) est tendu à son extrême »; « Ce soir/certains mots sont des érables »), le poème leur corps — son corps :

« *Mon poème commence par le mot tête*
se poursuit par le mot cou
maintenant deux fois le mot bras
puis le mot thorax
mon poème continue par le mot jambe
deux fois écrit
prend fin avec le mot pieds

le poème prend corps »

« Poème-corps, c'est non pas en lui la force centripète, unificatrice qui triomphe — le logos —, mais la centrifuge, le corps disséminé, les parties parlantes, les membres locuteurs, comme autonomes dans leur communauté, tout le corps comme le cœur allongé, comme l'extension ou la raréfaction de l'inventé, comme la respiration du rêve :

« *Les jambes sont deux sommeils parallèles*
qui fléchissent au rêve du genou (CAR
LES GENOUX REVENT).
Le cou se pose près des épaules

(les épaules c'est encore la mer).
LE CŒUR EST UN MOT ALLONGE. »

Ce mouvement peut être lent (« Je progresse avec la lenteur d'un tournant; mes pieds sont au bout des bras ») ou enjoué (si la tête est un cerf-volant) — selon l'invention du corps. Les mots peuvent être lenteur (ainsi souvent le mot visage) ou points de suspension (des os longs), points d'exclamation (des os courts). Toujours corps, toujours mots, toujours je-corps-mots (« je suis cousu peau »).

Mais quel je, quel corps en ces mots? Ce peut-être aussi bien un chien ou un homme ou « peut-être un phonographe » (petit salut en passant au comte de Lautréamont) qui a « le front heureux d'une pomme » (et à Monsieur Magritte) ou, par l'outrance de la comparaison, un corps-paysage-nature morte, hiératique et cosmique, inexistant et ultraréel, dérisoire, au faîte de l'émotion, un être bleu (« PEUT-ETRE UN ANGE »), « Un corps de lettres majuscules/avec des lèvres attachées à un prénom », la voix des consonnes, une sorte de « typographie aztèque ».

La nomination circule, arbitraire, nécessaire comme le mouvement de réciter un mot dont on est épris et tout s'échange en cette distribution des mots (du corps) :

« *Ici, l'on nomme thorax ou genou*
un peu tout. »

Le récit alors rapproche n'importe qui à quoi, est-ce nouvel emportement, cette géographie revue et corrigée des affinités élettrives :

« *Entre une sandale et un visage il y a quelques lettres... J'en suis d'autant plus sûr qu'un visage est une sandale, et la mer un objet usuel mal défini...* »

Si tout est mal défini, si « Je suis loin d'user des mots exacts », si « Tout ceci est un bel imbroglio où je me perds », pourquoi pas tout cœur ou pied, scandale et sandale, épaves? Pourquoi ces mots-là plutôt que d'autres? C'est qu'il faudrait une vie — et « peut-être est-ce insuffisant » — « pour faire alliance avec certains vocables ». Ici le « pacte avec le mot ' cœur ' » ou avec le mot « pied », mais nullement avec le mot « âme » (« à l'heure où je trace ces lignes, à l'heure où je caresse ces lignes, je ne me sens en droit de tracer ne serait-ce que la silhouette du mot ' âme ' »). Et ces vocables eux-mêmes n'existent pas (« S'en tenir au sens strict des vocables? Ça n'existe pas les vocables. C'est de la blague. Un' drôl' de blague ») et s'inventer un nom n'est peut-être pas possible (« On ne sort pas du dictionnaire »). Peut-être faudrait-il alors, à travers tel ou tel mot d'élection, à contre-sens de son sens, frayer la langue, quittant l'histoire (toujours ennuyeuse) pour la déviance, la rupture, la « ligne ouverte sur l'oubli », l'épave.

Qu'est-ce qu'une épave? Une faute de lecture, un savoir mal lire (le mot épave), une invention, « La mort de toute chose », donc la lecture du refoulé, derrière les masques, la faconde, « la belle émergence de la mort » et sa dissimulation (le travesti, l'armure pourtant précaire qui se déchirera sous les coups de la langue, sous le choc des épaves), ce à quoi s'accrocher pour gesticuler, pour parler (« Epaves mes mots? Zavez bon dos./ JE NE

TROUVAIS QUE VOUS »). La « précellence » des épaves, « ‘ Comme les jeux les plus cruels des enfants ’ (*op. cit.*) », « le goût de la détérioration », de l'invention, du « vice », leur vertige, leur refus de la règle, du « compromis de l'âge adulte », les leçons « mal assimilées », vomies, le résidu d'un passé encore (la nostalgie?) réespacé, retremblé, disséminé dans ces « Biographies », ces rachats et ces « achats », ces expiations, corrections, ces mots tracés « comme auprès d'un totem », ces mots biffés, plus simplement, suivant les traces, « ce que m'octroie le hasard, l'impossible; ou non » — l'épave que parle une langue.

Le pouvoir, l'absence de loi démiurgique de nomination, d'(é)lection (« Rien, personne pour m'empêcher de te nommer/sandale, au risque d'étonner bien des fronts, non? ») va de pair avec l'équivalence du monde nommé, avec sa dépoétisation (au sens idéaliste de poésie = sublimation, belle âme, Vérité, Beauté). Celui qui nomme ainsi est déjà tombé dans la prose (tout est prose désormais, même la poésie ou — cela revient au même — tout est poésie, même la prose), là où le pied est le héros maladroit, hésitant et complexe, démythifiant [2] :

« *Je me réconcilie avec mon pied car tu me montres*
la vanité de mes adjectifs, je ne souhaite
plus que mon langage soit simple donc beau... »

Le pied (le poème, le récit du pied) est ainsi le signe d'un équilibre précaire, de la position instable, éphémère d'un funambule, le signe d'une jetée hors du soulier, du lieu de l'histoire, du sens (« le mot déchausse »), d'une possibilité de trébuchement, d'interruption (« Si le pied a failli le dialogue/s'interrompt »). Et, dégageant « le pied de la chaussure, comme on dégage une « PHRASE BANALE, QUANT A SA REDACTION » de son contexte, c'est le début du déraillement, de la *mauvaise* lecture, de la maladresse (de la poésie), de la parole déviant, déboîtant l'espace, l'histoire, les sujets, la syntaxe, « Parlant comme un fou. Par événements ». Et en même temps, c'est la fin du récit, de la belle histoire, car ce qui se passe (s'affole, manque, interrompt, étourdit, massacre, ARRIVE) est le sujet, l'objet de l'histoire, la forme-contenu de l'histoire, mais comme son é*vide*nce bouleversante, sa syntaxe surchargée, discontinue, blanche, la parole de de de de la langue.

D'où cette double affirmation contemporaine que « Tout compte fait cela importe peu » (cette histoire de bottine, de soulier usagé ou de « tout autre objet utile ou inutile ») et que cela parle follement, événementiellement « Tout d'un coup brusquement soudain subitement », comme malgré soi, au prix de sa maladresse :

1) « Il n'y a rien d'intéressant dans tout cela »; « CECI OU CELA, OU CET AUTRE »; ← et même si cela signifie à/un autre niveau, peu m'en chaut/⇅ et il faut bien raconter q/uelque chose à ces braves gen/s attroupés, assemblés près d/u... »; « C'était égal. Du pareil au même. Peau morte. Sciure ».

2) « *La maladresse trahit l'homme dans son geste qu'il ne reconnaît plus; il ne semble dès lors ne plus lui appartenir; il lui est malaisé de s'en attribuer la paternité. Ici, je peux parler de poésie, celle-ci risquant d'expliquer le geste qui, brusquement dévié, balaie le porteur, l'homme, parce qu'il (le geste) a de plus soudain et mystérieux.../La maladresse*

correspond à un abandon (O EPAVES); elle crée les distances. C'est une syntaxe tombant sous le coup de nulle règle. Sa puissance d'attrait est identique à celle de l'objet pris dans un ghetto de solitude. Elle nous échappe./Mon amour, la maladresse est une faille et une blessure subite au visage de l'homme (de l'arbre)... Un râteau, elle laboure la face de l'intelligence, et détruit notre belle harmonie, notre belle assurance. Brusquement. Le plastron se défait, la hallebarde choit. Nous entrevoyons celui que nous sommes... »

Si le narrateur (le sujet fictif de l'histoire fictive, le pantin de la farce) est — intervenant comme puissance dans l'impuissance, comme cœur dans le haut-le-cœur — soudain las, hors soi de cette histoire (« ça ne m'intéresse pas... ce que j'en ai par-dessus la tête de ces histoires... »; « on connaît tout ça »; « *Je suis en dehors de tout ça* »), cette réaction provoque l'interruption, est par elle-même la lésion, la faille de l'édifice romanesque, de la pseudo-identité, l'impossibilité du développement, du progrès, l'autre dimension du récit, le passage à la fiction de la langue, à l'obscur du corps, à la multiple parole du multiple — la dépossession.

Si « *NOUS n'avons pas d'histoire* », si « *(Il n'y a) rien à conter* », si « une histoire, ou même une historiette. C'est b'ien trop compliqué pour exister vraiment », si « réfléchir... imaginer quelque chose de plausible, dans le genre anecdote », est le comble de la lassitude, si « Seules les prémisses les prémices offrent quelque intérêt » et qu'après ce n'est plus que « Tirer sur les ficelles », alors tout est déjà « dit et bien dit », alors passer d'une histoire à l'autre, d'un commencement d'histoire à l'autre, d'une biographie à l'autre, s'acheter « un père », « une famille », mentir délibérément, intervenir dans le récit pour dire coucou récit, pour dire moi pas moi, pour rappeler son doute, son sourire dans la récitation du tragique même, pour rendre le doute contagieux, l'ironie partageable, la pensée visiblement équivoque, se méfier du concept comme de l'imagination, choisir « la pensée la plus quelconque », « L'imagination à l'infini » qui, répétant l'image, la désillusionne, laisse entrevoir l'absence, l'accroc, indéfinit.

Mais au cours de cette opération (mentir et dire que l'on ment — retourner la fiction), qu'advient-il de celui qui dit je? Il ne peut se réaffirmer qu'en s'excluant du récit, qu'en signalant qu'ici il était tout le monde, tout qui usurpait son rôle depuis des millénaires, Platon, Racine, Hugo, Gide, Joyce (d'où la pratique autorisée du collage, ou plus simplement des emprunts et plagiats, de la signature vraiment indivise, commune, anonymisant l'histoire), aussi bien que « Henri. Ou Victor ou José ou Georges », « un certain Henri » ou Riri qui a commencé « un texte sur le mot souffrance », « quelqu'- Socialement défini. Inscrit sur des registres officiels. Possédant un compte en banque. Diverses immatriculations dans autant d'organismes. Un livret militaire. Un homme avec deux bras deux pieds deux yeux des nerfs et des muscles et des os, une nappe de sang. ...Lisant des romans. Faisant l'amour. Rêvant. dormant marchant mangeant riant pleurant pensant bougeant croisant ses bras s'achetant des chaussures. Un homme... », je (« Je .Je . J' . Je . Je ne »; « Je! »; « Je, etc. J'e »). Mais alors — question inlassablement répétée — « Qui parle? Qui fait l'article? Qui? *Je vous disais justement...* Qui? Répondez! ou quoi?! *Les épaves...* », les voix alternées, parallèles, ponctuelles de celui qui essaye de se raconter et de celui qui dénarre, l'éclatement de la personne et du sujet, la fin de la belle histoire et son retour obstiné, raturé, arrêté.

Restent les bribes désormais, les morceaux d'un dis-cours, d'un puzzle : « Les noms s'effacent, s'ôtent, sautent. Demeurent des mots, des bouts de mots. Des phrases aveugles, infirmes. C'est un puzzle dont la clé est ailleurs », un « Jeu de patience fait de fragments découpés pour reconstituer une image » (« mot angl. de *to puzzle* ' embarrasser ' »), un assemblage d'histoires [3] (une, des enfances — horreur, « Toutou dégoût » —, des velléités d'aventures amoureuses, des visages, des noms à demi oubliés, un accident, une opération, des visites médicales, l'apparition sporadique d'un Recteur — et de novices à genoux — disposé au pardon, d'une certaine Madame Thérèse qui a des rhumatismes, qui offre thé ou café au lait, sucre, sablé, d'un cendrier, de cigarettes ou d'un désir de fumer, de surfaces lisses et froides comme « le carrelage de la cuisine, ou d'une salle de bains », de chutes à cause d'une « faiblesse dans les genoux », de « marionnettes chutant » sur ledit carrelage, de pantins ayant un défaut dans la coordination des gestes et des paroles, de Madame Bovary — histoire aussi au niveau de l'écriture —, d'Hamlet, de l'échec à, de, le).

Histoire(s) de « *pantins & marionnettes* » toujours prêts à se disloquer si on les brusque, proches donc de l'obscène et du ridicule, proches aussi (selon l'angle d'une autre lecture) de ce déséquilibre, cette précarité, cette impuissance qui est le corps maladroit du récit, sa vérité qui s'explique mal, qui bégaye et qui halète, qui rit de cet aveu (de son vertige et de sa peur) — « Paon teint ». Histoire(s) de clown pleureur (« pour expier sa vie de misères »), d' « acteurs d'une mascarade obscène » (mais avançant inexorablement), de « pauvres masques et autres artifices », de « gestes de noyés » appelés drame, cachant ne cachant pas le mouvement vers la mort, la chute hors l'identification de soi à soi (à son nom, à un corps qui serait moi, à un sens arrêté, définitif, lisible). Notre histoire, notre poème à réinventer avec les épaves et les autres débris, morceaux, fragments de la parole, du geste, de l'oubli.

Histoire(s) d'une paralysie (« J'étais à nouveau paralysé. Incapable d'un geste ou d'un mot »), d'un geste, d'une parole tellement impossible ou dérisoire que mythique (« le geste prenant tournure de légende ou d'épopée »), d' « un défaut de langue » à assimiler, d'une douleur grandissante dans la gorge, qui empêche de parler, de l'impossibilité de « prononcer un mot un seul » et d' « un flot, un tourbillon et cascade de couleurs de bruits d'images de sons de syllabes », de l'irruption d'une « multitude... bourdonnant, gesticulant, ahanant les bribes d'un discours incohérent » — est-ce un geste, une parole? —, de la perte dans sa bouche de « la signification & l'odeur » des syllabes anciennes (« Nulle salive n'humectait plus ma bouche »), d'un cri n'atteignant pas « le stade de la formulation », demeurant dans la gorge, « raclant et écorchant les chairs », d'un objet « pas à portée de la main », d'un fragment insaisissable, de « l'impuissance d'intervenir d'une façon quelconque d'une quelconque façon » (observateur, voyeur des corps se mêlant et se séparant, allant vers leur décomposition) d'un enfouissement « sous les gestes avortés sous les mots tronqués », d'une peur de ne plus être différencié « d'avec le pendule dont le balancier là-haut disait l'écho d'un autre balancier », d'une aspiration « à bouger ne serait-ce que très timidement », de saisir, de tenir à, de se fondre, de se confondre dans l'assimilation (« Je, tellement voudrais m'en saisir (ME TENIR A CETTE RAMBARDE...), me fondre comme pièce de plomb jetée dans un métal en fusion sitôt assimilée   avalée confondue avec la masse, digérée »). Histoire(s)-manque-désir, dis-simulation d'un geste, d'une voix.

Histoire(s) de phrases hachées, déchaînées, jamais commencées, suspendues, arrêtées sur une préposition sans complément, un article sans nom, un blanc :

« *Avec le recul du temps   tempes*
Ecoulées ils écrivent chez eux bref
Votre histoire

Lorsque »

« *Manière de se défaire de la mort, arrachant le tégument du,*
aspiration à déranger le cours et l'idée même du. »

« *Miroirs où*

(Les cuisses), telle était la peinture »

Histoires de mots sans séparation (« mamainavaiterrélonguementàlarecherched'uneaspérité »   ou coupés l'un de l'autre par une barre (un souffle), de mots rayés, de mots entre parenthèses, de mots logiques dont l'addition rend visible le défaut de liaison (« Donc. Par conséquent. Il est vrai. Ce dont je parlais. Nonobstant. Nous voyons là. C'est dire. Il est avéré que. De par ce fait!!! »), de mots jamais cités comme mots dans un récit (« il freine et dévie le mouvement. Virgule. Point-virgule. »), de mots-bruits (« Et vlan! planc! bing! crii »), de mots zézayés (« Ce fent qui souve »), bégayés (comme le chant de la langue) :

« *la la lune fouille ses*
poches l'homme s'efface
comme ardoise la la
la nuit tourne c'est l'hémis-
phère du sexe la la la la »

les mots-rimes en écho (« Angoissé-cé/Mouche Tsé-tsé/L'a piqué-ké/Ohé-ohé »; « imaginez-nez », les combinaisons de mots dans une phrase — style leçon de Monsieur Jourdain — (« ... je tenais sa blanche main », « Main tenais sa blanche je », « Je blanche main sa tenais », « Tenais je sa main blanche »), entre parenthèses, entrecoupant un récit, les mots tissant la description, imprécisant à force de précisions, les mots des questionnaires (blancs à compléter par le lecteur, pleins à biffer éventuellement), les mots pour empocher l'histoire, l'avoir eu lieu, mangeant la vraisemblance, la durée, la langue et le corps (on lisait déjà dans *L'Histoire de la peinture...* ces avertissements-hésitations : « Bel arbre/garde-toi d'être empoché par les mots »; « Mettre le vent dans sa poche n'est pas tout »; « L'oiseau s'ignore dans le mot oiseau »), étant la dévoration de la langue, leur propre holocauste, le récit de leur résistance, de leur précipitation, de leur immersion — de leur fulgurance de noyés et d'incendiaires —, les mots pour « Toutou dire. TOU-TOU-DIRE. La-la-la-lalère. Parler », pour ne rien dire (« Pas un son à/Pas un mot à/Pas une image à »), que cette absence, ce « mince coup de crayon », ce visage partagé ainsi entre lumière et ombre.

L'historien de toutes ces histoires est peut-être bien alors cette destruction de soi, de l'histoire, du langage, cette punition-salvation de la parole qui libère des phantasmes de la faute et du salut (de la langue mère) en les consumant dans la langue, en leur crevant mémoire et avenir « comme baudruches », en interrompant la parole qui parle, ne parle pas, épique, dans la langue désormais suspendue, rompue, ouverte à l'accident, à la chute, à l'épave (retour, première fois, jamais été). Exemple : « (Mais..., etc.) », « (bis) », « (*sic*) », « (*air connu*) », « (*refrain*) », « je, », « (*il écrit*) », « (*il parle*) », « (*exit*) », « (*il reprend*) », « (*alors*) », « (bis) », « A cet endroit ô »..., « ... Vachement difficile d'écrire sans se leurrer. Par la faute des mots qui traînent derrière eux une épopée de faits et de gestes dont il est difficile de se jouer; de se départir ».

Nul doute, Mathieu Bénézet a *essayé* la déprise, (son récit), parlant fou, parlant « Je te je », parlant banal, neutre, dérive, collant, coupant, blanchissant, ponctuant selon le corps, selon l'*événement,* l'emportement des épaves, jouant les niveaux du mot, du nom, des gestes (actes des rêves), phantasmant la parole mère, le souvenir, le survenir, la ligne et la cassure du poème, « (*illisible*) », maladroit, parlant vain (« Ils parlaient. Fous qui voulaient découvrir quelque matérialité, lorsque tout n'était que mouvance... Fous qui voudraient se saisir de l'impalpable. Et aboient. Pourchassent leur propre ombre. Gesticulant comme des cons »), parlant ne parlant pas, gesticulant, ne bougeant pas, traçant le geste, la parole malgré tout vers la dune, vers la mort, appelant, agressant. Je suis dans sa langue, dans sa chute et je parle, reprends le récit, le poème, ai son espace dans l'oreille,

ATTENTION CHUTE DE PIERRES

l' « acte fabuleux », l'excès fidèle, dans la bouche, dans les doigts, je perdu, un peu plus en deçà désormais du réalisme et du nominalisme, de notre logosombre histoire poétique et prosaïque. Grâce à sa langue bègue, à l'aphone, à l'italique, au blanc, au chant.

NOTES

1. Dans la marge de *L'Histoire de la peinture en trois volumes* (Gallimard, 1968), *Biographies* (Gallimard, 1970), *Coloratur* (« Change *Monstre* Poésie », in *Change*, n° 23, 1975).

2. *L'Histoire de la peinture...* est en un sens, pour la résumer abruptement, une histoire de pieds (un blason du corps), un éloge du pédestre, une mise hors piédestal de (un coup de pied à) la belle poésie, où le refus du sérieux (le garde-à-vous poétique, le ton « noble ») n'exclut pas (au contraire) la tendresse pour le pied qui « se cherche un sommeil dans la bottine » comme « La lèvre qui vague ».

3. D'où l'importance de la reconstitution (impossible, illusoire toujours discontinue, différée — comme l'écriture, comme la lecture), de la fouille qui semble l'emporter sur l'invention ou le savoir (la fiction pure, la mémoire pure). Mais c'est *je* aussi bien que *on* qui « ramasse les bouts dans la corbeille », de sorte qu'il ne s'agit ni d'un reliquaire du sujet propriétaire ni de la création du poète inspiré, mais d'un jeu avec les épaves, le hasard, d'un (r)assemblement d'histoires qui reforment un puzzle, une unité mais de morceaux, de bribes, de lésions, de discon-

tinus — jamais la même voix, les mêmes gestes dans le repiquage même de la voix, dans le recollage même des gestes. « Fouiller pour parvenir au tréfonds » c'est le vieux rêve de la profondeur, de l'origine. Restent, au retour, un visage « Imprécis; lointain; chiffon. Des petits carrés, ou jardins de peau... Des trous dans le dessin... Canevas brûlé par endroits... » ou « les petits secrets d'autrui », « un linge de corps étranger », le contenu d'une armoire, des tiroirs de pharmacie, d'une salle de bains (« Ouvrir », « Fureter », « se dénuder ») — « L'essentiel m'échappe. (Il semble) qu'il me soit refusé ». Restent? « Quelle (jeu de) construction vais-je mettre encore à jour, achevées mes fouilles? » pour durer. Cette question (« où porter mes pas...? », cette aire des vents qui dirige aussi bien vers le passé que vers l'avenir, vers le haut que vers le bas, comme un puzzle circulaire, un perpétuel embarras. Jeu peut-être sans objet, rassemblement, empilement de mots qui se défont, qui tombent, déplaçant la patience, l'impatience, ajournant le sens, ne récupérant pas l'épave en vue d'un ordre, d'une harmonie, d'une beauté-vérité, d'un salut (biographique et littéraire), filigranant l'image, ne laissant que des hiéroglyphes sur le sable de l'effacement. Est-ce rien? « Rien ne subsiste du spectacle; nous aurons beau fouiller les décombres, remuer des paquets de lettres dont l'écriture est *passée*...; nous aurons beau contempler des photos jaunies, chercher noms et visages, corps et foutre, et tenter des abouchements ou aboutements, d'aventure; nous aurons beau (donc) fouiller les armoires (fouiller les buissons), déranger les dentelles et la merde, et déloger les ombres embusquées; la machine est brisée; elle est pitoyable sur le sol, exsangue. » C'est peut-être entre décombres et mémoire, fouille et oubli, dans la langue qui rameute et qui ruine l'illisible et la p(l)age vide?

P. S. Depuis, *Dits et récits du mortel* (Flammarion, coll. Digraphe, 1976) force à rebiographer Mathieu Bénézet dans la distance même et la nouveauté dont son livre est l'espace.

JEAN DAIVE

THÉATRE DE LA MÉMOIRE BLANCHE [1]

« ma plus lointaine enfant dans la bouche »

Tout se joue entre lettres et chiffres, vers la mort, la mémoire, vers la mère, le père, le rat, la langue indéchiffrable, illettrée. C'est un théâtre (une lettre se lève « dont rien encore n'est tracé/où rien n'est/ l'externe »), c'est un « texte silencieux que reconstitue la parole fléchée » (le sujet, « tenu au séjour/ d'un verbe non écrit/détruit »), c'est une image (« le renversement des lettres », « l'invisible//d'une immobile alternance »), c'est l'accumulation, l'espace qui brûle, l'effacement, la neige, le froid, une « autre diagonale », une autre mélancolie.

Elle (l'algèbre), lui (les lettres) d'une phrase immobile « que le silence épelle simplifie/que la voix dénonce répète ». Elle, « le bleu en plus de la mer », « la blancheur de l'instant », « ce qui semble ne jamais finir », « image d'aucune figure » (inimaginable, invisible), entrant dans le silence, couvrant « le polygone de mort » et lui, voyeur, regardant « les choses les êtres courir vers un même point blanc » (« remontait la colline », « remontait l'avalanche », était le temps d'un récit, d'un avoir eu lieu d'origine, d'une mémoire d'avant savoir et d'avant dire que la parole regagne comme à perte de voix, de sujet et d'objet, de sens).

Cela se passe donc au fond de sa ressemblance, « à la limite de l'énigme », où *je* ne cesse de disparaître, c'est une « lente géométrie » (un rêve) qui tend l'espace où « la fable de vie » se divulgue, clarté d'un lieu inassignable (« parmi la trame imaginaire »). *Je* traverse la construction offerte et dérobée (le livre) au passé (de préférence), « entre refus et insistance », entre elle et il (tour à tour l'un et l'autre, ni l'un ni l'autre), près d'une race autre, au dehors, « au delà de la cendre/à genoux dans le froid ». *Je entendit* « pleurer dans la race voisine », entend (déterre) « l'homme/dans sa solitude/se raconter des histoires de dragons », est la répétition de ce récit, le théâtre de la mémoire, raconte la mémoire (l'anonyme), avant la distinction de je et de l'Autre (ou après?), marche (pour se commencer) « à travers la mort », entre origine et retour, dans le nulle part de la fable ou du nom.

Là l'histoire des genèses, la *décision* de commencer, de rappeler, d'inventer (de nommer), l'objectivité, l'arbitraire :

« *où un de l'ombre se prononce C.* »

« *la race attendait un de l'ombre*
et voulait l'appeler C.

un de un apparut
et C. fut son nom »

Ou aussi bien l'histoire du chiffre 4 (multipliant ou diviseur, rassemblant ou essaimant) [2], l'histoire de la diagonale du carré magique (voir *La Mélancolie* de Dürer) « ' 1 7 10 16//16 10 7

1 ' », dans les deux sens (inversion si l'on veut des « attributs/de la mélancolie », « ressemblance retournée »), « d'une autre diagonale » où la mémoire remplace un chiffre par une lettre, la magie des nombres initiatiques par celle des voyelles, « le récit des paiements partiels » par d'autres documents comptables (« ' *un peu de//rat//un peu de père'* »), perturbant, continuant la série (« ' *1 7 mère* ' »), précipitant la nomination (le conte, la lisibilité) :

« *a e i o*
' *u mère* (document comptable) alphabétique ' ».

L'histoire (« la théâtralité/d'une lettre combinatoire ») gagnant, chiffrée, masquée, l'image et la possibilité presque d'une lecture (d'un déchiffrement), atteignant le sens (le neutre), la démesure d'une étendue, la superposition (la soustraction) des personnes, l'illimitation du sujet (« le sujet suivi d'un nombre à l'infini »), ouvrant et fermant les guillemets, ou ne les fermant pas, n'enfermant rien ou la première personne, citant, mettant en scène des mots du dehors (comme « par-delà les vécus/ par delà/le verbe-appareil », venus de « La lèvre patriarcale »? d'avant la castration? de la blancheur perdue? de l'orifice de la mort? « *Mondes par la bouche* ») : N ' *non* ' le corps » ; « ' *mourir—il'* » ; « Une bouche s'appliquait à ne prononcer que ' *Rien elle-même tombée de choses énumérées hors la lettres'* » ; « ' *fut bâti dans l'invisible/par les signes* ' ».

Concourent à ce projet (redoublent « tous les alphabets des mêmes lettres de mort ») italiques, parenthèses, blancs, répétitions, sauts, phrases inachevées (à perte de sens), mots composés [3] — comme si la page, le livre surgissaient, tombés « au dehors comme un commencement infini », comme si la langue (l'espace des lettres, des mots, du discours) déclinait la mort, comme s'il était un lieu de rencontre de la mémoire et de la mort, une reconnaissance blanche (« Devant lui en mémoire s'étagent souffles, énumérations de choses, en même temps que s'achève de s'ouvrir son sarcophage »).

Sarcophage (contempler ce mot). Sarcophage (« qui mange, détruit les chairs » dit le Robert; « Tombeau dans lequel les anciens mettaient les corps qu'ils ne voulaient pas brûler, et qui était fait d'une pierre que l'on croyait avoir la propriété de consumer le corps » dit le Littré). Image de destruction et de dévoration. Androgynie de mort et de vie (du travail de la mort). Double de passivité et d'action. Texte-sarcophage, livre des deux temps, de la mise hors du temps (de l'autre temps désigné « en contre-haut », « au bord de », « au bas de », « de/côté », « plus loin », « au-delà », « autrefois »), ouverture de la mort à la lisibilité (cachée, dévorante, déchiffrable, non divulguée, éternelle, provisoire) :

« l'œuvre
qui ouvrit grand la mort
comme
la cavité (la chambre)
accourant vers
le sarcophage
dit
la pierre des fous »

« graphie penchée revêtue d'exil
et de notations
chiffrées

qu'une main-sarcophage
manie
derrière l'horizon
comme des ciels à vaisselle
d'astre »

Texte miroir de la mort, savoir de « l'œuvre néantie », redécouverte (retour) en ce double (écrire-mourir, hiéroglyphes-pierre) de la peur mentale, de l'obsession de l'intérieur, du sexe du dedans (le sexe fœtal). Le lieu est dans la tête (« dans la tête/ l'esprit dressé/comme/la chose masturbée/se découvre/nerf par nerf »). L'œuvre est opéra de l'intérieur, polyphonies de l'espace, musique de chambre (dépliements, agrandissements et raréfaction, ouverture-retour, clôture-voix blanche), « clavier rituel », « interne ravissement ». Non le moi, mais déjà la division, la décimale blanche, la dispersion de la mémoire, le « secret à descendre par-delà l'humain », la folie [4] (« avec/mon ombre/segmentée par mes/ pleines démences/j'entre/par les sols clartés latérales/en/polyphonies »), « l'Autre, le Nom secret, la Loi », l'inachèvement de la négation, de l'œuvre (« une/pierre inaccomplie/interne »), « cet immense cerveau phallique » où celui qui dit *je* « décrypte les signes hiératiques » [5] (*je,* néanti en ce geste d'ouvrir et de fermer, de dévoiler et de celer, de différer — de la castration à la mort — la négation et son contraire, « le chiffre-ghetto de quelque absolu poème », la liturgie « indéchiffrable hors sa machination », le dire et ne pas dire de la Loi). Texte autophage, sarcophage.

Mais ce récit est déjà et toujours perdu de se raconter (aussi impersonnel soit-il, aussi objectif, anonyme, hors soi à force de dedans) :

« sa voix hantée se perd en formulant ses cris
détruisant soi-même un
poème raconte l'interne ravissement »

Un mot est toujours gommé dans le poème, le récit est cette rature du langage, du corps et dans ce non-être (cette perte, ce mensonge) l'édifice de ce qui n'est pas. D'où le rejet, d'où le retour, le parcours du cri à la phrase inachevée, du blanc au discours sans fin, du mot seul sur une page à sa suite (discontinue, interrompue) sur l'autre page, d'un cycle à l'autre — voyage de la mémoire à l'oubli, du rappelé (du proféré) à l'effacé (au nom perdu, recherché, à peine murmuré, entre les « lèvres de/solitude ») :

« elle dit
j'ai cherché le nom dont la chaîne parlée
ordonne le monde
anime les forces les silences la parole
et possède la blancheur
du refus et de l'insistance »

Mais le nom neige défait la forme (et l'avalanche refait l'absence) et il n'y a plus qu'à regarder le saccage (les briques funéraires, le buisson, le corps) — « regard/loi/de/mort », mémoire mutilante — ou à VOIR, éloigné de ce sol, l'invisible (« '*fut bâti dans l'invisible/par les signes*' »). Préhistoire ou futur (utopie, non-lieu), mythe d'une image unique, d'une mémoire « universelle... phallique, déchiffrable », du miroir, de la transparence, au delà du visible, du langage, du nom [6], absence de mémoire dans la mémoire, « lettres indéfiniment croissantes » et renversées.

Dans cette multiplicité et ce renversement est la

Loi, dans cette disparition (de l'alphabet, des figures, de « L'ancêtre frôlé ») et cette dispersion (la chevelure, les ombres) — entropie et abîme —, à l'intérieur du cerveau [7] (« J'étais à l'intérieur du cerveau moi-même Figures et j'étais l'objet de leur nombre »). Loi : « *Tout — langage métrique — Soleils Alphabets Savoirs* » = « Nuls », « au dedans/ une chair vive et mourante » (loi vivante-loi de mort), « bec-de-lièvre unique ». Loi : au conditionnel passé, vers le bas (« qui eût parlé n'eût fait sa phrase »), au-dessus, au delà, dans le dehors de l'intime mémoire (l'errance), où le présent n'a pas de lieu (de corps, de langage). Loi : « œil/...rongé.../ jusqu'au gouffre », « lèpre en noir », « rat-cerveau », effacement du « nom qui protégeait le secret ». Loi : « néant-loi » entourant « une phrase écrite », voix (« entre l'arrière-bouche/et l'inarticulé »), mort, parole dans la bouche s'ouvrant « en visions/inépuisables/de sous la pierre » et la bouche ne gardant « plus rien//syllabe/ni silence », « non//ne//nul//ne//plus//ne( ) ...//ne//non// nul...// (blanche/dépouillée de son image) », se souvenant « d'un alphabet-signe/de/l'autre et de l'autre mort ». Loi : près de la voyance (« une pupille noire utérine/s'éloigne de l'œil-anus et retourne au regard ») et du balbutiement (« comme balbutiement de mort »), près du blanc du cri (mais aussi de la cécité, de la mutilation), près du silence (« au-dessous du cri »), de la tête éclatée, de la nuque renversée, près de « la racine de la langue » (« dans l'unique entaille/d'une racine envoûtée ») et de la lame, la menace (« la blancheur/la mémoire »), près de « l'abîme-oubli ». Loi : « entre l'écluse et l'arche », l'eau surprise, « l'instant/effrayant de blancheur » (sans ressemblance, sans image), étourdissement de la marche (spirale), regard « dans ce qui ne finit pas/mes propres yeux/verts », « lumière/d'opacité », défaite du nom dit propre (« semblance mon visage//ressemblance mon visage et la fin/par trois visages achevée arrachée »), repoussant le père (« la vengeance simple/comme utérus de sœur/puis/comme humiliation »), gagnant l'ombre « *qui n'est plus le contraire d'une ombre : l'inceste* ».

C'est une loi (une bouche, un œil, une langue), c'est une image pénétrée qui « entre dans l'énigme », c'est un théâtre noir et blanc (« corps noir crâne blanc/rejetés dans une étreinte expiatoire/démesurément s'agrandissent/en racine unique/par une blancheur crématoire »), c'est « le miroir/ du mort », la lumière-l'obscur, « mot de fantôme », « racine occulte/de l'autre nom/secret », c'est « une lettre dont rien n'est tracé », « un verbe non écrit/détruit », un sujet (l'inaccompli, le temps déjeté), un « texte silencieux », « la parole fléchée », « l'objet neutre des mots qu'elle expose » (l'inversion le renversement, l'extrême), l'invariable (« chimie hurlée ») tracé de « la main provisoire ».

Que comprendre? « Une langue/gonfle », l'obscur est dans la gorge engloutie, quelque chose commence et étouffe, « l'oreille se retire dans l'écho du/nom », une « langue se gerce » (« lèvres de/solitudes »), « ma main/toucha son membre strié » (cela eut lieu, c'est le temps de la mémoire dispersée, l'espace des alphabets et des chiffres multiples et envoûtants de la « blancheur au-dessus de moi vide » l'« occultation de l'inarticulé » — « langage arrière amassé », « noire noire et blanche », « '*1 7 mère*' »).

Rester encore un instant devant cette langue

opaque, devant ces mots fermés sur leur sens (« seul /nul en lui-même/clos//...insecte blanc posé dans la mort »), devant cette musique (ou, très immobile, presque en elle) et répéter dans l'hébétude de la lecture de « l'œil qui ne voit plus » :

« il
sait le nom
cérébral égale
en hallucinations en
arcanes
l'œuvre mentale
...
il
sait
l'œuvre (ô mort usuelle) est
plus musicienne que
la masturbation »

et aimer ce secret (« l'œuvre/non/divulguée »), cette loi, cet embrasement de neige de la parole et du silence, cet « absolu poème, indéchiffrable hors sa machination » corps de folie (« *lieu de soi/ accablé d'âmes* »), mémoire autophage, oubli rituel. Comme tombé dans le sommeil de la lecture, dans l'hermétisme de la joie.

(Donc pas de sens unique, pas le mauvais goût hypocrite, scolaire de la compréhension, pas de dialogue, de belle âme partagée : « je disparais/si vous regardez ».)

NOTES

1. Dans la marge de *Décimale blanche* (Mercure de France, 1967), *Criangulation* (« fragment », cahier n° 2,

1971), *Fut bâti* (Gallimard, 1973), *L'Absolu reptilien* (Orange Export Ltd, sérigraphie de François Deck, 1975/ ») (Maeght éditeur, coll. Argile, dessins d'Antoni Tapies, 1975).

2. Soient ces traces : « la vieille femme est quatre fois »; « elle dit/le blanc n'est pas la division de quatre gris par/ zéro mais la division de leurs décimales par zéro »; « à la lumière des quatre décimales du nom »; « la vieille femme/ qui est deux fois C. une fois moi une fois »; « mère/mère mère et moi »; « au commencement/je fus quatre fois »; « quatre est l'attribut de C. »; « monde à quatre verbes »; « le palais de quatre heures »; « depuis/ma dix-septième année/un matin de plante/recommence/la quatrième heure/ ultime fragment de /nuit/dans le jour ». Ou celles de 7, de 5, de 3, de 2, de l'un, du cinquième, du double, du premier, du dernier. Ainsi : « une septième peau »; « Avec la dernière ombre fut la cinquième page »; « L'Un seul paraît qui est l'Ombre en sa cinquième Figure »; « je vis la disposition du langage en cinq diverses étendues »; « parmi les trois lueurs//pure lampe de nul livre »; « elle était l'une des trois lueurs/à ne demeurer malgré le froid/ éloignée de la fenêtre et de la lampe »; « ressemblance
    mon visage et la fin/par trois visages   achevée
    arrachée »; « abîme/ce qui par les trois livres/retient les signes//abîme/ce qui par la vision triple/retire à l'œil/son regard »; « puis devant/la nuit (ou le soleil)/de deux mondes fixes et noirs »; « D'une mort, qui est partage du cerveau en deux langues mères »; « Le partage initie l'invisible au monde des deux personnes »; « celui/qui n'est ni deux ni plus de deux/mais plaie/sacrificielle »; « deux syllabes   fermer »; « un/mobilier de double »; « le Double revêtait tous les alphabets des mêmes lettres de mort »; « le sujet et quelque grand nombre plus grand que '1 »; « simple double   triple   point »; « pouvoir de la première division »; « Première ni suivie : la dernière ombre... dans le corps d'une dernière ombre »; « je vis s'évanouir sous le vent/la dernière lueur le dernier soir »; « le dernier (sans le moindre) toujours à l'extrême ».

Histoire des chiffres, initiation de quel changement de peau possible dans la mort, dans la mémoire utérine, dans la discontinuité du blanc (« *un trait   un point/un/blanc*
    un blanc   un blanc »), vers quelle cosmogonie de la résurrection (du déchiffrement)? Ne pas comprendre, dénombrer, dénommer, rester — décimale blanche — « au bord de l'espace », soudain enseveli dans la vision opaque.

3. Ici encore un inventaire (le plaisir de classer, avant de renvoyer découpes, catégories, atomes dans l'ordre opaque du mélange, dans le chaos-cosmos de la langue, du récit — poème indivisible, illisible) : « une main-sarcophage », « astres-ponctions », « le nombre-médecine », « labyrinthe-habit », « neige-en-dedans », « la/rafale-fourrure », « des signes-retours », « pierre-pendule », « la nuit-talus », « une voix-mémoire », « l'arrière-bouche », « l'aile-sol », « un alphabet-signe », « le/rat-cerveau », « l'œuf-savoir », « cri-retour », « l'absolu-fantôme », abîme-oubli », « le néant-loi », « néant-mobilier », « la pierre-locule », « serpent-langage », « le chiffre-ghetto », « L'Un-Seul », « L'Etre-Nuit », « l'Ombre-Loge », « le signe-regard », « le verbe-appareil », « l'œil-anus ».

4. L'homme, le monde-moi, « ce qui n'existe pas » « commence à Folie ». Le poème est ce *commencement.* C'est aussi bien l'histoire mentale (l'entassement) « de soleils lointains/et de nuits », le vertige du jour et de la nuit (« je regardais avec vertige le soleil/descendre par le jardin »), « tous déploiements de ciels », le cosmique et l'intime, l'errance, l' « espace génital » c'est « ce lieu — reptation du langage — » où la folie frappa (récit) « Figure Présence Arbre afin d'épancher le signe-regard et n'en avancer dans l'esprit que secrets — écartés — en langage métrique : Soleils Alphabets Savoir : Nuls », la verticale démente du lieu.

5. Parmi ces signes fragmentaires (ne permettant pas de reconstituer le sujet, l'histoire) il y a — scène [dé]peuplée de ce théâtre — le mobilier du vide, le « néant-mobilier » ou l'espace, « la chambre close » des astres et des marées que cherchent ciel et lune (« il substitue l'espace à un meuble »), les « tiroirs du/meuble/stellaires », la lampe (de nul livre), le bol (et la soif, la neige « ouvrant sur le mythe »), une chaise lointaine (« les mains et l'immobilité »), des malles noires (où dormaient « des lunes vampires/...enfermées avec la mort aux gencives innombrables »), la cuvette (l'accroupissement), « un lit mural apparat du mur/un deux oreillers/plis linge sable », « masse sombre rectangulaire//porte murale », « le toit du bâton//une étendue », « la lente géométrie/de la dalle et de l'ardoise » (le rêve, le théorème), l'édifice presque blanc des formes (« le trajet d'une ligne » « allusive à ce qui n'est plus le toit le couloir//très pure », le point [noir, blanc], le cercle dans l'espace, à l'intérieur, « la spirale

du nom », « le polygone de mort », le soleil « hexagonal » illuminant le monde, la lumière entrant « en triangle/dans la nuit », « la nuit polyèdre », « les angles/de pente
les angles de/site » se réduisant « en gisements d'horizon », « les paumes tournées vers les ciels coniques », « les faisceaux du vide//divisant les séjours les foyers les globes », l'« écart d'aucune aire », l'« image d'aucune figure »), les étagements de la vision des vides (« respiration l'espace chiffré d'étages/mentale/où l'aube croît par étranglement »), l'habit de labyrinthe et d'énigme (supplice et ombre, lumière et plainte) et — pour ne pas énumérer tous ces éléments de l'intérieur, dérisoirement jetés au dehors — les morceaux du corps (« '*l'anatomie est notre destin*' » : main, doigts, chevelure (externe et interne), ongle, tempe, front, crâne, « intérieur de la nuque », du cerveau, genou (agenouillements), pied, poignet, « main/fanée », « main-sarcophage », « doigt de gant », sexe (ancien, fœtal, castré, vers l'érection, masturbé, séparé, mort), œil, « paupières/errantes », cils, lèvres, bouche, langue, orifices (meublés, dénudés, « vers la syllabe des décombres » et de l'excitation) — double (« en présence/d'un/mobilier de double »).

6. Cette poursuite du nom (« articuler un nom, trouver langage ») est en même temps recherche d'une non-appartenance à son nom, dépossession (« Cessai d'entrer en nom et attribut. A jamais »). Le narrateur dénarre, renverse « l'ordre des nombres » dès le départ de la nomination, fractionne, divise et tend vers l'unité impossible, morcelle l'existence et dit « ce qui n'existe pas », inachève — « Vers ce lieu » — « la négation, puis l'œuvre », « va de la castration à quelque chose de la mort ». Mais son passage est le dédoublement (la réflexion du visible) et il n'échappe peut-être jamais au miroir, au récit du récit, au texte du corps dans le langage qui est l'histoire de soi, l'imaginaire et l'image, le miroir du double (narcissique et anonyme, mutuel et de personne) : « et moi (et moi)/nous nous voyions à l'infini l'un dans l'autre », « langage (langage et moi)//langage//...langage ô ( ) et non pas plutôt rien// regard/ô cire de l'immobilité...//ne/non//n'est/plus/qu'un autre ».

7. Tout se passe peut-être dans le « cercle magique du cerveau », dans l'insaisissabilité de soi à l'intérieur de soi (« J'étais attaché et je tournais dans les Figures de mon cerveau comme autrefois dans un cercle magique. Je voyais mon propre mouvement influer sur l'échevellement univer-

sel. Je voyais la chevelure astrale se partager à l'infini et chaque cheveu renaître à son ombre, à sa Figure d'astre pour disparaître à moi »), dans le « corps mental », l'espace devenu mental (« le vide abstrait »), « toutes choses tous langages comme formes mentales », dans « *Une lettre en elle unique à parcourir dans la mort* », dans une sorte de mort analogique (précédant, attirant, décevant), dans « l'absolu-fantôme » d'une langue interne (« que silence et mémoire/impriment/aux paysages chiffrés »).

P. S. Depuis, deux livres, un double poème-récit, *1, 2, de la série non aperçue* et un roman, *Le Jeu des séries scéniques* (Flammarion, coll. Textes, 1976) raniment en moi le bouleversement.

JOSEPH GUGLIELMI

POUR (NE PAS) FINIR [1]

> « ... *Vous qui de la tête aux pieds,*
> *Omphales rêvez d'incendies* »
> (Pour commencer)

« ...la scène comme s'il/décrivait ce qu'il ne peut dire/bascule » déborde d'emblée « *la houle du sens* », cite, multiplie, déplace, double, surcharge, efface. Nous sommes d'emblée chemin faisant de plus en plus dans l'illisibilité de plus en plus dans l'absence de Sens (d'origine et de fin), dans l'érosion de la belle langue, dans l'oreille de la parodie :

« *...le gouffre non la quête de l'unity se dés*
Aisir com d'un luxe (un impensable matin) *de l'a c*
ontinuité
com d'un visage mmort gainé de fleurs co
M un baise-toi une errence »

dans le poème désinspiré, où « tout se vide », « se déglingue », où, entre le paysage d'une histoire (« La lumière immobile encore /plus claire cette campagne déroulée/ de l'est bouffant/les/nuages résolus et/nulle communication/entendue par-delà les vitres/peintes... »), un hoquet défigure le texte, soulève et déplace le masque, dévoile le derrière de la scène, dépoétise (démonétise) le récit :

« *un coup d'œil derrière la scène où se maquille l'histrion/le poète et son attirail// toute l'*intuition extatique. »

Nous sommes dans la fragmentation, dans la césure, le découpage, le transport de « l'esprit-paysage », « hors de la page entre l'inter/valle, la fuite du souffle », dans l'échappée du fond — « une espèce de biscuit manqué », déjouant le « français collaborateur », « maniant perfectement l'Frrrrançais », éclairant la « *graphie comugne* », les « signes de ponctuation, d'ins/piration », propageant la « contagion grammaticale », scandant « les miettes du ' monde ', les vieilles allégories à l'aide de ces vers », déchirant « simplement la marhce ' de la pensée ' », « sur/la voie de la pensée neuve », « où déjà brill/e UN AUTRE FRAGMENT FRAGMENTE ».

On peut évidemment refuser le chemin qui conduit (qui cogne et qui tangue, qui allitère et qui danse) « vers cet idéal-lapsus-déjà/machine à vide un paysage », refuser de voir « la campagne/active des formes vides » et la marche du livre qui est ce regard, ne pas admettre l'effervescente/ ' subversion du sujet ' » et s'en tenir encore et toujours à la poésie des poètes qui poétisent le sentiment de la nature et de l'homme, de la femme, du ciel, des petites fleurs, à l'éternel poétique et au ronron de la langue qui chante sa joie, sa peur, son espoir au poète, au moi-moi universel, au narcissisme cosmique, à la beauté émouvante COMME SI DE RIEN N'ETAIT et que ce n'était pas partout la « merde métaphorique », le cache-sexe (sans sexe) de l'éclatement. On pcut aussi accompagner la névrose, le redoublement du dehors et reconnaître que oui, O.K., d'accord avec vous, Joseph Guglielmi, c'est le hors sens même, ce « combat dont le cham/p est la mère ». Mais ce constat alors ne peut être que débordement, qu'engendrement de « volume de fuite », « qu'une consonance à nouveau esquisse jusqu'à re/prendre haleine », que tournant « vers ce lieu que le poème cherche », que « le récit, la véritable ppoésie, l'ar-N/AC DU SENS, le délit major ».

Retracer la topographie de ce délit à la manière d'un relevé des techniques de sabordement du langage et de subversion du sujet, ne rend pas compte de la cosmogonie et de l'épopée, de la récitation et de la scansion des syllabes, du blasphème du sens foudroyé, du poème (et du poète) soufflé. Seul le plaisir de recopier ces « déviances » nous y fait céder, la joie d'être le scribe de l'illisible, le complice en reproduction et échos de l'« inspiration zéro ».

Soient les guillemets, les citations (avec ou sans noms d'auteurs, réelles ou fictives), le surgissement dans l'histoire de Baudelaire, Lucrèce, Platon, Chénier, Guillaume de Lorris, Artaud, Larry Eigner, Celan, Claude Royet-Journoud, Dante, Bataille, Rilke, Reverdy, le passage d'une langue à l'autre (français, anglais, latin, allemand, grec, italien, ancien français, français familier ou précieux), les mots sous forme d'abréviations (ds, ns, vs, qd, qque, « devant l'égl. », « Imit. du dialog. », « face au moindre probl. », « la lect. », « au cav. fam. », « avec un si grd/trouble »...), les mots composés, les mots agglutinés (« le basventre », « l'herbesymptôme », « l'horriblebaiser surla nuque », « audehors », « lamour », « *lecorps* pollué »...), auxquels s'ajoutent parfois les fausses liaisons et l'addition ou la soustraction des lettres (« S'identifient tavec leuridentité vitales, ad la buche sanglentesynthétiques... »), l'absence de blancs entre les mots de toute une phrase — mot unique, parole infinie, tautologique, pleinetvide (« avantdes'abandonneraucapricedes vents »), redoublement redoublant infini des lettres (« ' chair rrrrose et nnnnnnoire ' », « avec la brume et la mmmmmmmmmmmmmmmmmm/erde », « my lllllllllllllove »), l'inversion des lettres (« tuot se vide », « Le cynisme de la licnece »...), les signes typographiques perturbateurs (parenthèses ou tirets indus, chiffres substitués aux lettres majuscules, comme s'ils étaient des fautes de frappe), les aspirations à contre-souffle — en vue de souligner, comme le couac d'une trompette intempestive, le sentiment (« dans l'hamour contr'/elle juive, maternelle-orale/ et très à l'écart »), l'altération des lettres (« selon le désordre des rémoniscences », « bombardemebt »...), les mots réorthographiés (« fisiq », rhétorik, HOM, phantômes, « brouillars mistiques », « ds l'obscurité adéquoite »...), en perte de lettres, d'orthographe, d'eux-mêmes (commen, poèm, « en forme de tagédie classique »...), dans un sens histrionique (salubre) évident (« proclamer le nigme de la création »), les zézaiements (« les principes fans conduite & prefque fans raifon »), les lettres glissant à la ligne dans les enjambements abusifs, la phrase inachevée, les parenthèses, qui parfois servent à la décomposition et à la recomposition d'un mot qui n'est plus, hors sens, que l'addition de ces signes (« alentour DES (pa) (ra) ges) »), que l'insertion dans la phrase, le livre-typographie (matérialité et désir, matrice et humour, coup de force de la langue), le mélange des majuscules et des minuscules dans un même mot perturbé, dégraphé, rendu à son chaos, à l'ironie de sa LibERté, les onomatopées.

Sans oublier que tout ceci — cet unique, multiple, infinissable commencement — traverse « Un sentiment monologue », « la distance inaudible », des « pages de la trentième année », la psalmodie de mémoire, « des dizaines de'xemples sonores », mille et un autres travestissements possibles « à écrire de génératio/n en génération », tirant vers la musique qui « e/Xplose », vers « la grande musique... muette,/la grande forme sans contours.../... l'équivalent/d'autre chose ».

Nunc. Tunc. C'est toujours et encore l'illisible, la force du commencement, l'ironie, la douleur, la joie de dire :

> « *Ultime sillabe ripetùte et glissans le long du SUR CE QUARTIER MARINE LECHANS LES MURS MATERNELS, le tunnel métaphysique jusqu'à la mer soufrée,,,,, Cela vibre pompe aspire et refoule et ddans la doulLeur ddevient dure et les bourses bbivalves, ce subbject qui fait toujours frémir...* »

Et que ce soit alors au delà du plaisir esthétique, du simple formalisme nombrilistique, variante « moderne » du narcissisme poétique — air connu — à la sauce universitaire psychanalo-linguistique, je le crois (« au-delà du plisir estétik, il murmurait RAM RAM con/Crètement »), « *en dehors de toute foi* » [2], dans une sorte de nihilisme plein de santé et de verdeur, comme un inceste de la langue et de la norme, « cette histoire/Tribe)/mur » ni pour ni contre la nature assurément.

NOTES

1. Dans la marge de *Pour commencer* (Action poétique, 1975), *Inspiration zéro,* (« Change *Monstre* poésie », in *Change,* n° 23, 1975).

2. Mais alors pourquoi — à la page 59 de *Pour commencer* — cette photographie de 1955, où l'on voit Joseph Guglielmi, avec d'autres acteurs poétiques devant un stand de livres décoré d'une banderole « LA POESIE Au service du PEUPLE », et un peu plus loin, sur la gauche, la binette d'un autre Joseph (Staline)? Si c'était ça ce mouvement de ruine et de joie, Aragon au moins c'est plus clair!

CLAUDE ROYET-JOURNOUD

ÉPANCHEMENTS ET PERTE DU VISIBLE[1]

> « *ce serait le bleu*
> *la couleur littéraire*
> *alors que nous veillons une forme nouvelle d'obscurité* »
>
> (Le Renversement)

Comment entrer? Peut-être ne faut-il pas entrer, peut-être sommes-nous toujours devant, vers (« vers le nom », « vers le neutre »), « *plus avant* » (« *le visage porté vers l'avant se pliait à la parole* »), « un peu plus loin ».

La distance rompue, nous sommes « hors de l'écart » obsédant, dans « la nécessité de l'effacement », et pourtant ce n'est pas la confusion, l'appartenance (la plénitude de l'un) mais comme un déplacement qui n'aura plus de cesse, qui ne gagnera pas un lieu pour un autre, qui ne sépare ni ne réunit — ici une place pour la forme, pour l'histoire.

Attention à l'histoire fallacieuse, au masque, à l'image, à l'agrandissement qui appauvrit la scène, un « simulacre d'un corps » — « la légèreté du propos ». Alors le cercle se remplit (« une distraction d'arbres », « Deux lapins, trois singes », « des femmes en prière ») et le corps disparaît « dans la diversité du motif », s'endort sous le nombre des couleurs. Et soudain c'est comme un tableau, une abstraction de paysage (« paysage soustrait à l'enveloppement biographique »), la limite même de l'histoire (« Trois femmes. Triangle. Au-delà du mur un arbre en fleur. Tout est jaune »), le retour à la description impossible. Cercle encore une fois, mais vide ponctuel. Annulation.

Où sommes-nous? Pas encore à l'entrée, ni non plus sur le chemin qui en détourne. « Dans l'au-delà du motif et sans progéniture », « sans offrandes/ni/traversée parentale ». Devant, devant le mur, « l'abstraction du geste », « au centre de nous-mêmes », dépourvus d'images, hors ressemblance, sans analogie, dans une géométrie de l'absence, dans un « environnement mental » où la fable qui « ne montre rien » se ruine.

Trajet, si l'on veut une ligne, comme celle de Lars Fredrikson, des deux côtés d'une feuille, par transparence unique, (dis)continue, qui « traverse/d'un bord à l'autre/la répétition//dans l'espace nommé/du neutre », qui « parcourt le livre/jusqu'en sa fin la plus brute », où le souffle « accède à ce qui échappe à toute grammaire.../ne trace que sa propre perte », évide, « double la mort », où la « respiration/neutre » (opérant la narration) et le froid renversent les images, terminent corps, écrit et manifestent enfin le rôle du parolier de cette histoire : « SPECTATEUR D'UNE ANNULATION ».

Car ce qui est perdu, c'est aussi bien l'étendue de la tache, la vraisemblance de la couleur, la résistance des surfaces, l'existence de l'étendue que la consistance du rôle (« précarité du rôle/l'espace est une phrase que le point rassemble//la parole native de l'obstacle/une parole sans étendue »). Et ce qui reste? « peut-être/l'envers de la fable », peut-être « rien//un besoin de saisir », un « MILIEU DE DISPERSION », l'absence de soi ici, de « celui qui/histoire de parler » (« il rien/la main passe »), « tel sursaut/d'effondrement » (le nom, le sol), « ce qui n'aura jamais lieu », « la mainmise du neutre », mais aussi « une phrase à venir », la « main intarissable », une nuque ranimée, un corps qui reprend voix et couleur, monde, « notre mémoire » et la naissance « un peu en deçà/de l'usage/de l'oubli », une vue de dos, l'histoire retournée, devenue dans le corps de l'absence, comme l'obscurité viable désormais dans la traverse même, dans l' « insistance de la doublure », « l'hors jeu de la répétition ».

Le narrateur peut recopier « cet épanchement du visible », le répéter et le perdre, le biographer et, à force d'observation, d'attention, de « travail respiratoire », le blanchir (« la précision blanche de l'imagerie »). Si l'on veut, c'est entre la couleur et le « Tourment de la couleur » (au centre du « Tourment de la couleur », le bleu. Le bleu qui traverse l'histoire, comme la couleur de son énigme, qui va du loin au centre, à ce qui ne s'éloigne pas, tache et ligne, cercle et point : « Tu ne sais plus. Au loin une tache bleue roule vers ta nuque », « BLEUE ET CENTRALE » « *cela bleu//*et qui ne s'éloigne pas »), le blanc, la tache et la ligne, la surface et le point, l'histoire et le silence, l'objet investi et le tracé de sa propre perte, près du « RENVERSEMENT DES IMAGES » (de la résolution, de la dissolution), de la décrue du nom « à l'avant de chaque parole » et de la sortie de la mort (utopie après l'analogie) où l'écriture, hors livre, hors corps, se déprend. Au plus près de la fin, mimant, doublant la mort, mais devant, « hors de l'écart » mais spectateur, reconstituant l'ensemble, passant d'un cercle à un autre, trouvant « les articulations » et les armes de la dispersion. Entre, car aucun des deux pôles ne disparaît (ou tous deux entraînés dans la perte commune), car la fable et la blancheur inverse appartiennent toutes deux à l'énigme.

Et l'énigme demeure(pour elle tout ce parcours) que la fiction rejoue entre opacité et transparence, dans le récit de ce leurre, dans l'instruction de la nouvelle forme d'obscurité, « l'entêtement du chiffre/ l'illimité du cercle », « dans la disposition et/le nombre » — « derrière le sens » — et « *ce qui est tu* » demeure, « portrait abandonné » (l'air, les chambres qui « refroidissent dans l'énigme », l' « exaspération des centres d'eau ») — le retrait.

« ' ce n'est pas par là qu'on arrive ' » (cite, répète, le narrateur ou ce qui, multiple et unique, ressemblance disséminée, parle ici). L'équivoque des personnes est aussi une ligne traversant le livre, l'espace investi, évidé : elle (le sujet de l'histoire, la matrice de la mémoire), il (le discontinueur), la voix qui « restitue le mouvement », la bouche « à l'insu du récit », nous (je objectif? indivision du narrateur et du lecteur? à contre-fable ou au delà du mythe?), ils et elles (le déroulement dans l'espace, « le cercle nombreux »), une bouche tutoyée entre guillemets (qui parle, qui relaie la parole de personne?), tu (coloriée, disparaissante), je « Je suis seul. Personne ne me croit »), fabulant, ne mentant pas, recopiant, cachant ses pouvoirs et son absence à soi-même, à la « nécessité de l'effacement », vous («Vous vous effacez »), lui, le (à distance, observé), la pudeur du je, l'extériorisation de son voyeurisme, elle (qui parfois dit moi, qui « connais le cercle », qui « conte l'innocence »), il (terminant son corps, désécrivant) et cela, ce qui (le neutre, vers le neutre, l'annulation des personnes, l'« ensevelissement de la filiation »), « *ce qui est tu* », « ce qui masque ». Pronoms — « vers le nom », vers la nomination de ce qui efface, créant l'emprise, attirant et rejetant — centre et dehors (« ce que l'air/au-dessus/effaçait//le nommerait-il/imprégnation de l'objet/épuisement du neutre »). Comme si la poésie toujours était « une théâtralité de l'air », une soustraction (et une multiplication) biographique, un dehors de personnes dans l'é*vide*nce des cercles superposés, une pensée, dans un livre, ouvrant la porte, laissant passer, se perdre et retourner la langue de l'exil.

Impression de ne pas pouvoir parler *sur,* d'être voué à l'opacité des mots, à leur espacement sur la page, à la geste du livre, au passage de la parole au corps du livre. Sentiment d'être devant un travail en cours, déplacé de livre en livre, discontinu et unique, de parcourir les étapes de la voix, du mot, de l'élision de la fable, de tomber toujours plus avant dans le corps du récit (tâche, sommeil, *corps, perte*), de passer « de main en main », non plus moi, critique ou lecteur, mais à mon tour une force, une dépossession, l'expansion d'un désir, la langue du désir, d'être l'*objet* « d'une langue italique », sous le coup du « *coup de la langue/jusqu'à la corde* », de disparaître par excès du corps, d'apparaître par geste de plier et de déplier le livre, d'avoir « la main prise dans la page », d'être pris désormais, devant lire, redoubler l'illisible, d'être le cœur de la stupeur, l'oreille de « l'unité la plus simple », la bouche du froid, du nom :

« dans cet acte un refroidissement de tout le corps »

« dans cette histoire du froid
tourne court
l'obscène fabulation »

« tout ramener au froid
la table l'appel
ce frottement plus essentiel que le nombre »

« il prend langue avec le sol
le froid donne à la marche
plus d'élan »

où l'on ne fabule plus (« peut-être/l'envers de la fable »), où rien n'est montré. Que l'absence (ruine et double de la présence), que la diagonale de la traverse, que la répétition, le trop, le manque (la disposition et le nombre), que la non-approche (« il n'aprochera pas de la chambre d'écriture »), que le « bord de la dissimulation », la voix dans le manque, que « jetée à l'obscur », leurre de la transparence — « de *chute* à déchet » —, le travail du nom, de personne (« il rien/la main passe »), que l'effondrement, la dissolution du sol, la « précarité du rôle », la parole sans étendue, le rassemblement ponctuel de l'espace, de la phrase et la dispersion, que l'annulation, l'effacement, l'exil de la langue, l'énigme (« le portrait//la forme de la main »). Alors?

« alors décroît le nom
à l'avant de chaque parole
de chaque accomplissement
métaphorique
un jour je sortirai de la mort
disait-il
et l'écriture se déprendra »

En attendant, « la main ancre le vocable » (la main encre la voix) et le corps s'écrit, en blanc, en noir, en italique, fragile, dans une langue étrangère, figure du livre, chute (exportation limitée), exécutant, inachevant (« lettre//dans la bouche//de pleine terre »), mettant entre guillemets, épierrant « le corps de la mère », le « jardin familial » (photographies, épreuves à l'appui) — biographie du vide, ouvrière, dans la distance, le lieu —, désignant l'instance, l'accident (« le doigt/telle une phrase à plaisir »), soulignant l'horizon, marquant (du pouce) la pliure, l'épaisseur, l'excès du papier, reprenant, écrivant — il le faut — « sous son nom », assignant l'histoire, approuvant la matière/la manière du livre.

NOTE

1. Dans la marge de *Le Renversement* (Gallimard, 1972), *Até* (Le Collet de Buffle, 1974), *Le récit de Lars Fredrikson,* ébauche première, ébauche deuxième (Peter Hoy, Oxford), *Ils* montrent (Orange Export Ltd, 1975), *Autre, pièce* (Orange Export Ltd, 1975), *Voix dans le masque* (*Première livraison,* n° 1, 1975), *Le Travail du nom* (Maeght éditeur, coll. Argile, gravures de Lars Fredrikson, 1976).

ALAIN VEINSTEIN

LE PEU D'ESPACE

> *« Tout commence...*
> *à un moment de terre perdu »*
>
> (André du Bouchet,
>
> Dans la chaleur vacante)
>
> *« Au moment où j'écris, il me faut peu de place »*
>
> (Répétition sur les amas)

« Plus j'avance, plus s'aggrave la menace... la phrase se réduit à un point qu'il me faudra bientôt tenir pour rien. » Qui parle ainsi? Une voix off qui raconte l'histoire d'un journalier, la traversée du jour d'un travailleur, ou plutôt la fiction de son trajet, car, au cœur même de son labeur, rien n'a encore eu lieu, le récit n'a pas commencé. C'est « entre la veille et le lendemain du jour », c'est entre quatre murs, entre quatre lettres, une route suivie qui est devant soi, « dont on ne vient pas à bout, dont on ne revient pas, — et qui débouche sur la lumière ». Cette promesse d'issue, cette presque joie du départ (« C'est la veille du jour,/ce sera très beau ») sera déchantée (le poème est cette déclinaison du chant — l'appauvrissement de la langue sevrée d'images — et du champ — la raréfaction de l'espace comme à contre-voie). C'est aussi l'histoire d'un contrepoème.

Sur cette scène (théâtre ou tableau), un « *carré de terre froide* », « une terre désaffectée », « un espace indéfini » et des gestes réduits, comme si l'auteur avait craint de glisser « hors de la peinture », de perdre, avançant, devisant, la fiction, de trouver « de vrais feux,/l'ombre d'une route ». Ce qui importe, c'est de feindre « d'aller droit sur les lignes », d'avancer, de mener un récit, de sauver une ébauche, un espace, une histoire minimale, (« cette surface intacte et désolée »), où celui qui dit *je* se maintient, fait « bonne figure », mais hors de lui, hors de sa place, au prix de la fiction, du simulacre de l'action, du paraître de l'avoir été. Or, il n'y a pas de pas, ou alors « aussi lointain que le ciel ». Avancer, c'est aggraver la menace, comme parler est risquer de perdre la place, le jour. Il y a économie de gestes, de récit pour ne pas commencer (se perdre), pour vivre, ou plutôt survivre, dans le retrait, se recueillir dans le peu, s'enfermer « plus avant dans la peinture ».

Mais le repli est aussi, est déjà la mort, la reconnaissance du récit qui n'a pas commencé (la défense contre lui, l'assignation à demeure entre les quatre lettres qui le nouent), du vide qui l'anime, de la main qui est le scribe de la mort, qui écrit, passive plus qu'active, l'histoire (son double mouvement de fuite et d'avoir eu lieu, d'effacement et de répétition).

La main — elle joue un rôle capital dans ce récit, elle fait l'histoire, est l'instrument de sa poursuite et de sa ruine. La main qui fouille, la main qui creuse, qui tient sous elle, sous la pelle, la terre, la rencontre (de la main et de la terre, du retranchement, de l'éloignement, de la mort). La main, le signe de l'horizontalité, de l'illisibilité, qui signifie la chute de la hauteur d'homme, le niveau de la bête — à quatre pattes, à même la terre —, la marche vers *l'autre,* la perte du récit et le désir de sa pression de son (re)commencement :

« *Marcher avec les mains. Vers* l'autre.
Qu'arrivera-t-il?
S'il se jette sur moi (quelle main *alors?),*
je me retrancherai
dans le nom de la terre.
Je franchirai les lèvres, crierai mon nom
comme un personnage réduit à la pauvreté
quand le récit relâche sa pression. »

La main, « la peine,/à s'agripper », la main, saisir « les chances/d'arriver » — et tout l'enjeu du corps qui « s'agite, déboule,/comme frappé de rage » et la chute, la tombée en avant, « le visage contre terre », « la bouche taillée/par la même histoire » (« son récit bat la campagne, avance la main »).

Marcher, tomber, ramper, travailler « *à tenir debout* » vers la lumière, vers « *quelque étendue/ à embrasser* », à avoir « La position de l'homme/ qui porte la main sur la mort » et tomber « *Au niveau de la bête* », se terrant « sous la main,/étouffé de lumière », attendant « le piétinement d'une marche », la meurtrissure de l'écrasement (un signe au moins de vie, « de chair et de sang »). Ainsi toujours la main entre la perte du corps (sous la pelle, dans la raréfaction de l'espace) et la pesanteur, l'amas de terre, de mots, entre le non-lieu du récit et sa fabulation dans le corps :

« je m'agrippe aux malformations de la terre pour ne pas perdre le corps. »

« Pour ne pas perdre le premier geste, j'écris dans le corps. »

« Sous les côtes et dans la gorge, à prendre terre, à construire une fable, je pousse fort loin l'étude de cette main qui me replie dans la mort. »

Mais la terre, le peu de terre ne s'excède pas, le geste n'aboutit pas, « le pied/n'arrive à rien », le corps n'est jamais dans le récit. Il n'y a qu'un trou « qui n'enferme rien », qui est « le nom de la terre » (« *trous creusés à main nue/où se regarder dans la mort* »), qu'« une bouche inutile ». Même pas le recours du combat, car « dans cette prise de la terre » (cette déprise) « le corps n'est plus/que la déformation du geste », pas de « place à prendre », de « maîtrise », mais l'écriture du geste (« *l'autre geste* »), « le travail d'une main » qui n'appréhende pas, qui ne se fixe jamais, qui perd l'espace (le sujet est cette imprécision, cette perte, le récit l'impossession de la terre où « il n'est pas... non plus »).

Le récit est comme la terre qui se referme sur le personnage (le journalier) qui ne peut loger vraiment dans la terre, entrer dans l'histoire. Le récit est sous le signe de cette terre, de cette charge, l'insistance de son absence, de sa visibilité, le *progrès* de la mort (l'immobile mobile de l'histoire) :

« Il a fait tout ce chemin sous le poids,
il s'est montré,
l'homme dénudé par une voix :
mais sans y être... il n'y est pas... »

« Les premiers champs l'ont fait tourner au récit qui n'a jamais lieu, où il n'arrive jamais. »

« *Dans l'entassement où il n'y a pas de récit, mais l'avancée de la mort.* »

« *En un mot, la terre se referme sur lui sans qu'il se rende compte du changement d'état.*

Il n'y a pas de place pour le récit.

A chaque geste le récit ne fait qu'un avec l'homme, qui ne fait que commencer. »

Chaque geste est sa propre consumation. Il n'y a pas de temps (c'est toujours le « Récit de la première journée », l'absence de la répétition, l'incendie), « *personne* » (tandis qu' « à bras-le-corps, il traîne cette terre de proie »). « Le feu est au dehors » et le récit y brûle, qui mène au dehors. *Je* n'est jamais sorti du champ « où tout est en feu, où tout est perdu, où il n'y a rien ». Comme si l'entre-deux (la route) n'existait que dans la fiction, le désir du dedans-dehors, de la terre, et de la lumière, de la pauvreté et du champ nouveau, du vide de la redistribution :

« *J'aurais voulu vivre il y a un instant, sur cette route qui a déjà presque entièrement disparu, et qui fermait l'étendue entre mes bras.* »

« *Aujourd'hui l'invitation est si impérieuse, que je dois continuer — et rester là — courant du feu à la mort, ouvrant le champ nouveau qui déjà me contient, et me livre...* »

« *Mon champ tient fort peu de place*

Dans le vide, j'en redistribue les terres. »

C'est donc la perte de la terre, son tremblement (« comme s'il l'avait traversée »), le déchirement de l'étendue, du corps, là où la place n'est pas quittée mais élargie, l'avancement, non pas de lui mais de la terre qui « force à en venir aux mots », là où il y a « de nouveau de la place » (à chaque pas, à chaque mot), où « il y a place, encore, tout entière », où il a « l'air de l'emporter ». Mais est-ce lui cet homme dévalé, déboulé, ramassé en un point, dérouté, anéanti par la première phrase, sous la main, sous le pied, sous le poids de la terre achevant « la phrase qui le partage en plusieurs lieux »? Ou rien que des mots (« Autour de lui/rien que la place des mots »), le corps creusé de mots, de pas?

Des mots, terre jamais écrite, décrite, des mots, récit comme repris « sous les yeux de celui qui n'a rien dit encore », dans l'attente des « premiers mots, incapable de parole » — « *les mots de l'autre* » (le « journalier » est « l'un de ceux-là », et sa « journée », sa « terre désaffectée »), qui est, semble-t-il, déjà mort dès les premières lignes, qui est les quatre lettres du mot « mort » [2].

Tout se joue entre ces quatre lettres, ces quatre murs, entre *l'autre,* où il y a toute la place (l'infini du récit jamais vraiment commencé [3]) et plus de place libre (le rien « autour de moi », l'incapacité de parler, sinon en reprenant « *les mots de l'autre* » [4], en devenant la parole de la place vide-prise), « entre les quatre lettres/qui avalent la terre », dans le trou (le non-lieu) qui n'a pas été creusé (écrit), où le journalier, le narrateur, ou celui — il l'ignore — qui « joue le rôle » de tomber, ne peut plus avancer (« Le mouvement du récit est mouvement d'arrêt, de bête »), sans que cela n'interrompe le jeu.

Que faire alors, sinon « continuer — et rester là », piétiner le feu, rester, tourner « autour de l'histoire », faire feu « de ces mots sans histoire », reprendre force, retrouver des couleurs [5] (être *pris,* recouvert, retranché, replié — hors du récit non entamé, mais près de lâcher prise, d'être précipité dans le vide), que se citer, comme si *je* était la voix d'un autre, se mettre entre guillemets, mettre le *il* dans sa tête comme s'il n'y avait qu'un espace mental, qu'une décision de donner l'espace et la possibilité du déplacement (« Il n'est jamais en place. Mais cela ne me dit pas comment il peut se déplacer. Peut-être n'avance-t-il que lorsque je le retourne dans ma tête, en *rendant* l'espace »), d'être leur objet (eux et lui toujours dans le récit) reconduit vers un chemin qui n'existe pas et qu'on ne peut — auteur, narrateur, personnage, lecteur — vraiment suivre (« ' Ils ' se sont acharnés à le ramener vers la route. Il est toujours *l'autre* »).

Nous sommes donc dans l'éloignement de la terre [6] (« Mon récit m'élargit aux dimensions d'une terre... dont je reste tout aussi éloigné que le pendu au bout de sa corde »), du personnage, du moi et de l'autre, entre les lettres de l'éloignement, dans l'absence d'issue, dans le « *trou* dans son emploi du temps » que le récit reprend, attentif, inversant le sens, écrivant le vide, dans la tentative (discontinue, répétitive, abortive) de « *L'acte, le chemin inverse* », dans l'espoir — encore un leurre? — qu'après le poids de la rencontre, la combustion des corps et de la terre, le récit exténué parle enfin, donne — « chemin inverse » — « le geste du jour », dans le rêve d'une marche-lumière, « Origine et fin ».

Mais la lumière est ce dont on s'éloigne en avançant, est sur quoi débouche de la route « dont on ne vient pas à bout, dont on ne revient pas », ce qui laisse exposé (sans bouger, aveugle, sans les mots, sans qu'ils ferment les yeux) ce qui lie sans doner lieu, en restant le dehors de la langue, ce qui pousse et presse, qui fait que m'approchant d'elle,

« je me serre contre la mort » (« dans la cale de la mort »), ce qui étouffe — il faut la protection de la main [7]. « Comme un geste répondant à un geste », comme « *le geste de la parole* », « La lumière : ce manque de force », le geste non joint à la parole — lumière toujours au-dehors, attirant, décevant, brouillant la route, séparant la lèvre et les genoux —, l'impossible (« Lié à ce mot — entre ses membres et la terre — où les mots ne peuvent trouver place »), l'impossible saisie, le différer toujours du lieu de la visibilité ou de son nom (« Mais lui incapable même d'atteindre/une ' fenêtre ' »). Lumière qui est partout, « De la première à la dernière ligne », nom emprunté nom répété (« Comme un amant,/je répétais le nom de la lumière »), rencontre qui efface le *je,* qui le coupe « de la main qui a mis la lumière » (de la veille au lendemain du jour, sa chute dans le cercle où rampe la main obscure, l'éternel retour de sa tâche — son détachement?), qui partage le corps du journalier (« la masse que je cherche à rendre visible ») et le moi entre deux côtés, qui « *me laisse seul* », qui dédouble et rejette (quelle que soit la direction du trajet) sous la pesanteur, écrasé, séparé, dans l'avalée « *des lettres de mon nom* », dans la chambre du récit « *A perte de vue* » [8] (« Mais quatre lettres, quatre murs, nouent un récit dont je ne verrai jamais la fin »; « Si loin que se porte son regard,/s'ouvrent ses bras, se déchire l'étendue »), dans une « terre blanchâtre », dans un « espace blanc entre la vie et la mort », où l'on peut lire, renversé « la carte de la mort », « l'excès en blanc » et arriver « aux premiers champs » au « bon côté de la place » (si rarement) « où l'on aperçoit les champs dans un trou », où l'on peut voir, absent, « à quoi tout cela pourra ressembler ».

Comment remplir le vide de l'histoire, creuser l'amas? Ne sommes-nous pas réduits au simulacre de la compréhension, à la consumation de ces mots sans histoire, qui pourtant parlent comme les hiéroglyphes d'un sens à parcourir dans tout l'espace (le peu d'espace, l'immensité) des lettres, du corps, de la terre, du nom?

Détective des hiéroglyphes, plus fasciné par la rumeur, le tracé éphémère des signes que par la devinette de leur sens, qui a manqué l'enquête et vidé la répétition de l'assurance de son cercle.

La bonne route? « La bonne route est ici — hors du lieu » (mais ce dehors est tout aussi inhabitable que le dedans). Restent l'air, « les passages entre les corps », entre les lettres, l'après, le « lendemain du jour », l'avant, le toujours, l'étincelle du feu possible, du souffle, le dégagement d' « une masse de travail/entre les corps », tout ce qui fut abandonné (nommé en hâte, en contrepoint [9]), « Le projet de roman, *Un changement d'air* », du neuf, « En retour » (« Cela, bien sûr, ne fait pas un sujet » — ni un commentaire).

Détective de l'air, du vent, du peu — avancer, s'arrêter « n'interrompt le jeu ».

NOTES

1. Dans la marge de *Répétition sur les amas* (Mercure de France, 1974), *Qui l'emportera?* (Le Collet de Buffle, 1974), *Un changement d'air* (Peter Hoy, Oxford), *Toujours par la fin* (Orange Export Ltd, 1975), ... *Un* excès *rentré*, avec Joël Kermarrec, *Ostende et le pantographe...* (Centre d'Arts plastiques contemporains de Bordeaux, 1975), *L'Introduction à la pelle* (Orange Export Ltd, monogravures de Lars Fredrikson, 1975).

2. Serait-ce aussi l'histoire d'un rituel à un mort inconnu,

l'impossible entrée, la non-reconnaissance, la traînée, l'acharnement de la main, du corps, des mots sur le cadavre (fascinant, repoussant) de *l'autre* (« Sous la main rudoyée, je me traîne jusqu'au cadavre de *l'autre,* — que j'ai tué en première ligne »; « Impossible d'entrer, de reconnaître ce cadavre sur lequel mes mots s'acharnent encore »)?

3. Et pour cela peut-être toujours répété, rappelé à son vide, à ce qu'il n'atteint pas, ne soulève pas.

4. Comme si une sorte d'Auteur suprême, disposait de l'incapacité du journalier, du narrateur, de l'auteur et réservait la possibilité d'un *autre* parcours, d'une *autre* histoire, d'une *autre* lecture — d'une lisibilité partielle de la mort (« Possibilité lui a été laissée de lire quelques passages de la mort; de disposer des mots dans les terres de *l'autre* »).

5. Mais les couleurs sont le plus souvent dites « mortes », elles rapprochent de soi, dans le retranchement, dans la peinture « vivante », dans la lumière *feinte* de la réconciliation avec son image. Non coupables, elles sont haïes (« S'éloigner d'elles, les retrouver »), elles font partie de la répétition (de la répulsion et de la fascination), du mouvement du récit (« *Le mouvement, les couleurs* »), du dehors impossible-possible (« Ce qui brûle au dehors,/la couleur,//morte où je marche,//renaissante... »), de la réserve de l'illisibilité.

6. Le récit hésite (va et vient, n'existe pas, existe de ne pas exister) entre l'avancée « ' comme à même la terre' » (« où je peux encore me retrancher ») et la précipitation de l'éloignement, la décision (?) de s'en retourner. « Qui l'emportera? » Peut-être seul ce mouvement qui mange l'espace et l'histoire, la main qui « *(ne) blanchit* ».

7. Protection de la place, du peu de terre, enfoncée en elle, la main — l'écriture — éloigne de la lumière. Mais pour cela, elle place sous elle, couvrant la route; elle est lumière « parmi les corps terreux », dedans-dehors. Excès de la terre, dans la terre, elle ne peut être que son éclatement, la dévoration de ses lettres, de son nom — sa sauvegarde et sa mort (« Tout mouvement de la plume./ (Lumière parmi les corps terreux)./Tout mouvement qui éloigne/de la lumière »; « Il revient de tous ses travaux/ la main en terre »; « Si enfoncée dans la terre blanchâtre, à quelques pas de la poussière, ma main nourrit le feu... »; « La terre n'est pas assez large/pour une telle main! »). Protection et échappée, la main (dé)file le récit, est

l'extrême du corps déchiré, de la terre-lumière (« Et l'homme en fuite, que la main ne retient pas, qui est espace perdu »; « Je ne suis pas seulement là./ Mais il n'y a pas d'autre main »; « La terre me quitte, éclate, je ne quitte pas ma place : il n'y a qu'un mouvement pour deux.../me déchire le corps, me force à en venir aux mots. ») De ce jeu d'enfermement et d'arrachement témoigne aussi (à l'unisson, dans le même rythme) le pied — la marche de l'écriture. « Sous la main », « Sous le pied », écrasé, soulevé par la main, le pied, la parole, l'attente des mots nouveaux « pour progresser dans la mort », entre la terre, le corps et la lumière — dans l'emportement (la retenue) du récit. Comment ne pas appeler cela *poème?*

8. Tout se joue entre le fermé et l'ouverture infinie, le peu de place et l'immense, entre deux formes de vides, qui sont deux formes de perdition et de fuite, deux impossibles entre lesquels il faut vivre (« Ce n'est pas demander l'impossible »), entre, c'est-à-dire aussi dans, dans le dehors (« dans les jambes de la terre... sans parvenir à m'y loger vraiment »).

9. Ainsi, comme en exergue de *Qui l'emportera?*, ce non-dit : *« Il y avait pourtant le mot* viande, *le désir d'écrire une phrase avec le mot* viande/ *Il y avait des* hangars. *Des* cuves à gaz. *Des* hauts fourneaux. *Des* ongles *dans le* charbon. *Une* patte de poule *près des* géraniums, *mordue par la terre... »*

ADDENDA SOUS FORME DE PROMESSES POUR UN AUTRE LIVRE

Au moins écrire ici les noms, à la suite, de Pascal Quignard, Dominique Rouche, Emmanuel Hocquard, Hubert Lucot et la promesse de donner à lire dans un prochain livre leur fugue d'écriture, de lecture. Au moins dire le nom des absents majeurs (la peur de leur approche, l'envie d'écrire à partir de leurs mots poèmes, accompagnements de la couleur, litanies) : André Du Bouchet, Marcelin Pleynet. Et encore et toujours Yves Bonnefoy, Jacques Dupin. Et aussi Lary Eigner, Michel Couturier, Jean-Luc Parant, Eugène Savitzkaya, Claude Bauwens...

HYPOTHÈSES ZÉZAYANTES

« ... ton chant ton chant enfin qui sourd ici où je désarticole »
(MATHIEU BÉNÉZET)

A CONTRE-JOUR [1]

Le jeu triangulaire

« La vérité d'un texte ou d'un auteur, si l'on y tient, est toujours plurielle », dit Serge Fauchereau. Je crois qu'il nous faut méditer cette affirmation à l'heure où toute une partie de la critique prétend à la science.

Le critique aujourd'hui est souvent un homme qui avance en feignant de se poser des questions pour mieux présenter les réponses qu'il possède déjà dans la réserve de la science constituée (psychanalyse, sociologie, linguistique) et mettre en œuvre leurs démonstrations grâce aux méthodes scientifiques, universitaires, objectives. Ce qui frappe et déconcerte — Fauchereau le dit avec courage et fermeté — c'est une si grande assurance, un tel manque d'incertitude, c'est le sérieux, la prétention presque enfantine à l'infaillibilité, à l'irréfutable. Et pourtant le texte et l'auteur résistent toujours, tel angle n'entre pas dans la quadrature du cercle de la critique totalisatrice et il faut alors l'effacer ou le tenir dans l'ombre pour ne pas révéler les failles du système explicatif...

Si le texte est prétexte à l'affirmation d'une maîtrise, d'une science qui circonscrit, démonte et remonte les mécanismes, donne le fil d'Ariane et vérifie les méthodes du bon itinéraire, il ne peut nous égarer bien longtemps, on le rattrapera tôt ou tard, on lui imposera la loi d'un métalangage. Mais s'il est ce qui déroute toujours, l'ouverture infinie des chemins, toute lecture devient partielle, ouvre, en se multipliant, à la dissémination, étend et propage la fiction. Lire, c'est alors rencontrer un texte dans une perspective, traduire ou projeter un fantasme personnel, collectif, culturel, qui peut se travestir chez les dogmatiques en sérieux de la science (alors qu'il n'est dans ce cas que le fantasme de l'objectivité). Lire, c'est affirmer et déguiser sa subjectivité, opérer des transferts, exprimer indirectement des justifications personnelles — le tout sous le couvert du désintéressement, de l'objectivité, de la scientificité.

Ne pas reconnaître la critique comme le langage de la fiction — le plus subtil car le plus déguisé —, c'est, de la part du critique, se leurrer soi-même et s'octroyer par ce leurre le statut du juge, le pouvoir du savant. Le mensonge de la critique est l'origine de son dogmatisme, de son exclusivisme parfois haineux, de son inquisition, de son manque d'humour et d'ironie envers elle-même, de son manque de légèreté. Il y a peu de critique joyeuse, heureuse, car il y a peu de critique qui se donne pour la joie de lire, pour l'errance de la lecture, le droit à l'erreur qu'elle autorise, la liberté d'aller et de venir sans jamais épuiser le mouvement de l'œuvre qui nous pousse hors de nous et au plus profond de nous-mêmes, là où se joue le non-savoir, là où on perd toujours pied, où la critique reste ouverte à la divagation, à la discontinuité de toutes les lectures.

C'est à une telle critique que nous invite pourtant Serge Fauchereau, à une critique qui se sait aléatoire, qui fait du lecteur « le troisième élément indispensable du jeu triangulaire ». Le lecteur n'est plus convié à suivre un « couloir unique », à lire l'œuvre à travers une interprétation qui se présente comme totalisante (et qui en fait barre l'accès à l'œuvre, à sa force démultipliante), il devient actif, a « la possibilité de choisir entre plusieurs circuits divergents » que le critique loin de masquer propose contre lui-même, contre la fiction qu'il défend. D'où l'usage que fait Fauchereau des collages, du jeu des citations, dont la triple fonction est de rompre le fil du discours et de permettre au lecteur de laisser place à « ses propres divagations », de déranger le lecteur dans sa lecture linéaire, de présenter brusquement « une thèse contraire » et de « semer le doute » plutôt que de « fournir (...) des certitudes ». Fauchereau nous fait rêver ainsi d'un dialogue à trois, d'un jeu de trois fictions, d'un triple dé-lire qui affirme autant de lectures ostensibles où se joue un sens nouveau, le respect de la différence, la fête de la polysémie, la joie plurielle.

Sans doute le texte ne veut pas dire n'importe quoi, mais tout ce à quoi on l'arrête est faux. Il était déjà lui-même arrêt, réduction, et oblige à retrouver le mouvement qui l'animait, la production de sa fiction. « Briser le langage pour toucher la vie », briser l'œuvre, l'affronter dans sa vérité fictive, dans l'erreur dont elle vit. Les néo-dogmatiques appellent idéalisme ce qui se refuse à *leur* scientificité, comme s'il n'y avait pas une troisième voie entre l'idéalisme et le matérialisme (qui n'est lui-même qu'un idéalisme qui ne sait pas son nom). La critique que pratique Fauchereau profile le sens de cette voie entre l'objectivité mythique du texte et l'arbitraire sans retenue du lecteur lorsqu'il parle d' « un parcours variable composé de parties fixes et de parties interprétables ». C'est dire qu'il y a une part d'intervention et une part de fidélité aux faits (l'historicité, la langue, les structures) — encore que cette frontière elle-même soit fluante et que l'objectivité ne soit jamais bien arrêtée. L'important est le jeu même de l'interdit et de la transgression, car si tout pouvait être dit, n'importe comment, de n'importe quoi, il n'y aurait plus que prétexte et le texte se dissoudrait dans la logomachie des fantasmes. Les vraies œuvres résistent, tracent des frontières, nous offrent le barrage de leur richesse propre jamais appropriable, nous permettant seulement d'ouvrir quelques brèches, d'éprouver l'incontournabilité, de vivre modestement et passionnément leur pluralité dans l'inachèvement de quelques perspectives.

Le critique qui a la naïveté présomptueuse de la méthode, qui croit aux clés qui ouvrent toutes les portes surévaluera son pouvoir d'entrée dans l'œuvre et, à force de clarté, ne donnera plus à voir au lecteur que son ombre gigantesque et la caricature de l'écrivain qu'il expose. A quoi bon la chasse aux anecdotes des biographes qui fouillent coins et recoins, lettres et papiers chiffonnés avec « l'avidité des nécrophages ». La réalité de l'auteur et de l'œuvre est ici, dans la page, excédant ces lignes, hors vie, dans la fiction, dans le jeu de la dissémination : écriture/lecture. Pour qui connaît le moindre détail de la vie d'un auteur sans éprouver la force qui se propage dans ses mots — à quoi bon? Le lecteur-détective est-il le lecteur actif qui relaie la fiction? Le chasseur de papillons universitaire en mal de thèse est-il le complice du jeu rigoureux — car éprouvant — de la lecture? Ce critique, ce lecteur, refoule l'égarement de la lecture, au lieu de retrouver l'élan vital, de rouvrir toujours l'œuvre, il lui fait subir par son sérieux (sa minutie à la lettre) une baisse d'énergie, il contrôle — et par là censure — la dilapidation, la cohérence sauvage qui s'y risquait, il (se) rassure. Trop savant pour errer, trop respectable pour jouer, il ne participe pas à ce qu'il décrit « par la cassure d'un ongle » (Artaud), il n'entre jamais dans l'espace de la fiction, mais se tient dans la distance de l'enseignement, de la bibliothèque, des citations, des témoignages — de la culture.

Soit un exemple, que donne Fauchereau, où l'extériorité du critique apparaît bien. Imaginons ce dernier réfléchissant à ces deux vers de Vigny : « Mais toi, ne veux-tu pas, voyageuse indolente/Rêver sur mon épaule en y posant ton front... » Peu à peu, à la faveur du mot « voyageuse » et de ses connotations, sa pensée s'éloigne de son objet (le poème de Vigny) et s'attarde à des souvenirs d'enfance, à la lisière de l'érotisme, à moins qu'ils ne soient inventés, rêvés à cause de ces mots excitateurs de Vigny — et c'est un merveilleux égarement, peut-être très proche de celui qui fut à l'origine de ces vers. « Or, dans l'étude à paraître, rien ne restera de tout ceci, comme si les vers du poète n'avaient jamais suscité qu'une calme réflexion contrôlée, comme s'ils étaient hors du temps, intouchables par le temporel et l'humain. » Faut-il alors y introduire toutes les rêveries (la dérive de l'esprit glissant hors de l'espace fermé des mots)? « Non, sans doute. Mais les deux vers de Vigny ne vivent pas que de leur seule prosodie, de leurs seuls mots : c'est d'elles aussi qu'ils vivent. Alors? »

Alors, il y a peut-être lieu d'approcher l'œuvre entre la fixité et la dérive, dans l'entre-deux du dé-lit par quoi se caractérise la violente douceur de la lecture d'intervention, la re-création.

Un auteur désaffecté

Fauchereau applique sa *méthode* de lecture à Théophile Gautier. Pourquoi Gautier? Et pourquoi pas lui? La réponse ici semble plus facile. Parce qu'il n'est pas à la mode, au goût du jour, parce que dans le manichéisme de la critique — que dénonçait déjà Gautier en son temps — « les admirations et les mépris sont toujours excessifs ». « Tout écrivain », ajoutait-il, « est un dieu ou un âne : il n'y a pas de milieu. » Les ténors du XIXe siècle adoptés et portés au pinacle (Hugo et Vigny, plus tard Baudelaire), il fallait « se débarrasser des autres » ou ne retenir d'eux que quelques textes repris de génération en génération dans les anthologies scolaires, banalisés dans l'enseignement. Théophile Gautier, c'est...? Le préparnassien, le poète de « Frisson » (pour le cours élémentaire), de « Le Pin des Landes » (en classe de quatrième), de « L'Art » (en classe terminale). C'est le gilet rouge d'*Hernani*, le théoricien de l'art pour la'rt, et, pour les téléspectateurs, l'auteur d'un roman de cape et d'épée, *Le Capitaine Fracasse.*

Comment une œuvre a-t-elle pu se réduire ainsi à une caricature, à une image d'Epinal, plus ridicule que naïve, à l'ennui d'une récitation, à quelques formules apprises à la va-vite à la veille de l'examen? L'école serait-elle le fossoyeur de la littérature? Je le crois. L'école nous apprend à lire dans les filières des anthologies ou, ce qui n'est que l'envers d'une même médaille, dans les ornières d'un nouveau code de décryptage linguistico-scientifique, où l'on produit beaucoup comme on sait, où l'on est tellement soucieux de textualité qu'on passe parfois à côté du texte, de sa pluralité qui résiste à la grille du système, au métalangage des nouveaux savants. L'envers d'une même médaille... oui, c'est toujours le même sérieux. Le critique vient à la vie du texte avec la raideur (qui se donne pour la rigueur) d'un préposé aux catalogues ou d'un vérificateur de lois, de codes, de structures. Il porte dans la main gauche l'Histoire Littéraire ou la Summa linguistica ou la Theologica psychanalytica, et de la droite, il traduit. Idéaliste ou matérialiste, la lecture est la sclérose du cœur, l'ennui déguisé en savoir des spécialistes, le jeu mondain et universitaire des clercs. Encore si ce n'était qu'un jeu..., mais ce jeu est celui-là même du pouvoir, de la volonté de puissance par des mots et des jugements qui ont parfois la vie longue, tant est grande l'autorité de la critique. Hier Sainte-Beuve, aujourd'hui d'autres Grands Inquisiteurs, c'est toujours la même intolérance, la même terreur. Que de Saint-Just et de Robespierre dans les Lettres!

Il ne s'agit pas, prenant le contre-pied du manichéisme, de tomber dans l'indulgence excessive qui fait des victimes des héros et des écrivains dits secondaires les premiers de la scène qui relèguent à leur tour dans l'ombre les anciens premiers rôles. Il s'agit d'une remise à jour, d'une lecture à contre-jour — contre les oublis et les options du jour — pour éprouver à nouveau et avec des yeux neufs ce qui fut vie, mouvement contradictoire, aventure dans l'histoire et faisant l'histoire, pour ouvrir une époque — fermée dans les manuels — à notre mesure et à notre distance, au recommencement, au retour déplacé et proche de la fiction.

Cette approche n'est pas sans risques, surtout si, comme pour Fauchereau, on paye une dette d'adolescence et que l'on vérifie ce que valait son enthousiasme inavouable, un peu honteux. Que retrouvera-t-on dans la demeure désaffectée? Peut-être rien. Peut-être aussi — et c'est bien le cas semble-t-il —, derrière la gangue, les concrétions du mépris, un auteur étonnamment multiple, qui s'est beaucoup dispersé, qui s'offre à nous avec des scories, des pages qu'il ne prenait pas lui-même au sérieux, mais aussi avec une modernité reconnue déjà hors de France depuis longtemps et confirmée ici, pour nous, dans la lumière d'un contre-jour.

Parodie, digression, bavardage

Comment lire Gautier aujourd'hui? Comment rouvrir l'accès à une œuvre fermée, méprisée, oubliée? En ne l'abordant pas avec la même attitude d'esprit que l'on a face au « Lac » ou à « La Bouche d'Ombre » mais, rencontrant le mouvement peut-être central de sa pensée, avec l'impertinence discrète, l'ironie légère qui préfère le prosaïsme à la poésie avec majuscule, l'hétéroclite à l'ordre, le bavardage à l'histoire, la parodie à la noblesse du genre, le rire nihiliste au mensonge des grands mots. Alors que Victor Hugo affirmait dans la préface aux *Voix intérieures* que « le poète a une fonction sérieuse », une « influence civilisatrice », et disait que « l'art doit être grave, candide, moral, religieux », Gautier proclame dans la préface de *Mademoiselle de Maupin* « la totale indépendance de l'art à l'égard de toute fonction morale et utilitaire » et s'en prend aux trois masques du sérieux : le moralisme, le nationalisme, la religion. Il s'affirme dès *Les Jeune-France* comme un « bon à rien », pour reconnaître dans *La Comédie de la mort* que « le même ver ronge/Le corps du citoyen utile et positif/Et le corps du rêveur et du poète oisif » et afficher son « sentiment de la vanité de tout ».

Reste alors et seulement la pudeur du rire. Au cœur du fantastique ou de l'évocation macabre, de ce qui aurait pu être lle frénétique et l'horrible, voici le clin d'œil au lecteur, dans une incise, une parenthèse qui désamorce le ton grandiloquent et ouvre en plein drame au vide riant du nihilisme, voici l'acrobatie prosodique, l'enjambement casse-cou, l'invraisemblable cheville, voici la digression qui dévoie de l'histoire, qui nous prend dans les lacis des détails où l'on se perd — auteur et lecteur. D'où l'irritation de certains devant ce fatras, cet hétéroclite, ce fourre-tout. D'où la joie de Fauchereau, la mienne — devant la reconnaissance de ce désordre volontaire d'un poète qui dépoétise, d'un écrivain qui se livre à l'autodestruction du récit par ironie sur ce qu'il vient d'écrire, pour faire taire les grandes orgues du lyrisme romantique dont il fut l'héritier, par méfiance pour les grands mots de l'humanisme qui affirme de front la mission de l'écrivain et la gravité de l'histoire.

De sorte que sans cesse, comme le montre Fauchereau, « le texte tire la langue au lecteur » qui se refuse à sa disparité, à sa verve — ou plutôt à sa tristesse joyeuse. De sorte que « l'amateur de bel art et de bon goût » se fâche : « ce qui n'est pas sérieux, c'est du « bavardage éhonté »! Mais, répondrait Gautier, « l'histoire est si pauvre que je suis forcé d'avoir recours aux digressions ». Il y a plus grave encore :

il y a les emprunts, les pillages! Certes, mais ils sont délibérés. Pour composer *Albertus* Gautier a vidé sa bibliothèque : *Lenore, Macbeth, Faust, Le Diable amoureux,* les contes d'Hoffmann et de Nodier, Walter Scott qu'il accuse — amusant anachronisme — d'être son plagiaire. C'est le jeu de la culture, non son culte, le jeu du genre qui désamorce sa diablerie (*Albertus*), voue tel recueil (*La Comédie de la mort*) à être composite. « Encore un coup », conclut Fauchereau, « celui qui n'accepte pas de jouer en même temps que Gautier ne peut qu'être irrité par la lecture d'un tel poème. »

Le lecteur doit alors rejoindre la cohérence d'une œuvre qui est dans son exubérance, dans sa mobilité, dans sa désinvolture, qui excèdent l'ordre et le sens, qui déplacent la notion classique de cohérence. On songe tout à la fois à propos de Gautier, non qu'il faille à tout prix lui trouver des répondants, à Rabelais, à Diderot, à Laforgue corrigé par Jarry, à Alphonse Allais, au Collège de pataphysique et malgré tout aussi au romantisme (entre Hugo et Nerval) qui est l'organe-obstacle du poète presque oublié, coincé qu'il fut entre lui et le Parnasse. Car à côté du souffle romantique (du romantisme parodié) des digressions, du bavardage, il y a aussi chez Gautier, plus tard, dans *Emaux et Camées,* le charme discret des sujets de plus en plus amenuisés qui tiennent tout dans le détail, l'anecdote, l'impression, la rime ciselée, le léger sourire qui n'est pas l'impassibilité mais l'expression plus cachée encore du nihilisme, qui parfois — comme dans « Le Château du souvenir » — laisse deviner pourtant le regret, le drame d'une vie manquée, les limites acceptées d'un homme qui préfère le travail de l'émail au verbe démagogique du mage.

Ce n'est pas si simple...

Qui donc était Gautier? Ce n'est pas si simple. Tantôt proche du romantisme, tantôt annonçant le Parnasse. Tantôt orfèvre, tantôt bavard. Tantôt loufoque et grossier, tantôt nostalgique. Tantôt peintre, tantôt musicien, presque symboliste, « Gautier est l'écrivain que n'enferme aucune formule, aucune synthèse », l'écrivain à propos duquel Fauchereau ne conclut pas, ouvrant tour à tour chacune de ces voies vers lui, le laissant dans son irréductibilité fluante, nous invitant à notre propre décision, à notre prise en charge de la rencontre, de la fiction.

Curieux livre qui nous ouvre à l'incertitude, qui ne résout pas un problème mais nous laisse en suspens devant le meilleur et le pire, qui en définitive ne juge pas mais rend impossible la simplification. Curieux livre qui nous fait curieux de ce qui s'oubliait, qui dérange les légendes les mieux établies. Ainsi celle du Gautier apolitique (reprise à pleine voix par les surréalistes et la littérature engagée). Mais est-ce si sûr? Est-ce si simple? Apparemment, Gautier le dit dès la préface d'*Albertus :* « L'auteur du présent livre n'a aucune couleur politique; il n'est ni rouge ni blanc, ni même tricolore; il n'est rien, il ne s'aperçoit des révolutions que lorsque les balles cassent les vitres. » C'est même assez dans la logique de son nihilisme. Et pourtant... Gautier refuse de porter l'uniforme de garde national, parce que « la couleur de l'uniforme n'est pas seyante », il se déclare pour la République en 1848, sans qu'il s'ensuive par là que les hommes « égaux, libres et frères... doivent porter des bonnets phrygiens, se proclamer sans-culottes et se couper réciproquement la tête », il rencontre la méfiance des gouvernements français et étrangers (en 1850 il est expulsé d'Italie, suspect... de sympathies socialistes), plus tard, critique du *Moniteur universel,* journal officiel du gouvernement de l'Empire, il échoue à l'Académie française, qui ne s'est pas trompée sur son « air de respectabilité ».

Peut-être que cet homme toujours plus discret a, dans ce retrait même, manifesté plus outrancièrement que le prophète Hugo son hostilité non pas tant à un régime qu'à un certain esprit bourgeois qui aime les grands mots, le démesuré, le talent grandeur d'affiche, le bruit si extérieur qu'il ne dérange pas, qui accorde son estime à ce qui est ennuyeux, lourd, pesant, sérieux. « Rien ne nuit comme la grâce, l'esprit et la facilité », notait-il dans ses *Portraits contemporains.* Peut-être que l'enjouement et la légèreté dérangent plus que le tumulte et les vociférations. Et peut-être est-ce là l'engagement politique de Gautier, le sceptique et le tendre, le pessimiste libertin et le blasphémateur des majuscules, qui trouve dans le poème et le récit, l'œuvre d'art et la critique, le moyen et le lieu où exprimer la profondeur aujourd'hui entr-aperçue de son non-sérieux.

Mais quel rapport avec ce qui précède?

« (Je suis de la génération de la guerre d'Algérie, j'étais juste assez vieux pour être de la toute dernière fournée. La guerre d'Algérie, tant de belles certitudes, de techniques, de discours, de science, pour en arriver là. Mais quel rapport avec ce qui précède?) »

Justement, le voici : cette parenthèse anticolonialiste fut peut-être pour Fauchereau le début de la méfiance pour le sérieux de la morale, de la culture, de la société, qui avait permis cela au nom de « certitudes ». De là à généraliser la méfiance dans le discours trop sûr de lui, dans la critique qui a trop confiance en elle et veut gagner notre crédulité, il n'y avait qu'un pas. Les livres de Fauchereau sont ce pas, cet outre-pas libérateur. Et la parenthèse est ici le lieu du départ et le fondement du doute, la conversion du sérieux en jeu, de la certitude en errance, le rejet de la critique hors de la science, hors du mensonge de l'objectivité... qui fait les guerres d'Algérie et le monde des Lettres et des hommes invivable.

« Elisabeth adolescente accompagnée par toi à la gare il y a quinze ou trente années. Son rire avec ses yeux brillants de larmes contenues... » Mais quel rapport avec ce qui précède? Pourquoi cette autre parenthèse plusieurs fois répétée de cette femme jadis aimée par l'auteur semble-t-il ou rêvée par lui, évoquée à propos des vers de Vigny, qui est peut-être aussi la campagne de Zacharie, la femme stérile de l'Evangile de Luc, qui pourrait alors nous signifier qu'il est stérile de lui chercher une réalité hors de la page, comme il est vain de prétendre saisir la figure historique de Gautier, que nous sommes avec les figures de l'œuvre voués à l'incertitude, à l'égarement. Elisabeth qui égare, qui brise les rapports trop vite évidents, qui déjoue la calme réflexion des archivistes des choses mortes pour établir — dans sa fascinante nuit — la vie, le mouvement toujours fou qui poussa tel homme à écrire (à dévoiler et à mentir, à mettre de la vie dans des mots qui ont une vérité de mots, une vérité fictive qui est le centre de la passion d'écrire et de lire).

Par la discontinuité de sa lecture, qui donne une large place aux détracteurs de Gautier, à la contradiction, par ses parenthèses, collages, retours, réflexions sur la critique, Fauchereau a réussi à rétablir le rapport essentiel à l'œuvre, celui de la passion, qui réunit dans son mouvement la légèreté et la gravité, la lucidité et la joie.

Est-ce avouable?

Ce livre m'a mis en effervescence. Je me suis beaucoup amusé à le lire. Est-ce avouable? Est-ce sérieux? J'ai envie d'en venir maintenant à Gautier, envie de le découvrir pour mon compte, sans être chaperonné par l'autorité d'un critique qui, en dehors des « options en cours » et des « gurus du moment », aime — est-ce avouable? — lire, donner à lire, passer le relais de l'errance.

NOTE

1. Prenant prétexte du *Théophile Gautier* de Serge Fauchereau (Denoël, 1972), ce pas de deux avec l'auteur autour de la critique, de la lecture, du bonheur de l'incertitude.

TOUJOURS

D'où vient que le mot *toujours* ici surgisse le premier?

L'écriture est mythique. Toujours. Parce qu'en elle d'abord le mythe s'organise, dessine son corps et sa fascination rhétorique. Parce qu'en elle les lieux de l'économie, de la culture, de la mémoire et de l'oubli de chaque époque, des phantasmes collectifs et particuliers se déploient, images et concepts, dans une langue donnée, mouvante, ralentie, précipitée par une main lente ou pathétique, lourde ou légère, pesante ou rieuse qui trace les signes, qui signe à la fin — nom propre usurpé et juste —, anonyme et personnelle, indivise et incommunicable.

L'écriture est le milieu de l'ordinaire, la platitude de la traduction ordonnante, le garde-à-vous de la référence extérieure (la logique de la représentation depuis Platon) ou la disjonction de l'allégeance, le retournement du réel sur lui-même, la visibilité de l'illusion des mythes — et il n'y a rien à voir d'autre, et la transcendance de l'autre (qui toujours voile l'ici et le maintenant) apparaît comme le leurre.

Ce qui reste, ce sont ces mots traversés d'histoire,

qui ne subliment plus l'origine, qui n'ont pas de fin, pas de but, pas de parcours assigné, qui passent toujours par la tradition et la rupture pour détourner le sens en circulation et les propager dans une cohérence qui les caricature et les ruine. Ce qui reste, c'est l'iconoclaste emportement du nihilisme verbal qui dit la crise du temps de la détresse et ne revendique contre elle que la fiction d'une langue propre et pourtant de tous, qui avance entre les malentendus de l'interprétation (de la récupération) vers une issue toujours ajournée, qui espère confusément qu'il n'y ait pas de terme, que la discontinuité continue, que la surprise de sa langue à soi-même perdure.

Toujours pour rien, vers rien d'autre que la répétition, la différence, le simulacre, le rêve et les images démultipliées d'un réel qui croise le désir et échange avec lui la non-appartenance, l'embrouillement des dualismes (objectif-subjectif, dehors-dedans, histoire-éternité).

De sorte que le mythe réapparaît. Un mythe blanc, qui a gratté le palimpseste et qui, discrètement, dessine des signes insignifiants, terribles et dérisoires comme notre aujourd'hui de génocide, de barbarie, d'indifférence et de poésie pour narcisses attardés. De sorte que le mythe revient, rayonnant et pâle, critique presque murmurée du monde, virevolte et vertige comme l'insoutenable haut-le-cœur d'un refus du savoir (le capitalisme littéraire) et l'affirmation sans limite et sans au delà de soi d'une langue qui n'est plus sa langue, d'un mouvement qui n'est que ce mouvement (le corps, les signes, la fuite et l'assumation), qu'une voix en deçà des signifiés et des signifiants, qui intègre et désintègre la langue et le corps et le monde, que l'écoute renvoie au diapason des significations et des styles classés par le staff des sciences humaines (linguistique, philosophie, psychanalyse, sociologie) comme la surdité de toujours à l'écriture, comme l'aveuglement de toujours à la musique des mots.

Toujours. D'où vient que le cercle se ferme sur ce mot qui est le dehors de la parole et son révoltant mensonge?

Ainsi l'écriture est toujours fascinée par ce qui n'est pas elle et toute l'instance littéraire est ce dehors sociologique, culturel, idéologique ou religieux où se situe l'écriture — lieu de conversations, de critiques, de colloques et même de rencontres. Mais aussi et en cette simulation de ce qu'elle n'est pas passe comme frauduleusement la figure intenable d'être ce qu'elle est, la désidentification, la perte de demeure, l'exil sans le retour qui terminerait la quarantaine diasporique.

Ecrire exile, rend désert, et tout le curriculum est reconnu pour le mensonge qu'il est et tous les livres, les revues, le théâtre, les aléas de la gloire pour ce que c'est : l'inflation du nom propre, le (court-) circuit de la puissance (l'édition, l'université), la « maîtrise » des nouveaux libérateurs (ludiques ou sémiotiquistes) qui jettent leurs disciples dans la déréliction du nom propre, d'autant plus malade que décrypté, d'autant plus rageur et malheureux que confisqué par la science, l'idéologie, le désir même comme discours institué.

De sorte que, oui, la littérature (le discours littéraire, la critique) est l'extériorité de l'écriture, que le souci d'entrer dans le code, que la règle du jeu déjouent l'écriture et font de la langue une chaîne de conotations qui circulent comme un relais, un mot de passe, un signe élitiste de reconnaissance (tout un certain parisianisme pour bourgeoisie universitaire). De sorte que, oui, la langue philosophante et littéraire est l'enjeu de la maîtrise des lettres et du social. Maîtrise voilée par le fait que le terroriste du discours se croit « naïvement » le terroriste de l'ordre de l'oppression économique, sociale, éthique, psychologique et s'attribue ainsi une patente révolutionnaire, un certificat de bonnes mœurs progressistes, une bonne conscience qui signale comme toujours le défaut d'ironie de la langue et l'ambition phantasmatique des écrivains.

Non pas qu'il faille — renversement puéril — faire l'éloge de la tradition et instituer le refus de la modernité. L'écriture n'est ni la tradition ni la modernité, mais la traversée de l'histoire, l'ouverture qui toujours refuse la clôture de la représentation, du discours de la tradition ou de la modernité. En ce sens, l'écriture de Dante, de Scève, de Racine, d'Hölderlin, de Rilke, d'Artaud, de Bernard Noël est toujours la (pour)suite vivante de leur lisibilité, le retour et la biffure, la surcharge et la coupe, la redistribution et la perte, l'interpellation de nous-même, de notre histoire et l'exil du lieu fermé, de l'assurance mégalomane de notre époque et de notre lieu (tout le géocentrisme et l'historiocentrisme qui bloque le parcours du passé et l'ouverture de l'avenir).

J'ai dit exil. Ecrire c'est revenir à la marge, c'est être la spirale de l'exil. C'est perdre toutes ses destinations et tous ses guides et être comme le contemporain de toutes ces pertes.

Ce qui me pousse est aveugle. Toujours ou presque. Et m'écarte de moi-même (de sorte que je ne puis jamais dire ce que je fais, ce que je prépare, ce que j'écris, de quoi il s'agit). Il s'agit de rien.

C'est rien. Ou presque. Ça s'emporte. Ça s'arrête. Ça repart. Ça déplace une force, un manque, ça désigne (mais comme par un détour, comme entre parenthèses) une injustice insoutenable. Ça retourne au vide, au rêve, ne coïncidant jamais avec l'ordre humaniste du Vrai, du Bien, du Beau, ni avec les formules des producteurs matérialistes — l'idéalisme à l'envers — dans l'instance toujours du jugement de Dieu ou de la Science.

Ni Dieu, ni la Science, ni tous les avatars du nihilisme incomplet. Comme le négatif de toute parole certaine, de toute positivité de sens commun ou caché, comme la preuve sans preuve du mensonge, du discours plein — qu'il soit réaliste, objectif, phantasmatique —, comme la distance même du connu qui renvoie la langue et ses utilisateurs à la fiction du sens, du système, de la communication. Là où il n'y a plus de lieu de vérités, de transcendant, mais — sorte d'indivision des gens — un théâtre de mots (poème? prose? — qu'importe) qui investissent concepts, formes esthétiques, figures socio-économiques, sans s'identifier à leur économie, au circuit de la maîtrise, à l'instance du pouvoir.

Ecrire pour déjouer le pouvoir — critique en ce sens radicale —, pour découvrir la fiction universelle et de toujours qui se fige en vérité, qui opprime les hommes et les femmes du monde pour avoir fait passer pour vérité (pour bien) ce qui n'était que fiction.

Ecrire pour propager la fiction plus loin que tout discours, pour entamer le sérieux de l'oubli, pour vivre son nom avec le soupçon généalogique du leurre des noms, pour tenir sur le pavé des trottoirs, à la verticale de la dérision, habité par le comique du lieu, du moment, du parcours et par le tragique de la mort, en filigrane du paysage et des corps, dans les stades et les camps, dans tous les lieux de la vérité armée ou sournoisement civile.

Ecrire pour ne pas perdre en moi la voix de la peur et du rire, et aussi — pourquoi m'en cacher — pour oublier les limites précaires, la menace, l'illusion et reconduire vérité, maîtrise, trouvant dans les mots la dispense au côtoiement des ouvriers des petits trains du matin vers le travail triste et insipide comme la mort, des chômeurs, des éclopés pas très littéraires qui merdurent ainsi à longueur de vie, des Arabes et des Noirs qui travaillent quelque part entre le mépris et la pitié — et je ne parle pas des cent morts à l'heure des petits et des grands génocides de la planète.

Alors je dis l'écriture est un privilège, une bonne planque (le dire au moins devant la bonne conscience généralisée des camarades du discours). Ou plutôt elle est le rêve et le cauchemar de la vie avec ses fréquences de confort et d'inconfort, d'oubli et de désarroi. La traversée somnanbulique ou exacerbée du « réel » et le mélange de la latence et du manifeste, la confusion de l'inconscient et du conscient, du dedan set du dehors, la mise à bas des certitudes et la montagne du doute qui ne peut qu'être contournée par les professeurs d'optimisme et de *management*.

Mais peut-être est-ce ma fiction de l'écriture que j'offre, écrivant, au partage et au refus. Ma manière d'habiter la fiction, l'évacuant et la redoublant. Mon mime et mon simulacre. Ma bonne et ma mauvaise foi. Mon double, miroir peut-être paradigmatique de notre ambiguïté, du malaise du *thème* ici proposé et toujours dévié.

Toujours. D'où vient que je sois toujours avec le discours sur l'écriture au-dehors, récupéré par ce que je dis sur elle et qu'elle est — n'est pas?

QU'EST-CE QUI CHANGE?

Qu'est-ce qui change? Me voici au milieu de mon âge, décoré, breveté, dans l'instance où parler est de mise, où discourir est la loi, où le cours est la norme, le savoir, la maîtrise. Et je parle, je parle d'art, je parle de philosophie, de poésie. Je dis *image,* je dis *mort.* La parole n'arrête pas d'avoir le dernier mot, la bouche d'avoir réponse à toutes les questions. Le monologue se poursuit, inlassable, à travers tous les simulacres de dialogue.

Mais voilà — fatigue —, le doute, le mépris et, au bout de la voix, le rauque, le balbutié, l'aphone. Je bégaye, je zézaie, ma parole devient opaque, inintelligible, inaudible. L'image est rendue au silence et la mort à cette plage vide entre les mots.

A ce moment à peu près surgit le titre du colloque *L'art comme langage du changement* et derrière lui, implicite et bruyante, toute l'idéologie du progrès, de l'homme perfectible, tout l'eudémonisme et la dialectique de l'enrichissement. A ce moment arrivent mes titres et partout les discours redoublent, alors que la langue fourche, que la parole en retrait, que la dessaisie, que la perte, que le désir de régresser, que l'amour de l'illisible, de l'incompréhensible.

Alors je dis, répète en moi, à haute voix, murmure ou cri, mélopée, incantation, rengaine : *Change, qu'est-ce qui change? Langage, langage du changement. L'art, l'art comme changement.* Et les morts défilent — comment expliquer cela? — mon père (S.O.S. au psychanalyste de service), le Christ, saint Sébastien au supplice, Lucrèce outragée se poignardant, l'œil vague, le geste un peu à côté, le jeune Chinois torturé de Bataille, la mort embrassant une jeune fille de Baldung Grien, les squelettes des *Images de la mort* de Hans Holbein, Marilyn Monroë répétée des multiples de Warhol, des hommes, des femmes, des enfants, des animaux, des objets, des mots, moi le voyeur — tous à l'arrêt, fixes, éperdument fixes, irréels, images de l'image de l'objectivité perdue. Et les images ouvrent les mots au leurre de leur signification apaisée et le trucage apparaît, le grossier triangle culturel signifié-signifiant-référent. Je dis *mort* et le mot *mort* est nu, obèse, démuni de son sens, image, image sans fin d'être image. Et le mot *image* et le mot *mot* et ce qui circule est, sous la convention déjouée du discours, du cours, du commentaire, l'espace des signes innombrables qui font signe, le mouvement arrêté des signes sans référence, le clignotement de l'apparaître, rapide, archivite, lent, qui n'a pas bougé, le glissement immobile, l'enlèvement.

Qu'est-ce qui change? Ce sont toujours des mots, c'est toujours le sens, c'est le discours du sens, parsemé d'allusions de-ci de-là à l'art, c'est la mixture philosophique-poétique, noétique-artistique, c'est une variante d'un air connu avec quelques fausses notes personnalisées (mais les questions après et les réponses rétabliront tout cela et nous serons bien d'accord, tous, pour nous reconnaître signifiant, pour contextualiser tout cela, pour repeupler de mots ce peuplement déjà de mots).

Pourtant le désir est de rendre les mots inutilisables, les images orphelines d'interprètes, de donner congé en nous et aux autres au commentateur, au trésorier du sens. Le désir est de ne pas comprendre, de fermer les yeux, ouverts, de ne pas voir l'ultravisible des regards toujours trop bien élevés, jamais assez indécents, assez à fleur de peau, à fleur de chaos, sur la vitre de l'image, sur la buée, sur la pelure, sur le relief du mensonge de l'image. Le désir est le balancement de vérité et de mensonge, l'autre côté du miroir et ce côté, l'au delà de la fable, l'en deçà de la fiction (parler, c'est naviguer entre ces pôles où se fabriquent et se refabriquent sans cesse l'illusion du sens et du visible, les mots qui la nommeront, la cacheront, les figures multiples, variées, nouvelles du dévoilement et du déguisement).

Qu'est-ce qui change? Ni la fable ni la fiction, ni la vérité ni le mensonge. Ni le sursens ni l'insensé, ni non plus le *cela va de soi* du sens commun. Ni l'universel ni le singulier, ni non plus le repos du groupe, le jargon d'évidences du corps plus ou moins constitué où l'on se reconnaît, où l'on s'approuve, où le réel (presque indemne) se retrouve. Mais des images, des mots, des corps épars, sans lien nécessaire, des signes sans visages, sans aube ni clairière. Mais le refus immotivé à lui-même des genres, des compartiments, des classements. L'art partout, sale, impudique, dissimulé, trompeur, exalté, déprimé comme il se doit (qui il? quel devoir?). La litanie des images-agressions, hors toiles, hors matériaux nobles. Ou, à l'inverse, la propreté obsédante des carrés lavables à la Mondrian, le système si nettement construit avec ses règles couchées sur papier quadrillé et ses marges d'aléatoire. Ou cette page rayée, ces mots partout superposés, illisibles et puis ces blancs, ces trous (qui de nous aime le mot *trou* jusqu'à épuisement, jusqu'à hors sexe et hors mot, jusqu'à peur et pleur et rire, jusqu'à l'os effrité du vide?). Mais la promesse que cela ne s'arrêtera plus, que le *change* sera de ne pas quitter le crayon, le marqueur, l'ustensile qui relaie la voix défaillante, qui est la voix écrite ou peinte, l'arabesque des signes qui n'en finissent pas de faire signe, de dire signe, rejetant toujours la signature, dépossédant l'écrivant de son nom propre, écrivant contre lui ce qu'il ne voulait pas dire — en aucun cas — et qu'il dit, ne dit pas, le protégeant, parlant de lui, nombrilisant le monde, narcissant tout et chacun (ni l'un ni l'autre, l'un et l'autre, fable de la dérision, fiction de la pauvreté). Mais le désir d'une mémoire, d'un mémorial baroque où un peu de Cage et un des CCCCLIX sonnets à Délie « object de plus haulte vertu », un morceau de Spinoza (« In deo movemur, vivimur et sumus »), un brin de Jabès (« Immense est le mot *obscurité* »), une séquence de Pierrot le fou (la ligne de chance) et une lecture à haute voix de l'évasion d'Edmond Dantès du Château d'If, avec un vers ou deux, une phrase ou quelques syllabes d'Alain Veinstein (« Avant qu'il puisse se retourner,/sa main (les soubresauts)/surprend le froid ») ou de Claude Royet-Journoud (« *cela* *bleu//* et qui ne s'éloigne pas »), d'un musée, incommunicable, invisitable, pas même privé, mais accompagnant la solitude, protégeant de la démagogie du cours et précipitant la langue perturbée, la main qui branle, la tête folle, la fièvre du désordre, du nouvel ordre.

Il faudrait dire aussitôt la fatigue, la lassitude, le haut-le-cœur, l'art, les beaux-arts, le beau langage de l'art, la prouesse des professeurs à parler de l'art sans bander ou chanter ou mourir, sans être l'art. Dire que « l'art ne parle qu'aux artistes » (Nietzsche) et que ce qui se dit n'a littéralement et dans tous les sens pas de sens (l'éprouver, c'est vivre dans un langage quelque chose de matériel, de corporel que la contemplation interrompt et excite, qui est entre la lutte et le sommeil, l'érection et la fluidité), que ce qui change est inapparent, n'est pas un objet de lecture, mais l'aveuglement, le retrait du livre, l'évidence vide et multiforme, et qu'il faut être à la fois tragédien et pitre, pathétique et clown pour entrer dans la peau de ce changement, pour être ce qui se vide et se rit, avance, lucide, vers la mort et porte tutu, masque d'arlequin, plumes de gille.

C'est le jeu si l'on veut de l'art, de notre modernité, de donner ce change, d'être le singe du changement, le songe du change, le singement. Qu'est-ce qui singe? Quelle nouvelle facteur? Quelle bonne et terrible nouvelle? « Ce ne peut être que la fin du monde, en avançant » « Voici le temps des ASSASSINS » « Arrivée de toujours, qui t'en iras partout » « En tout cas, rien des apparences actuelles ». Ou, autrement dit, l'humanisme a perdu son beau dentier en or, les grandes synthèses sont édentées et toute l'histoire, rétrospectivement, est comique, comme l'annonce de notre proche avenir où nous serons — c'est le chapitre des prophéties — vidés visiblement de notre présence, jetés bas de notre confort économique, épistémologique, esthétique, pour voir le singe du change, pour glisser sous les signes irrévérents, irréférents, pour être là, sans savoir, sans mots idoines, sans contenance académique, savante, voyeuse, sans, dépourvus, dans le creux du manque, sur la vague du plein, dans l'indistinction, l'indivision, le mouvement du même, dans le collimateur du leurre, lucides et menteurs, voyants et aveugles, entre le singe et le change, entre la dérision (l'amère, la rieuse) et la passion (l'eschatologique, la pas comique).

Entre (je répète ce mot face au changement), entre naissance et mort, au milieu de mon âge, entre philosophie et poésie, entre savoir et fiction, entre ailleurs et ailleurs, dans le non-lieu semble-t-il où se fomentent promesses comme vagues, désirs comme ondes, rêveries comme caresses de vent, où les mots vont et viennent, de la parole zozotante à l'écriture balançante, où quelque chose arrive, n'en finit pas d'arriver, ajournant tout ce qui a lieu, rendant tout vain, inutile, fatigant, vide, déplaçant les pôles pour rendre manifestes les signes de la venue, les lignes illisibles, incompréhensibles, l'autre langue, l'autre monde (parfois entrevus, images, images excédant l'image, dans la rétine ou dans la mémoire ou dans le cœur ou dans la moelle épinière), qui est musique, qui est giclement, au delà de la jouissance, des couleurs, acide et sucre du goût, aspérité et douceur du toucher, fadeur et pestilence de l'odorat, excès et retenue. Ce change, mon change, en tous lieux écartés, en toutes formes ouvertes, en tous siècles déshistorisés, où la peur redevient la peur, où le rêve approche du sommeil sans rêves, où la mort rompt les digues et surprend le souffle de l'habitude, où l'opaque transparaît — limite impossible qui déjoue et rejoue les formes —, où tout ce qui précède est trop clair, trop fallacieusement clair et obscur, où c'est — il faut le redire — la fin du cours et le commencement du poème, le passage à ce qui change, imperceptible et violent, discret et sauvage, où la résistance à la réduction au sens optimiste du changement tire la salve du bonheur et du malheur de dire, de redire, de dédire l'inchangé, l'échange, le change, l'art, la cachette et le strip, le travesti et la mise à nu, l'ambiguïté de ce sujet, de ce discours, de ce lieu, de ce moi, de nous tous (ce mélange de quoi? pourquoi? vers quoi?), l'inutile peut-être, le mime et le critique et le lyrique, ces trois masques de la parole qui traverse le milieu invivable où l'on parle en dérive vers le non-lieu, où l'on écrit, où l'on répète autrement la question du change, la question de la dissimulation, la question de la visibilité, la réponse inaudible à la question illisible.

Mais alors quel langage en retrait du langage dans le langage? Quel lieu des signes? Quel code et pour quels usagers? Et quel sens assigner à l'inaudible-illisible? L'extrême serait le silence, le vide, le blanc, mais *silence, vide, blanc* sont dans la langue eux aussi. L'extrême serait l'aphasie, mais l'aphasique écrit et puis fait réciter ce qu'il vient d'écrire. L'extrême serait le désert, mais le désert est télévisé, mass médiatisé, le forum est partout, même dans notre chambre à coucher, même dans l'obscur, l'opaque, l'insensé. Alors — pirouette — on n'échappe pas au sens, au sens socialisé, au public avide d'informations, du divertissement de l'information, on n'échappe pas à l'oubli de la grande parlerie, à l'inventaire des techniques (les techniques de fuite) et c'est comme une tempête dans un verre d'eau en technicolor. Alors qu'importent les carreaux de faïence blancs de Jean-Pierre Raynaud, les sexes mâles en érection greffés sur des sexes féminins de Mark Prent, les variations Mac Luhan de Nam June Paik, puisque l'effet de surprise passé, tout se digère, se resignifie, devient gadget par exemple ou élément de décoration, puisque cela qui se montrait, nous démontait est dévoyé, est remonté comme une machinerie vaine et inutile, au mieux plaisante, distrayante ou objet de colloque de spécialistes.

Je retiens maintenant ce mot *machinerie* qui, par un défaut de lecture, devient *ma chierie* et je dis sous ces mots cela demeure, cette peur et ce rire, cela qui ne me rassure jamais, qui fait que cela dit doit être compris, aplati, resignifié pour que cela reparte, retourne et revienne, pour que, le malentendu aidant, il n'y ait plus de cesse, plus de trêve, que cela soit parler pour parler, langage pour langage, comme une boule énorme de silence et de cri, d'incongruités timides, qui gonfle et éclate, qui bande et qui pète, qui fait de moi une bouche sèche, une main convulsive, un sexe diffus, un corps épars dans ces images vaines, dans ce spectacle si peu spectaculaire, l'artificier de la fougue et de la déception, l'œil exorbitant et aveugle de la mémoire et de l'oubli, le singe habile qui retombe toujours sur ses pattes après quelques jeux de lianes emmêlées, qui dit *bonjour, merci, au revoir* comme si de rien n'était, qui s'insère dans le réel, apparemment intégré, accordé mais avec des ratages d'expression, de gestes, de parlerie de plus en plus nombreux. Fatigué de dire, à bout de discours, voulant secrètement le le le de rien, le le l'autre parole, l'obscur mélange de toutes les strates de l'incompréhensible, déposant ce désir dans le langage, minant la langue, du dedans, faisant le pitre linguistique, rendant la belle synthèse plus difficile, grattant la corde de la déception, affûtant l'art de parler à côté, de désigner — fumées, mirages —, l'à côté, le non-lieu, à côté, l'exil et le malheur et le bonheur à côté.

Alors reprise de ces mots, alors ressaisie du titre *L'art comme langage du changement* et insistance puérile de ces questions : Quoi l'art? Pourquoi ce distinguo d'art et de non-art? Quel langage? Pourquoi un langage? Pourquoi pas toutes les langues et le méli-mélo de tous les signes? Pourquoi pas le tourbillon des voyelles, des sons, du silence? Pourquoi pas tous les alphabets (morse, Braille, Michaux, Dotremont), toutes les matières, tous les gestes et la grande brasse éperdue contre la mort, le palimpseste de tous les signes, l'origine toujours perdue de ce qui balbutie, murmure, crie, parle, communique, informe, déforme. Quoi le changement? Qu'est-ce qui change? Des formes? Des figures? Le lieu même des signes (le passage de la fable à la fiction, la navette nihiliste entre les deux pôles de la certitude et de la vision), le soulèvement du fond sans fond, le leurre et l'espoir, le vide et l'illusion, le même et l'autre, le nombril et le bout du bout du bout des galaxies, la finitude sans paroles et l'orgue scientifique, religieux, poétique du sens nouveau, de l'homme meilleur, le désaccord en moi (et en beaucoup de contemporains comme on dit) de ces deux faces du dé pipé. L'image obscurément — défaite? — que rien ne change, que seul change le dit de ce rien, les formes de voilement et de dévoilement, l'épuisante geste qui toujours passe par la langue, qui l'ouvre, s'y referme, l'excède, s'y relimite, qui déborde, qui infra, qui delà, qui méta, qui projette le soupçon sur chaque mot, sur chacun de nos gestes, qui isole et répète, excepte et banalise, l'un ou l'autre, l'un et l'autre, qui fait l'artiste plus pauvre comme chacun de nous, plus humble, plus tout le monde, plus personne, plus près de l'anonyme, du partage non humaniste de la mort phantasmatique, du non-art, d'un monde explosant d'images, saturé de signes, insigne, hors signe.

Alors reprise de la question comme vide, comme blanche, de la réponse multiple, diffuse et regard à la ronde où les signes interpellent, défont, refont, décident pour moi semble-t-il et commandent la confusion. Qu'est-ce qui change? Qu'est-ce? Qui? Alors mémoire de cette affirmation si péremptoire qu'encore plus fascinante, pénétrante, corporelle :

« *Tout vrai langage*
est incompréhensible...

dakantala
dakis ketel
ta redaba
ta redabel
de stra muntils
o ept enis
o ept atra

de la douleur
suée
dans
l'os. »

Alors brouillage de tout texte, alors rythme de toute vie. Alors désir innommable, le cache-cache de quel change, le cache-sexe de quel corps aimé en aveugle, comme hors corps et hors soi, dans le délire indéchiffrable de quelle intimité de nulle part, dans quel sommeil, dans quel rêve?

Alors poursuivre et se taire, changer la vie irrespirable, souffler l'espace, briser les mots. Ce qui arrive n'a pas de sens, ce qui éclate était aimé, ce n'est pas un lieu pour un autre, les signes glissent, nous sommes signes et chaque but est un leurre. Une musique accompagne, quelques lumières et des ombres. C'est entre le jour et la nuit, c'est quelque part entre mes doigts, c'est aussi bien dans le cerveau, c'est dans l'histoire et dans le cœur, c'est dans l'échange de ces lieux, c'est à perte de vue, de paroles, de savoir, indéchiffrable et beau comme des taches, des lignes, de l'acryline, du polyester, du bois, des pierres, de la pellicule, des corps, des nuages, du vide, comme l'addition, la soustraction, les trois milliards que nous sommes, ma mort. Comme cette question qui se vide jusqu'à n'être plus que danse de mots, que souffle épars dans l'invisible-visible qui est la loi, la trame du dehors et l'effondrement du dedans, l'ironie infinie du fugitif apparaître, le suspens, le cœur battant d'une vie hors sens, hors propos, dans le cercle, dans le sens, dans le cours, dans le change, dans le comme.

Comme quoi nous sommes nulle part, comme quoi il faut avouer ne pas savoir, avoir parlé pour rien, avoir aimé le rien, avoir servi l'illisible, l'insignifiant à la bouche géante, avoir été la chose objectivée en ce lieu et niant l'objet, niant le lieu, l'impossible double, l'impossible chance du change, la monnaie de singe dépensée sans profit, hors cours et dans ce cours, le chien mordant sa queue, le rhéteur du vide, le complice révolté.

Qu'est-ce qui change? disait-il. Il se trompait de langue assurément.

ALORS VOILA

Alors voilà, l'hypothèse : c'est qu'il y a de plus en plus perte du référent dans la poésie aujourd'hui (dans l'art en général) et que cette perte peut aboutir à une sorte de formalisme et de schizophrénie (dénoncée déjà par Klee) ou à un *lieu* d'où le réel se soulève, s'ouvre et se meut (émeut), lieu de révolution, d'où le réel est assigné alors à comparaître (le paysage comme l'histoire, l'économie comme la langue) et à assumer sa propre visibilité, qui n'est plus affadie, ni idéalisée, ni interprétée en termes d'humanisme poétique narcissique.

Ce qui semble donc abstrait — la réflexion sur le référent, sur le modèle — est le procès le plus concret de la représentation. Si j'interroge le regard qui voit et la langue qui parle, tout entre dans le change de la perception et de la parole et il n'est plus possible de croire naïvement à *moi,* au *monde,* au *langage* comme à des substances immuables et bien délimitées. C'est alors la perte des frontières. La poésie est peut-être cette cosmologie, ce logos du monde indivis. De sorte qu'en elle la distinction se perd, le distinct ne se reconnaît plus comme distinct. L'échange des flux et des formes a commencé — il a toujours été bien sûr à l'œuvre dans la poésie, mais en méconnaissant trop souvent la force et la nature de son pouvoir, en l'attribuant à des instances étrangères ou en n'y pensant pas.

On peut voir autour de nous une poésie qui continue à ne pas penser et qui se réfère encore à un référent, qui dans un rapport de représentation, peut-être sans le savoir et en étant heureuse et « innocente » du simple bonheur de dire. Mais il y a aussi une poésie qui *réfléchit* sur son lieu et sur l'utopie de tout lieu, que fascine la fiction du monde et du langage et pour laquelle la langue est le corps des mots démembrés, une poésie qui assume l'illusion poétique et qui projette sur le monde et les hommes le tragique et l'absence de sens, donnant à la parole pouvoir de perdre le pouvoir.

Alors le poète n'ose plus clamer des certitudes, des états d'âme, dire des prières — il reste en deçà de sa voix. Modestie et gêne peut-être exemplaires de la *crise* de l'humanisme aujourd'hui dont on ne parle pas [1]. Car si un combat importe à tous l'évacuation de l'oppression), il y a au cœur même de toute oppression quelque chose de résiduel (quand bien même sera levée cette tyrannie historique contre laquelle ici justement on combat) et ce résidu, ce feu invisible de l'aliénation, c'est l'idéalisme, l'anthropomorphisme qui (dé)forme notre langue et nos échanges, notre perception de l'espace et du temps.

Et le poète dit : *je* et *toi* et *étoile* et *amour* et ce qu'il dit n'est plus entendu, car dans la ville on ne voit plus les étoiles et que les moi et les tu ont des rapports de *marketing*. Et la poésie — de la représentation, de l'émotion, de l'indignation — ne peut plus être la force critique et lyrique d'un renversement, je le crois, mais seulement une activité inoffensive, hygiénique.

D'où, en toute logique, la démission de la poésie dans le poème et son investissement ailleurs, soit dans l'oralité (qui me semble très importante), dans l'affiche murale (mots verticaux), dans la gesticulation (dont Miron est un des maîtres magiques), soit dans le concept [2], la philosophie (combien de philosophes-poètes aujourd'hui), soit dans la peinture, soit dans le récit (le roman, le cinéma).

La poésie est hors d'elle-même, là où la métastrophe sociale et linguistique a lieu et où les frontières se perdent, dans la lumière encore aveuglante de demain, d'aujourd'hui, où nous ne devinons pas notre lieu et notre métamorphose.

NOTES

1. Où dont on ne parle que pour essayer de resauver l'humanisme, avec une bonne volonté boy-scout qui est, pour moi, tout le prosaïsme. Encore une fois, contre l'oubli de la prose et l'aplatissement poétique des bonnes âmes, *la haine de la poésie.*

2. Le concept éclaté, ouvert, par l'émigration du poétique hors de son *genre,* à la fiction. De sorte que la poésie est aujourd'hui le *lieu,* le milieu des textes poétiques, romanesques, philosophiques, des gestes du peintre, des plans du cinéaste, l'espacement, le théâtre de la fiction, hors du ghetto de la rimaillerie et de l'indigence de la pensée, au centre du blanc de tout récit. Ainsi la sortie hors du poème est la rentrée *à nouveau* possible du monde en poème.

EN PERTE DE COMMENTAIRE

(A lire en bégayant, en avalant les syllabes. A lire avec une voix d'horloge parlante, pour nettoyer le poétique de toute émotion, de toute interprétation, pour déjouer autant qu'il se peut le logos récupérateur.)

La poésie que j'aime (ce mot ne convient pas) me rend toujours malade ou joyeux (hébété), m'échappe. Je ne peux rien en dire que haut-le-cœur, mal aux yeux, froid dans tout le corps (ou alors commentaires, discours mensonger, guérison).

Les mots s'ouvrent — ce n'est ni opaque ni transparent —, la syntaxe diffuse des rapprochements, des éloignements, quelque chose circule (dans les blancs du texte, entre), quelque chose comme un ordre de sortir de son sang, de son souffle, de ses mots (je ne sais plus où j'en suis), quelque chose, vertige, parle et ce que cela dit, qu'importe (je n'entends pas ces mots, je ne comprends plus cette langue étrangère).

Je (il n'y a plus de je, plus le mot *je,* plus de mon propre) quittant l'estrade (le dis-cours), oublie d'un seul coup toutes les raisons qu'il pouvait avoir de parler avant, oublie même ses résolutions d'oubli, sa décision (un peu théâtrale) de vivre une parole hors sens, hors mots, hors de la personne, séparée, projetée d'un seul coup dans un dehors évident.

Je (de moins en moins commentateur, co-menteur) ne parviens pas à dire de quoi il s'agit (si ça résiste au compte rendu c'est le signe, si ça reste fermé au thème, à la musique savante du commentaire, si le sens brûle dans l'obscurité de la prise, dans la nuit sans leviers, c'est la preuve et je répéterai, balbutierai comme un enfant, comme un singe, je rirai, je).

Que des signes, que des phrases énigmatiques (mais sans le sérieux de l'énigme, le garde-à-vous du mystère), que des visages (tantôt distincts, tantôt confondus), que ces mots, par exemple (je tourne très vite les pages) :

« *Faergekroen où Gloria si longtemps, un soir, se pendit à moi, par tant de faveur se noua, par tant de ferveurs que nous perdîmes la tête dans une grange de chanvre* »

« *que le poème se dégrade qu'il ne soit plus correct qu'il ne soit plus lisible qu'il offense qu'il soit l'hydrolyse mentale et le courrier de la fureur nouvelle* »

« *trop vaste*

et comme insoutenable
aux lèvres dites »

« *Je porte un pantalon flanelle flasque ton très clair, un blazer gris ciel de Belgique*

avec des boutons dorés et deux passe-pets
ad liberandum *l'épaisseur de mon cul; et sur mon nez,*
l'inévitable binocle à fine monture dorée.
Autour de moi, sur les banquettes, d'affreux postiers wallons
parlent femmes, saucisse, visite médicale du pantalon,
il est temps, il est grand temps,
qu'on mette fin à tout cela. »

« *il connaît la langue :*
incommunicable si ce n'est de
la double forme »

« *Je chevauchai à travers la neige, entends-tu,*
je chevauchai Dieu dans le lointain, — le proche,
il chanta,
ce fut
notre ultime chevauchée au-dessus
des hommes-haies. »

« (*Sept Candélabres d'Or continueront d'éclairer l'histoire immobile. Depuis toujours arrêtée.*) »

Ou ceux-là plus anciens (mais toujours présents, inactuels, à venir) :

« ... *Car non pas calme ni lente*
la fille
aux réponses divines, elle ne desserra pas
comme jadis les lèvres, et de l'abord, vouées d'équivoque
— palpitantes :
elle cria, *au contraire, elle épanchait un cri*
qui confond et à quoi tout se mêle, — cri improférable

de sa gorge brilla, mâcheuse de laurier, surgissait un langage
mimant si près la voix sonore, répétant la voix
dont la question étreint — celle d'un sphynx : assombrissant. »

« *Et toutes fois voyant l'Ame incensée*
Se rompre toute, où gist l'affection :
Lors au peril de ma perdition
J'ay esprouvé, que la paour me condamne.
Car grand beaulté en grand parfection
M'a faict gouster Aloes estre Manne. »

« *Les signes confus du vol des oiseaux sont lus*
Par des lépreux qui pourriront peut-être avec la nuit.
Dans le parc, frère et sœur s'aperçoivent en tremblant[1]. »

Ou mes mots à moi (moi?) entre les lignes des livres et des souvenirs et de l'impossible, ou une pierre ou deux (un caillou du Texas, un fossile de Jérusalem), un arbre, un morceau de ciel (ah! Verlaine), quelques syllabes, un ou deux termes anglo-américains, du blanc, des parenthèses, des italiques, des majuscules, des tirets, des bégaiements, des inachèvements, — des absences.

Que le livre construit, à construire, que le récit du livre dans le livre, que son espacement, les à-coups de son devenir, l'être-là toujours ajourné de son lieu, que les barres verticales, horizontales, la dispersion du corps de la langue et sa concentration, que la dépossession, le dehors, l'*utopie*. Et les figures circuleront et les rythmes brûleront (ou ce sera grand froid, feu de neige) et le ton chantera en filigrane de la voix et les lettres seront visibles par leurs propres yeux et ce sera — je le sais comme la vérification d'un rêve — l'aveugle partage, à la frontière perdue de l'inouï et du dérisoire, de l'impossible et de rien.

Comme une page blanche ou noire (l'un ou l'autre, l'un et l'autre). Comme une absence soudain d'analogie. Une délivrance (mais de quoi?), une é*vide*nce sans glossaire et sans prêtre, sans Père, sans Antipapa.

La poésie (babebibobu), l'inadmissible poésie, la haine de la poésie. La poésie que j'aime (ce mot ne convient pas) m'échappe, est superbement illisible.

NOTE

1. Comme si tous ces « poèmes » étaient un seul poème, un seul visage, comme si tout ce qui différait en eux (langue, sujet, rythme, secret) renvoyait plus encore à un centre (nullement réducteur, nullement resignificateur), à un centre diasporique, mouvant, non positionnel que ne rencontre pas (sinon comme équivoque) le commentaire, mais dont approche une sorte de lecture aveugle, provisoire, incertaine et forte comme l'appartenance (comme le partage de l'exil et l'invention en écho de sa langue). Soient alors par exemple ces noms (non plus propres mais indivis) : Christian Dotremont, Paul Chamberland, Roger Giroux, William Cliff, Anne-Marie Albiach, Paul Celan, Dominique Rouche, Lycophron, Maurice Scève (Pascal Quignard), Georg Trakl.

REPONZE

Mais alors dites-nous ce que c'est la poésie? C'est une parole qui bégaye, suspend le nom, embrasse toute la bouche, brûle la langue, le corps, enregistre la dépossession (la multiplication, la division), un geste qui déhanche (dérange) le *réel,* qui précipite l'immobile, le non-vu, l'impossible suspension de l'instant, qui dément toutes les positions, toutes les démarches, toutes les théories d'idées, de sentiments d'eschatologie, qui vide le ciel du sens et ouvre les digues du désert et de l'étoile, de la grande sécheresse blanche où sourd l'errance et la répétition. C'est le renversement (sans symétrie), le vertige (sans retour à la *normale*), la lecture des livres illisibles, le mémorial des petits faits et des grands phantasmes sans théâtre où se rendre manifestes, le collage des mille et une rencontres et des mille et un rêves entre regard et possession, l'outrance de la faufilure (la couturière poétique) et la retenue du récit qui débiographie, qui désignifie, rendant à la langue la tâche irresponsable de la distribution et de la confusion, du mélange de transparence et d'opacité, le pouvoir de ne plus informer (pas de mass media poétique), de ne pas célébrer le faux culte du progrès et de la perfectibilité, pour n'être plus que le désir absolu (niant ce mot absolu-ment), la divagation du surplus (et du manque), la mythologie (non charismatique) d'une parole inextinguible et infinie, qui n'en finit pas — ne peut finir — de commencer (de s'espacer, de surcharger, de zézayer, de raturer, de mêler blanc et noir, de spiraler la langue et l'espace). C'est (la poésie), c'est (tous genres, tous langages, toutes langues) le rythme plus proche de, déjà plus loin que, le différer de la représentation, l'avant (déjà perdu) de la signification, la limite du dicible, l'apparaître (vite vite) d'une altérité (blanche, sans substance, sans origination), d'une pulsion de dire (proche de l'expulsion de la matrice, de l'entrée de la mort), qui n'a ni mémoire claire ni amnésie radicale, qui rappelle et rejette, détruisant sa parole comme l'iconoclaste religieux, comme le nihiliste du sacré, qui avance dans le sacrilège parce que le vide est le seul sacre et les mots proférés la seule évidence incompréhensible. Est-ce?

DIS-POSITION

Comment un livre se ruine, comment il se réécrit, comment la poésie est peut-être cette auto-dévoration, la fin du livre, du langage, du moi, une sorte de bouche immense, de lèvre sèche qui ouvre sur l'illisible, sur l'invisible *ici*.

La Démarche poétique part d'une poésie encore idéaliste, d'un commentaire idolâtre pour peu à peu dériver vers le non-lieu du poète, du critique, du lecteur, où la parole excède et manque, où il ne reste plus qu'à se perdre ou à hausser les épaules (et cela sans raison semble-t-il, sans Dieu ni linguistique, sans théologie scientifique ou papaphysique).

De René Char à Edmond Jabès, de Bernard Noël à Georges Bataille, d'Yves Bonnefoy à Michel Deguy, de Paul Celan à Rainer Maria Rilke et jusqu'à l'aujourd'hui d'Anne-Marie Albiach et de Jean Daive, c'est aussi le récit d'une profération, commune et propre, singulière et anonyme, où de plus loin que le sens, l'émotion quelque chose *parle,* sans origine et sans au-delà, fermé et ouvert dans sa langue, déjouant tous les commentaires, les assignations à demeure, continuant à avancer vers nous comme la rumeur de la mémoire et le silence de l'oubli.

OFF

« trop de bouche », pourtant « un creux sous la langue/inverse bouche » (nuit) — il faut tuer le mot, à la verticale des phrases, du récit. « tâche-aveugle », exténuante, vaine (me).

Bouche qui nomme, dit le nom, oublie le corps. Bouche qui mange le nom, la parole, l'oubli. Double de mort. Visage : face à face de ce que « je ne suis pas » et de « ce que je suis ». Visage, par le nom, recherche la première bouche.

Ici le nom de Noël — mur transparent de sa séparation —, la menace de l'irréel, de l'infidélité, le risque, l'anagramme. Ici nier le nom, la bouche commenteuse du nom, l'ombre de l'ombre blanche. Le meurtre du nom, le chemin vers la mort (la simulée, la véritable), l'avalée de la langue de la langue, la disparition du corps. L'échec de nommer, l'absence du nommé, au centre « une vérité immobile, un oui-non », la navette de l'impossible. Peut-être écrire, ce théâtre, la nomination de la perte et le contre-sens du *moi* qui se désécrit, qui (ne) livre (pas) son corps.

Pousée en moi de tout non-dit, comme à l'inverse de Noël, le « trou secret ». En traverse du nom de Noël qui n'est pas lui, de ses livres qui le cachent, illisibles en leur clarté, le miroir de mon échec, de mon désir de n'être pas SOJCHER, l'auteur de *La Démarche poétique* et d'autres livres parus ou à paraître, mais l'envers, le REHCJOS, la bredouille, le balbutié, le cri, l'infra, l'iconoclaste doux qui a peur, le dé-commentateur, le dé-nominateur, le déluge de ma propre mort.

Et pourtant je redouble, je diffère, j'écarte Noël, ici exemplaire. Je le mets dans la boîte, mot après mot.

Fiction et pas rencontre qui voudrait se ruiner comme fiction, rencontrer. Etre sur le chemin (« l'en aller et le retour... qui mangerait même cette tentation qu'a l'absence de se produire elle-même en s'écrivant »), qui tourne sur lui-même, toupie, derviche.

A force de simuler être, soulever la pierre du nom, anonyme désignataire, osant off, osant le poème de l'effacement, l'écriture trouée de moi :

« Cette peur du Nom m'a longtemps accompagné. Elle n'a commencé à disparaître, beaucoup plus tard, qu'à compter du jour où les seize lettres qui le composent purent être prises en charge par un texte qui les signât. Comme si écrire permettait un renversement grâce auquel son propre nom pourrait faire basculer le signataire dans la nudité de l'anonymat et que, contrairement à Ulysse qui, pour abuser le Cyclope, déclarait se nommer *personne,* le texte proclamait qu'il y a quelqu'un, dans une caverne vide. »

Quelqu'un, Noël, Hocquard, Veinstein et aussi

« Rien
Nulle part.

Personne.
Jamais. »

des mots de vide et de plein, vivant de ce déchirement, continuant :

« On dirait que le livre remonte vers sa source, mais la source aussitôt se perd dans un autre livre. »

Off (« Là devant dedans hors »). D'une voix off.

NOTICE BIBLIOGRAPHIQUE

Avènement, devenir, disparition, Le Journal des poètes n° 10, 1969.

De la fable à la fiction (version un peu modifiée d'un entretien avec André Miguel : *L'entre-deux le lieu même de la poésie*), in *L'Homme poétique,* Librairie Saint-Germain-des-Prés, coll. « Les Cahiers de poésie I », 1974.

Itinéraire de l'impossible (paru sous le titre *Antonin Artaud ou l'incarnation de l'impossible*), La Pensée et les Hommes, avril 1968.

Le Jugement et la répétition, Obliques, n° 7, 1976.

Tac-Tic de la Révolution Culturelle, La Quinzaine littéraire, n° 181, 16-28 février 1974.

L'irresponsabilité poétique et le jour servile (paru sous le titre *Une morale de la souveraineté et de la transgression*), Revue universitaire de science morale, n°s 8-9, 1968.

Arcane sceptique de l'identité (paru sous le titre *L'avènement d'un sens*), Le Journal des poètes, n° 9, 1970.

Initial présent, Courrier du Centre international d'études poétiques, n° 80, 1970.

Signes du commencement (paru sous le titre *Une poétique de la relation*), Courrier du Centre international d'études poétiques, n° 72, 1969.

Dans la distance, mais si proche..., Critique, n°s 303-304, août-septembre, 1972.

Sans plus, Critique, n° 320, janvier 1974.
Inventaire, mythologie, Critique, n° 285, février 1971.
Versant ouest (numéro spécial Octavio Paz réalisé par Pierre Dhainaut), Gradiva, nos 6-7, février 1975.
Demeure de nulle part, La Quinzaine littéraire, n° 218, 1er-15 octobre 1975.
Figures de la désolation, Les Lettres Nouvelles, n° 2, février-mars 1974.
A Contre-jour, Les Lettres Nouvelles, n° 2, juin-juillet 1973.
Toujours (actes de la rencontre québécoise internationale des écrivains : *L'écriture est-elle récupérable?*), Liberté, nos 97-98, janvier-avril 1975.
Alors voilà (intervention à la suite de l'exposé de Christopher Middleton), ibid.
Qu'est-ce qui change? (Colloque organisé par le Centre interdisciplinaire d'études philosophiques de l'Université de Mons : *L'art comme langage du changement*), Cahiers internationaux de symbolisme, nos 29-30, 1976.

TABLE

III. UNE PENSÉE DÉPOSSÉDANTE

IV. UNE VERSION DE L'IMAGINAIRE

V. UNE PHYSIQUE DE L'*INSPIRATION*

VI. L'ESPOIR POÉTIQUE

DÉMARCHES

HYPOTHÈSES ZÉZAYANTES

LA COMPOSITION, L'IMPRESSION ET LE BROCHAGE DE CE LIVRE
ONT ÉTÉ EFFECTUÉS PAR FIRMIN-DIDOT S.A.
POUR LE COMPTE DES ÉDITIONS U.G.E.
ACHEVÉ D'IMPRIMER LE 18 OCTOBRE 1976

Imprimé en France
Dépôt légal : 4e trimestre 1976
N° d'édition : 907 — N° d'impression : 9360

Collection 10|18

dirigée par
Christian Bourgois

PRINTEMPS 1976

LISTE ALPHABÉTIQUE DES OUVRAGES DISPONIBLES AU 31 JUILLET 1976

adotevi	négritude et négrologues 718♦♦♦
amin	l'accumulation à l'échelle mondiale t. I 1027♦♦♦♦♦♦ t. II 1028♦♦♦♦♦♦
anthologie des préfaces de romans français du XIXᵉ siècle	672♦♦♦♦
anthropologie et calcul	606♦♦♦♦
antimilitarisme et révolution	t. I 1030♦♦♦♦♦♦
aragon	histoire de l'urss t. I 708♦♦♦ t. II 709♦♦♦♦ t. III 710♦♦♦
arguments	t. I : la bureaucratie 1024♦♦♦♦♦ t. II : marxisme, révisionnisme, méta-marxisme 1036♦♦♦♦♦
arrabal	le cimetière des voitures 735♦♦
arrabal	l'enterrement de la sardine 734♦♦
arrabal	fêtes et rites de la confusion 907♦♦♦
arrabal	guernica 920♦♦♦
arrabal	lettre au général franco (édition bilingue) 703♦♦
arrabal	le panique 768♦♦♦
arrabal	viva la muerte (baal babylone) 439♦♦
arroyo	trente-cinq ans après 866♦♦
l'art de masse n'existe pas	revue d'esthétique 1974 nº 3-4 903♦♦♦♦♦♦
artaud	(cerisy) 804♦♦♦
art et science	de la créativité (cerisy) 697♦♦♦♦
assolant	capitaine corcoran 969♦♦♦♦♦♦
axelos	marx penseur de la technique t. I 840♦♦♦ t. II 841♦♦♦
bachelard	(cerisy) 877♦♦♦♦

bailly/buin/ sautreau/velter	de la déception pure, manifeste froid 810◆◆◆
bataille	(cerisy) 805◆◆◆
bataille	l'érotisme 221◆◆◆
bataille	le bleu du ciel 465◆◆
bataille	ma mère 739◆◆
bataille	madame edwarda, le mort, histoire de l'œil 781◆
bazin	le cinéma de l'occupation et de la résistance 988◆◆◆ (préface de françois truffaut)
beck	chants de la révolution (éd. bilingue) 834◆◆◆
beckett	mercier et camier 692◆◆
beckett	murphy 551◆
beckett	l'innommable 664◆◆
beckett	watt 712◆◆◆
béjart	mathilde 786◆◆◆
beti	remember ruben 853◆◆◆
biermann	la harpe de barbelés 706◆◆
bioy casarès	l'invention de morel 953◆◆
bloch	thomas münzer 948◆◆◆◆◆
bollême	la leçon de flaubert 713◆◆◆
les bonnets rouges	(e.s.b./la borderie/porchnev) 1045◆◆◆◆◆
bory	la nuit complice, cinéma II 686◆◆◆
bory	ombre vive, cinéma III 753◆◆◆
bory	l'écran fertile, cinéma IV 850◆◆◆
bory	la lumière écrit, cinéma V 964◆◆◆◆◆◆
bory	l'obstacle et la gerbe, cinéma VI 1058◆◆◆◆◆◆
boubou hama	le double d'hier rencontre demain 784◆◆◆◆
boudot	nietzsche et les écrivains français 937◆◆◆◆◆
boukharine	le socialisme dans un seul pays 876◆◆◆◆
boulenger	les romans de la table ronde t. II 500◆◆◆ t. III 502◆◆
brassens	la tour des miracles 814◆◆
breillat	l'homme facile 875◆
breton	la clé des champs 750◆◆◆◆
breton	martinique, charmeuse de serpents 791◆
buber	moïse 839◆◆◆
buin	les alephs, diegopolis, suivi de la retraite de russie 979◆◆◆◆◆◆
burroughs w.s.	la machine molle 545◆◆
burroughs w.s.	nova express 662◆◆
burroughs w.s.	le ticket qui explosa 700◆◆◆
burroughs w.s.	les derniers mots de dutch schulz 921◆◆◆
butor	(cerisy) 902◆◆◆◆◆◆
butor	la modification 53◆◆◆◆

---

campan	la cour de marie-antoinette 602◆
caron	curé d'indiens 613◆◆◆◆
castel	le psychanalysme 1046◆◆◆◆◆◆
castelot	my friend lafayette, mon ami washington 978◆◆◆◆◆
castoriadis	la société bureaucratique t. I : les rapports de production en russie 751◆◆◆ t. II : la révolution contre la bureaucratie 806◆◆◆◆
castoriadis	l'expérience du mouvement ouvrier t. I : comment lutter 825◆◆◆◆ t. II : prolétariat et organisation 857◆◆◆◆
cavanna	cavanna 612◆◆
cavanna	je l'ai pas vu, je l'ai pas lu, mais... t. I : 962◆◆◆◆ t. II : 963◆◆◆◆
certeau (de)	la culture au pluriel 830◆◆◆
chandler	lettres 794◆◆◆

change	
première suite	845 ◆◆◆◆
change de forme	biologies et prosodies (cerisy)
	t. I 976 ◆◆◆◆◆◆
change matériel	folie, histoire, récit (cerisy)
	t. II 977 ◆◆◆◆◆◆
chapsal	les écrivains en personne 809 ◆◆◆
charbonnier	entretiens avec claude lévi-strauss 441 ◆◆
châtelet	la naissance de l'histoire t. I 819 ◆◆◆◆
	t. II 820 ◆◆◆◆
châtelet	la philosophie des professeurs 715 ◆◆
les chemins actuels	
de la critique	(cerisy) 389 ◆◆◆◆
chessex	la confession du pasteur burg 846 ◆
chevallier	théâtre comique du moyen âge 752 ◆◆◆
chinotti/stefansdottir	la saga de njall le brûlé 947 ◆◆◆◆◆◆
christian	marchandise drogue 986 ◆◆◆
clément	(catherine b.) cixous (hélène) la jeune née 948 ◆◆◆◆◆
clément	(catherine b.) miroirs du sujet 1004 ◆◆◆◆◆ (esth.)
cluseret/rossel	la commune et la question militaire 536 ◆◆
cocteau	la difficulté d'être 164 ◆◆
cohen	l'énergie des esclaves (éd. bilingue) 835 ◆◆
cohen	poèmes et chansons (éd. bilingue) 683 ◆◆◆
cohen	les perdants magnifiques 775 ◆◆◆
cohen	the favorite game 663 ◆◆◆
collardelle-	
diarrassouba	le lièvre et l'araignée dans les contes de l'ouest
	africains 980 ◆◆◆◆◆
colombel	les murs de l'école 934 ◆◆◆◆◆
comte	discours sur l'esprit positif 97 ◆◆◆
condé	(maryse) hérémakhonon 1033 ◆◆◆◆◆
contes wolof du baôl	(copans/couty) 1050 ◆◆◆
contre althusser	906 ◆◆◆◆◆
copi	645 ◆
copi	théâtre 792 ◆◆
cox	la sphère d'or t. I 870 ◆◆◆
	t. II 871 ◆◆◆
cravan/rigaut/vaché	trois suicidés de la société 880 ◆◆◆
daix	prague au cœur 892 ◆◆◆◆
dallemagne	autogestion ou dictature du prolétariat 1069 ◆◆◆◆◆
darien	l'épaulette 797 ◆◆◆◆
de l'ethnocide	711 ◆◆◆◆
deleuze	présentation de sacher masoch 571 ◆◆◆
delfeil de ton	palomar et zigomar sont au pouvoir
	t. I 965 ◆◆◆◆◆◆ (chroniques de charlie hebdo 1974-1)
delfeil de ton	palomar et zigomar tirent dans le tas
	t. II 966 ◆◆◆◆◆◆ (chroniques de charlie hebdo 1974-2)
demarcy	éléments d'une sociologie du spectacle 749 ◆◆◆◆
descartes	discours de la méthode 1 ◆◆◆
deutscher	trotsky le prophète armé t. II 688 ◆◆◆◆
djebar	les enfants du nouveau monde 771 ◆◆◆
dollé	le désir de révolution 985 ◆◆◆◆◆
dorsinville	l'afrique des rois 949 ◆◆
dorsinville	l'homme en trois morceaux 950 ◆◆
dufrenne	art et politique 889 ◆◆◆◆ (esth.)
dufrenne	(mélanges) 931 ◆◆◆◆◆ (esth.)
dumas	le château d'eppstein 970 ◆◆◆◆◆◆
dumas	mille et un fantômes 911 ◆◆◆◆◆◆
duras	moderato cantabile 64 ◆◆◆
dylan	tarantula 793 ◆◆

ehni babylone vous y étiez, nue parmi les bananiers 761 ♦♦♦♦
ehni la gloire du vaurien 851 ♦♦
eisenstein au-delà des étoiles (œuvres t. I) 896 ♦♦♦♦
eisenstein la non-indifférente nature (œuvres t. II) 1018 ♦♦♦♦♦♦
eisenstein/nijny mettre en scène 821 ♦♦♦
eizykman la jouissance-cinéma 1016 ♦♦♦♦♦
éléments pour une analyse du fascisme (séminaire de maria a. macciocchi - paris VIII vincennes 1974-1975) t. I 1026 ♦♦♦♦♦♦
t. II 1038 ♦♦♦♦♦♦
emmanuelle t. I : la leçon d'homme 799 ♦♦♦♦
emmanuelle t. II : l'antivierge 837 ♦♦♦♦
emmanuelle t. III : nouvelle de l'érosphère 873 ♦♦
emmanuelle t. IV : l'hypothèse d'éros 910 ♦♦♦♦
emmanuelle t. V : les enfants d'emmanuelle 1059 ♦♦♦♦♦
émilienne 990 ♦♦♦♦♦♦
engels théorie de la violence 698 ♦♦♦♦
engels/marx la première critique de l'économie politique 667 ♦♦♦♦♦
enzensberger culture ou mise en condition? 783 ♦♦♦♦
épistémologie et marxisme 666 ♦♦♦
esslin bertolt brecht ou les pièges de l'engagement 625 ♦♦♦♦
esthétique et marxisme 838 ♦♦♦
ewers mandragore 757 ♦♦♦

fabre/lacroix communautés du sud, contribution à l'anthropologie des collectivités rurales occitanes
t. I 925 ♦♦♦♦♦
t. II 926 ♦♦♦♦♦
fauré les vies posthumes de boris vian 929 ♦♦♦♦♦♦
feuerbach manifestes philosophiques 802 ♦♦♦
figurations 1960-1973, 811 ♦♦♦
fischer la vie de lénine t. II 561 ♦♦♦
flanders le monstre de borough 908 ♦♦♦
flanders le secret des sargasses 960 ♦♦♦♦♦
flaubert (cerisy) la production du sens chez flaubert 995 ♦♦♦♦♦♦
foucault histoire de la folie 169 ♦♦♦
franklin le discours du pouvoir 922 ♦♦♦♦♦♦
freud/bullitt le président wilson 832 ♦♦♦♦
freudo-marxisme et sociologie de l'aliénation 888 ♦♦♦♦
friedman utopies réalisables 997 ♦♦♦♦♦

garaudy esthétique et invention du futur 576 ♦♦♦
gautier contes fantastiques 823 ♦♦♦
glucksmann discours de la guerre 826 ♦♦♦♦♦
goldmann structures mentales et création culturelle 831 ♦♦♦♦
gombrowicz ferdydurke 741 ♦♦♦
gombrowicz la pornographie 450 ♦♦
goulemot discours, histoire et révolution 1012 ♦♦♦♦♦♦
guérin de l'oncle tom aux panthères 744 ♦♦♦
granoff anthologie de la poésie russe (hors collection) (10 f ttc)
granoff poètes et peintres maudits

haddad	le quai aux fleurs ne répond plus 769♦
haddad	l'élève et la leçon 770♦
hallier	les aventures d'une jeune fille 861♦♦♦
hamiche	le théâtre et la révolution 801♦♦♦
hampaté bâ	l'étrange destin de wangrin 785♦♦♦♦
hegel	la raison dans l'histoire 235♦♦♦
herbert	indianité et lutte des classes 677♦♦♦♦
histoire du marxisme contemporain	t. I 1060♦♦♦♦♦♦ t. II 1061♦♦♦♦♦♦
hodeir	les mondes du jazz 509♦♦♦♦ (15 f. ttc)
horowitz	de yalta au vietnam t. I 788♦♦♦ t. II 789♦♦♦
hoxha	le socialisme en albanie t. I 898♦♦♦♦♦♦ t. II 899♦♦♦♦♦♦
hurault	français et indiens en guyane 690♦♦♦♦
huysmans	l'art moderne/certains 1054♦♦♦♦♦♦
huysmans	marthe/les sœurs vatard 973♦♦♦♦♦♦
huysmans	en ménage/à vau-l'eau 974♦♦♦♦♦♦
huysmans	en rade/un dilemme/croquis parisiens 1055♦♦♦♦♦♦
huysmans	à rebours/le drageoir aux épices 975♦♦♦♦♦♦
il y a des poètes partout	revue d'esthétique 1975-3/4 1001♦♦♦♦♦♦
les imaginaires	cause commune 1976-1 1063♦♦♦♦♦♦
jackson	un siècle de déshonneur 730♦♦♦
james	la redevance du fantôme 836♦♦♦
janvier	pour samuel beckett 796♦♦♦♦
jaspers	introduction à la philosophie 269♦♦
jaspers	les grands philosophes t. I 349♦♦♦ t. II 362♦♦♦ t. III 383♦♦♦ t. IV 707♦♦♦♦
jaulin	la mort sara 542♦♦♦
jaulin	gens du soi, gens de l'autre 800♦♦♦♦♦ (15 f. ttc)
jaulin	la paix blanche, introduction à l'ethnocide t. I : indiens et colons 904♦♦♦♦ t. II : l'occident et l'ailleurs 905♦♦♦♦
jimenez	adorno, art, idéologie et théorie de l'art 759♦♦♦
jouffroy	de l'individualisme révolutionnaire 944♦♦♦♦♦♦
journaux camisards	266♦♦♦
jouve	en miroir 714♦♦
juin	lectures du XIXe siècle 1032♦♦♦♦♦
jünger	visite à godenholm 693♦
kane	l'aventure ambiguë 617♦♦
kessel	les communistes albanais contre le révisionnisme 822♦♦♦♦
khâtibi	vomito blanco 879♦♦
klein	histoires comme si... 924♦♦♦♦♦♦
klossowski	la révocation de l'édit de Nantes 674♦
klotz	les innommables 780♦
kopp	changer la vie, changer la ville 932♦♦♦♦♦♦ (esth.)
korsch/mattick/ pannekoek/ruhle/ wagner	la contre-révolution bureaucratique 760♦♦♦

kramer	allen ginsberg 742 ♦♦♦
kremer-marietti	l'homme et ses labyrinthes 729 ♦♦♦
kriegel	le pain et les roses 748 ♦♦♦♦
kutschinsky	rapport danois 702 ♦♦♦
laborit	l'agressivité détournée 527 ♦♦
laborit	l'homme imaginant 468 ♦♦♦
lacassin	mythologie du roman policier
	t. I 867 ♦♦♦
	t. II 868 ♦♦♦
lacassin	tarzan 590 ♦♦♦♦
lacassin	pour une contre-histoire du cinéma 731 ♦♦♦
lacombe	le roman noir américain 918 ♦♦♦
larousse	pages du grand dictionnaire universel du XIXe siècle 935 ♦♦♦♦♦♦
lawrence	éros et les chiens 756 ♦♦♦
leclerc	le t.n.p. de jean vilar 538 ♦
lefebvre	de l'état t. I : l'état dans le monde moderne 1049 ♦♦♦♦♦♦
lénine	sur l'art et la littérature
	t. I 998 ♦♦♦♦♦♦
	t. II 999 ♦♦♦♦♦♦
	t. III 1013 ♦♦♦♦♦
lénine/kautsky	la révolution prolétarienne et le rénégat kautsky, la dictature du prolétariat 728 ♦♦♦
le rouge	le prisonnier de la planète mars t. I 1077 ♦♦♦♦♦
	la guerre des vampires t. II 1078 ♦♦♦♦♦
le rouge	le mystérieux docteur cornélius
	t. I 971 ♦♦♦♦♦
	t. II 972 ♦♦♦♦♦
	t. III 991 ♦♦♦♦♦♦
	t. IV 992 ♦♦♦♦♦♦
	t. V 1008 ♦♦♦♦♦♦
le rouge	la princesse des airs
	t. I 1075 ♦♦♦♦♦
	t. II 1076 ♦♦♦♦♦
leys	ombres chinoises 900 ♦♦♦♦
london	l'amour de la vie 862 ♦♦
london	l'appel de la forêt 827 ♦♦♦♦
london	avant adam 816 ♦♦♦
london	le bureau des assassinats 891 ♦♦♦♦
london	le cabaret de la dernière chance 844 ♦♦♦
london	les condamnés à vivre 890 ♦♦♦♦
london	le dieu tombé du ciel 957 ♦♦♦♦
london	en rire ou en pleurer? 1022 ♦♦♦♦♦
london	le fils du loup 1021 ♦♦♦♦♦♦
london	histoires des îles 928 ♦♦♦♦♦
london	histoire des siècles futurs 863 ♦♦
london	le loup des mers 843 ♦♦♦♦
london	martin eden 776 ♦♦♦♦
london	le peuple de l'abîme 927 ♦♦♦♦♦
london	les pirates de san francisco 828 ♦♦♦♦
london	le talon de fer 778 ♦♦♦♦
london	les temps maudits 777 ♦♦♦
london	radieuse aurore 815 ♦♦♦♦
london	souvenirs et aventures du pays de l'or 956 ♦♦♦♦♦
london	le vagabond des étoiles
	t. I 1019 ♦♦♦♦♦
	t. II 1020 ♦♦♦♦♦
london	la vallée de la lune
	t. I 864 ♦♦♦
	t. II 865 ♦♦♦